Somos como Incas

Autoridades tradicionales en los Andes peruanos, Cuzco

Beatriz Pérez Galán

Somos como Incas

Autoridades tradicionales en los Andes peruanos, Cuzco

Beatriz Pérez Galán

Iberoamericana · Vervuert · 2004

Bibliographic information published by Die Deutsche Bibliothek
Die Deutsche Bibliothek lists this publication in the Deutsche Nationalbibliografie; detailed bibliographic data are available on the Internet at <http://dnb.ddb.de>.

Amor de Dios, 1 – E-28014 Madrid
Tel.: +34 91 429 35 22
Fax: +34 91 429 53 97
info@iberoamericanalibros.com
www.ibero-americana.net

Wielandstr. 40 – D-60318 Frankfurt am Main
Tel.: +49 69 597 46 17
Fax: +49 69 597 87 43
info@iberoamericanalibros.com
www.ibero-americana.net

ISBN 84-8489-163-1 (Iberoamericana)
ISBN 3-86527-172-3 (Vervuert)

Depósito Legal: SE-5108-2004 en España

Cubierta: Marcelo Alfaro
Impreso en España por Publidisa
The paper on which this book is printed meets the requirements of ISO 9706

Contenido

Índice de las figuras

Mapas

Ilustraciones

A Javier y a Guille,
con quienes tanto me aprendo.

PREFACIO

La realización de esta investigación ha sido posible gracias al apoyo académico y financiero de diversas personas e instituciones tanto en España, como en Perú y en Gran Bretaña.

El Centro de Estudios Regionales Andinos "Bartolomé de las Casas" en Cuzco, me brindó en 1991 la oportunidad de aprender y asomarme in situ al complejo mundo andino gracias a una beca para participar en la primera promoción de la Maestría "Sociedad y Cultura en los Andes", que se transformó en el inició de mi interés académico y personal por el mundo andino.

Concretamente, la investigación de campo en la que se basa este libro fue posible gracias a una beca otorgada por la Universidad Complutense de Madrid en el programa de Formación de Personal Investigador (FPI) que disfruté durante tres años y ocho meses, bajo la dirección del profesor Francisco Sánchez Pérez, director de la investigación doctoral. En el marco de ese programa, tuve además la oportunidad de realizar un total de veinte meses de trabajo de campo en las comunidades del distrito de Pisac, Calca (Cuzco), repartidos en cuatro períodos de aproximadamente seis meses cada uno, entre 1994 y 1997. Agradezco al CEDEP Ayllu haberme facilitado el acceso a las comunidades así como a los fondos de su biblioteca. Durante ese tiempo dos personas me asistieron en la recogida de material: la profesora Guadalupe Holgado en las comunidades del distrito de Pisac y el historiador Donato González en el Archivo Departamental de Cuzco. Esta fase empírica fue completada con una estancia de investigación de seis meses (entre 1996 y 1997) en el Departamento de Antropología del Goldsmiths College, en la Universidad de Londres, bajo la supervisión de la profesora Olivia Harris.

Las últimas y discontinuas fases de revisión de esta investigación para su publicación se han desarrollado gracias al apoyo recibido, por un lado, en el Departamento de Antropología de España y América del Consejo Superior de Investigaciones Científicas (CSIC), donde disfruté en 1999 de una beca posdoctoral bajo la tutoría del profesor Fermín del Pino y, por otro, en el Departamento de Antropología y Trabajo Social de la Universidad de Granada, en el que vengo desempeñando mi labor como docente e investigadora desde el año 2000. La edición de este texto ha contado con el apoyo financiero del Laboratorio de Estudios Interculturales, grupo de investigación de la Universidad de Granada del que formo parte desde ese mismo año.

Finalmente, este libro es la culminación de varios años de ensayos, errores e intensas emociones, durante los que he contado con el apoyo y la comprensión de familiares, amigos, colegas e interlocutores, a ambos lados del Atlántico. Con ellos he aprendido académica y personalmente. A todos los que de una forma u otra intervinieron, gracias. Los errores de interpretación son exclusivamente responsabilidad mía.

Granada, diciembre de 2003

Introducción

Como en otras sociedades resultantes de una larga historia de colonización, en las comunidades andinas coexisten en el mismo espacio cultural y geopolítico dos sistemas de ordenamiento normativo. De un lado, un sistema de autoridad político-administrativa consecutivamente impuesto por los dominadores foráneos bajo la forma de encomiendas, haciendas o sistemas democráticos formales y, de otro, un sistema cívico-religioso de origen colonial, cuyo extremo más visible son los alcaldes envarados o *varayoq* (los poseedores de la vara), sobre el que versa este libro. *Wachu* es el nombre quechua que recibe en la actualidad y en varios pueblos del sur andino peruano este sistema de autoridades tradicionales que se rige mediante el principio de la mayordomía o del cargo.

Considerado en la literatura antropológica americanista como una de las formas de organización más emblemática de la identidad indígena, un repaso por la historia ilustra la continua merma de funciones político-administrativas otorgadas por los poderes foráneos a estas autoridades tradicionales, hecho que ha motivado su total desaparición en diferentes áreas de América Latina en general y del Perú en particular. Entre los cambios más relevantes que han afectado en los últimas décadas al estatus de estas personas, dos son de especial relevancia: por un lado, la abolición definitiva del tributo indígena y de las faenas obligatorias y, por otro, el reconocimiento del derecho a la propiedad de las tierras convertidas en comunidades campesinas y a un sistema democrático de representación constituido por una Junta Directiva y varios Comités Especializados. Sus miembros, elegidos por sufragio universal entre todos los comuneros y comuneras mayores de 18 años, son las únicas autoridades reconocidas legalmente como representantes de sus comunidades ante los poderes foráneos.

El no-reconocimiento de la situación de pluralismo legal que caracteriza a los pueblos indios en general y andinos en particular, presupone en gran medida asumir la inminente e irreversible extinción de la identidad local en aquellos escasos "reductos culturales" en los que todavía se conservan las autoridades tradicionales o *wachu*. Este planteamiento, aparentemente desolador para emprender una investigación que trata de ilustrar la naturaleza híbrida y plural de este sistema en un contexto de profundas transformaciones, devuelve sin embargo el foco de atención hacia el papel menos evidente pero no por ello menos político, que simultáneamente han venido desempeñando estas personas como intermediarios simbólicos en el contexto ritual grupal.

Situados en esta perspectiva, la confluencia de dos campos de estudio en antropología nos permite ubicar un primer plano significativo del *wachu* o sistema de cargos en comunidades andinas. De un lado, aquel que aborda el estudio de lo político a partir de las dimensiones simbólicas y rituales que implica el ejercicio del poder (Cohen 1979), y de otro, el que se centra en el estudio de las categorías culturales mediante las cuales los seres humanos piensan y ordenan el mundo en el que viven. La analogía, mediante la que opera la capacidad de simbolización, resulta ser uno de los mecanismos más eficaces en tal empeño (Levi-Strauss 1995; Sperber 1988; Lakoff y Johnson 1988).

Existen numerosos ejemplos en los que se estudian analogías a partir de las cuales los nativos conciben y ordenan su experiencia en categorías culturales (Douglas 1978). En el caso específico de los Andes, las más frecuentes proceden de los elementos de una naturaleza profundamente sacralizada (Bastien 1978), de animales (Urton 1985), del cuerpo humano (Stobart 1995) y del trabajo agrícola (Urton 1984). La referencia más cercana al *wachu* en tanto que categoría cultural ordenadora para la población, se extrae por analogía entre dos campos semánticos: uno es el de las prácticas sociales relativas al trabajo agrícola y otro el que se refiere propiamente al funcionamiento del sistema de autoridades tradicionales o sistema de cargos. Varios ejemplos ilustran este paralelismo: *vg*. el que la población local establece entre la alternancia de ciclos de cultivos y el descanso de las parcelas y la obligación de servir "por turno" a la comunidad mediante el servicio de los cargos; entre los sistemas de trabajo agrícola basados en la reciprocidad (*ayni, minka*), y la serie de derechos y obligaciones sobre la que se articula el sistema de cargos; o aquel que se observa entre el trabajo agrícola realizado en parejas *warmi-qari* (esposa-esposo) y los cargos que deben ser asumidos y desempeñados también en parejas (de esposos, madre-hijo o hermano-hermana); por último, destaca la analogía que resulta de comparar la distribución lineal de las semillas en la parcela de cultivo y la colocación, también lineal, que observan estas autoridades cuando se desplazan: la popular "fila india" a la que hace referencia literal la palabra *wachu*.

Los usos lingüísticos de esta palabra corroboran estas analogías. Actualmente, en las comunidades quechuas del sur andino peruano, *wachu* designa un universo amplio de situaciones que tienen en común aludir a un tipo de ordenamiento. La imagen espacial que emplean para referirse al orden o, más precisamente, a un modo ordenado de hacer las cosas es el surco de la siembra o *wachu* propiamente dicho. Para estas personas, "estar en mi *wachu*" equivale a tener la obligación de cumplir con un cargo; "colocarse de acuerdo a tu *wachu*", significa ocupar espacialmente el lugar que te corresponde de acuerdo al estatus adquirido por el desempeño del cargo; mientras que "pasar el *wachu*" o "pasar el cargo" constituye uno de los requisitos imprescindibles para alcanzar la condición de runa (del quechua "ser humano"), etnónimo con el que se denominan a sí mismos y que implica el reconocimiento como individuos sociales con derecho a tierras, sistemas de protección y ayuda mutua que garantizan la supervivencia en los Andes. Desde esta aproximación , el *wachu* o sistema de autoridades tradicionales aparece como la representación simbólica de una forma de organización social, política y religiosa que se realiza y se transmite a través del territorio. Parafraseando a Levi Strauss (1995), en las comunidades quechuas del sur andino peruano el *wachu* sería una "metáfora buena para pensar", ordenar y actuar sobre la realidad.

Pero si bien esta perspectiva es necesaria para entender cómo y porqué esta institución dota de identidad al grupo, sin embargo no explica su persistencia en determinadas áreas frente a otras en las que ha desaparecido por completo. La yuxtaposición de un segundo eje de análisis, esta vez diacrónico, ilustra las intensas transformaciones experimentadas por este sistema de autoridades cívico-religiosas desde su imposición colonial, como estrategia para garantizar la explotación y dominación de la población indígena, hasta la fase actual del proceso modernizador marcado por la extensión masiva de los medios de comunicación, la emigración hacia centros urbanos, el paulatino cambio de actividad productiva de muchos campesinos hacia la artesanía y la afluencia de instituciones de desarrollo y turismo de masas a la región.

Esta situación, característica del contexto en el que se insertan las comunidades andinas, plantea una pregunta básica para la antropología contemporánea: cuál es y cómo se establece la conexión entre la identidad cultural local, representada por el sistema de autoridades tradicionales o *wachu*, y los procesos globales aludidos. En otras palabras, cómo se produce y se experimenta el sentido de lo local en un contexto global como el actual cada vez más interconectado y desterritorializado (Hannerz 1998; Beck 1998; Appadurai 2001). Entre las respuestas que obtuvimos, la de D. Martín Illa, antiguo alcalde tradicional de la comunidad quechua de Chahuaytiri (Pisac), ubicaba esta pregunta de investigación en el marco de reflexividad de los actores del que se extrae el título de este libro:

> Nosotros, cuando hacemos alcalde entramos al pueblo de Pisac a escuchar misa cada domingo, con nuestros regidores y segundas. En ahí, vienen de otros países, y para ellos nosotros *somos como Incas* y de orgullo entramos. De igual manera aquí arriba, en nuestro pueblo, hacemos respetar lo que es la alcaldía...

Lograr pues una cabal comprensión del significado de las instituciones tradicionales andinas, caso del sistema de cargos o *wachu*, requiere hoy como en el pasado concebir a los Otros, los poderes foráneos frente a los cuales se objetiva y se reinventa continuamente: ayer encomenderos, evangelizadores y hacendados, y en la actualidad comerciantes de artesanía, residentes, promotores de desarrollo, científicos sociales y turistas, entre otros.

El distrito de Pisac, provincia de Calca (Cuzco), escenario etnográfico elegido para contrastar esta hipótesis, resulta adecuado por dos motivos: en primer lugar, este distrito es ampliamente conocido en todo el sur andino peruano por ser uno de los que más proyectos de investigación y desarrollo han recibido desde los años cincuenta del pasado siglo. Al menos una generación de antropólogos, la mayoría cuzqueños y otros "gringos", además de varias decenas, quizá centenas, de técnicos de todas las nacionalidades y especialidades (agronomía, zootecnia, ingeniería, biología, etcétera) han tomado las comunidades campesinas de este distrito como campo de experimentación para poner a prueba sus teorías, desarrollar el trabajo de campo necesario para lograr sus tesis de maestría o, simplemente, trabajar como personal contratado por alguna de las múltiples organizaciones no gubernamentales que han pasado por allí. En segundo lugar, su ubicación geográfica en el popularmente conocido "Valle Sagrado de los Incas", cuna del Tahuantinsuyu o imperio inca, una de las zonas más turísticas de todo el Perú y del sub-continente americano. Así, entre los atractivos que destacan las agencias de turismo de Lima, Cuzco, Nueva York o Madrid para singularizar a Pisac frente a otros distritos vecinos del mismo valle se encuentra el de sus "autoridades tradicionales", los alcaldes de vara. Estas personas, en tanto que representantes políticos de la población, además de participar en los rituales que suceden en sus propias comunidades asisten a la misa dominical que se celebra en el templo de la capital del distrito, el pueblo de Pisac, convertido en parada obligatoria de las decenas de *tours* que recorren este valle. Así, mientras que arriba, en sus respectivas comunidades, estas autoridades participan de un complejo mundo ritual a través del cual transmiten mensajes acerca de ellos mismos, de su organización y de su visión del mundo, abajo, en la capital del distrito, nos encontramos ante un escenario en el que muchos de esos rituales son representados por las autoridades del *wachu* no solo para los de dentro -en su función de transmitir un orden-, sino también para los de fuera, en este caso los turistas (Baumann 1992).

Por ello y para restituir el significado de la autoridad que ejercen estas personas en el contexto actual, nos proponemos seguir las indicaciones de D. Martín y analizar, por un lado, el papel que éstos cumplen abajo, en el pueblo de Pisac, como intermediarios políticos frente al dominio foráneo ejercido durante casi cinco siglos y frente al cual *son como Incas*, y por otro lado arriba, en sus comunidades, donde *la alcaldía es respeto*, es decir, en tanto que forma de organización que ordena y reactualiza un conjunto de significados acerca de la naturaleza del mundo y del papel que el grupo ocupa en él.

El plan de este libro está organizado según esa lógica. En la introducción se plantea una revisión actual de las principales interpretaciones antropológicas que ha generado el sistema de cargos o jerarquía cívico-religiosa, sin duda uno de los temas de estudio predilectos de varias generaciones de americanistas. El primer capítulo pretende ilustrar el papel desempeñado por las autoridades indígenas a lo largo de la historia frente a las transformaciones estructurales experimentadas en este distrito desde los albores de la época colonial hasta la reforma agraria, combinando fuentes de archivo, tradición oral y etnografía. En el capítulo II, se realiza una primera aproximación etnográfica a la estructura y función del *wachu* en la actualidad en términos de los cargos que lo componen, los recursos que moviliza y la participación, distinguiendo por un lado las comunidades campesinas de Pisac y por otro la capital del distrito. Esta revisión sincrónica permite descubrir la vigencia de este sistema como uno de los principales marcadores de fronteras étnicas entre ambos tipos de población. En los capítulos III y IV nos centramos en el análisis del *wachu* en tanto categoría cultural ordenadora para la población de las comunidades de este distrito. El contexto ritual grupal en el que los actores expresan un concepto compartido del mundo y de las formas legítimas de actuar sobre él, resulta el más adecuado para comprender el papel del *wachu* como transmisor y reactualizador de significados para la población. La relación entre las autoridades tradicionales y el territorio consagrado en cada una de las acciones rituales que protagonizan en el transcurso del año, será el hilo conductor de ambos capítulos. Concretamente en el III nos adentramos en la concepción de la población local sobre su calendario ritual-festivo y el lenguaje simbólico en el que se expresan esos días excepcionales, mientras que en el capítulo IV analizamos de forma monográfica el período conocido como "uso y costumbre" que coincide aproximadamente con las celebraciones de Carnaval. En ese tiempo, sin duda el más importante para comprender la naturaleza de la autoridad que ejercen los cargos del *wachu*, se concentran las ceremonias de renovación de los cargos de vara y las de renovación del territorio comunal. En el V y último capítulo devolvemos el análisis del *wachu* a su lugar de origen, el pueblo de Pisac, en el que las autoridades indígenas en la actualidad *son como Incas* frente a los ojos de turistas y otros nuevos actores característicos de un escenario globalizado. Ello nos permitirá contrastar algunas hipótesis vertidas en páginas anteriores sobre la naturaleza híbrida de este sistema y ampliar posibles vías de investigación sobre el papel de las instituciones consideradas netamente "indígenas", caso del *wachu*, en un contexto de profundas transformaciones como el actual.

Los estudios sobre el sistema de cargos en América Latina y en los Andes

La abundancia de estudios sobre las formas tradicionales de gobierno indígenas, conocidas genéricamente en América Latina como "sistema de cargos" o "jerarquías cívico-religiosas", refleja la evolución heterogénea de las corrientes antropológicas en las últimas décadas. Tomando como referencia las investigaciones sobre esta institución en la región mesoamericana[1], cuya influencia sienta las bases de las discusiones posteriores en la literatura antropológica americanista, en los Andes se distinguen tres corrientes principales que abordan este tema y cuyas aportaciones se pueden rastrear hasta el momento actual.

Un primer grupo de estudios formulados desde una perspectiva materialista, desarrollados en el área andina desde fines de los años sesenta y durante la década de los setenta, conciben esta institución principalmente desde sus funciones económicas: "¿qué es lo que impulsa a los indios a dedicar sus recursos escasos en la celebración de onerosas fiestas religiosas?" o "¿cuál es el objeto de esta 'inversión' económica?", son el tipo de preguntas que guían estas investigaciones sobre el sistema de cargos. A pesar de la heterogeneidad de las respuestas, es posible identificar ciertas constantes en sus planteamientos (Escobar 1961; Castillo 1970; Gow 1974; Webster 1974; Fuenzalida 1976; Matos Mar y Fuenzalida 1976). Para esta corriente, el patrocinio económico de las festividades y sus efectos jerarquizadores en la comunidad son los elementos que prevalecen. De este modo "pasar el cargo", expresión que resalta el matiz oneroso de la acción, supondría ante todo un tipo de consumo no productivo. El costo de estas celebraciones y su origen colonial temprano son dos de los argumentos centrales en los que se apoyan este primer grupo de interpretaciones.

[1] Chance y Taylor (1985) clasifican en cuatro generaciones de estudios los enfoques teóricos producidos en Mesoamérica sobre el sistema de cargos. La primera generación, encabezada por antropólogos como Tax y Beals, comprende los primeros estudios sobre esta institución en los años treinta influidos por la escuela de Chicago. A la segunda, que se desarrolla entre los años cincuenta y sesenta, corresponden los estudios clásicos de corte funcionalista (Nash, Wolf, Cancian) que sientan la base de las discusiones posteriores. El estudio de Cancian de 1965 tiene el honor de ocupar en solitario la tercera generación, ya que supone una revisión de los modelos sincrónicos y funcionalistas anteriores, incluido su propio trabajo. En la década de los setenta y comienzos de los ochenta se ubica, según la clasificación de Chance y Taylor, la cuarta generación de estudios forjada por autores como Aguirre Beltrán, Bricker, Favre que, sin renunciar del todo a los postulados funcionalistas y estructural-funcionalistas de las corrientes anteriores, se interesan por el papel que este sistema desempeña como resultado de procesos históricos globales, en la economía política local y nacional.

Frente al énfasis de los efectos derivados de las responsabilidades materiales que conlleva pasar el cargo, un segundo grupo de trabajos formulados desde un enfoque estructural-funcionalista, de gran arraigo en los Andes desde comienzos de los ochenta, se centra en el análisis de las responsabilidades sociales y simbólicas que conllevan los patrocinios festivos (Fuenzalida 1970; Isbell 1978; Allen 1988). La combinación del registro histórico y del arqueológico permite mostrar la existencia de personajes –llamados "caciques" en Mesoamérica y "curacas" en los Andes– envueltos en conjuntos significantes de rituales, emblemas y símbolos que apuntan a la existencia de una concepción autóctona de la autoridad. El origen local de la institución o, en su defecto, colonial temprano pero profundamente resignificado por la población indígena y su función como estrategia para garantizar la continuidad de la identidad grupal son dos de los argumentos más recurrentes. En dicha concepción, el componente religioso aparece indisolublemente unido al político por lo que las personas que pasan un cargo desempeñarían ante todo un papel como mediadores entre el mundo trascendente y el mundo terrenal de sus comunidades.

El salto cualitativo en las etnografías andinas que analizan esta institución se produce aproximadamente a fines de los ochenta. Sin renunciar a los postulados estructuralistas de corrientes anteriores, se pasa de una perspectiva que trata de explicar el sistema desde sus funciones, ya sean económicas (estratificadoras o niveladoras que facilitan la explotación de la población indígena por la sociedad dominante) o sociales (cohesionadora de la identidad grupal que, por el contrario, mantiene a las comunidades aisladas y "a salvo" de la sociedad global) a otra de carácter procesual en la que la crítica histórica se incorpora al estudio de esta institución y los cambios recientes que ésta afronta (Spalding 1981; Rasnake 1987; Marzal 1985 y 1993; Pérez Galán 2002). En los Andes este tránsito reside en el descubrimiento de la relación histórica que parece existir entre las autoridades étnicas y la reactualización de unos principios estructurantes que el grupo posee sobre su territorio. En general, se trata de minuciosos trabajos etnohistóricos sustentados en fuentes de archivo que trazan el proceso de fusión entre una tradición colonial tardía y otra autóctona como forma de explicar las continuidades y los cambios experimentados por las formas tradicionales de gobierno indígena.

Dependencia y dominación

El interés por el sistema de cargos como una estrategia político-económica de adaptación o legitimación de un modelo colonial de dominación de la población indígena, comienza a ser sistemáticamente desarrollado en el área andina en los años setenta en un contexto socio-político y económico en el que se trataba de facilitar la integración de esta población a la economía nacional.

El paradigma de la dependencia constituye el marco explicativo de esta institución considerada como una pieza clave en la economía política de explotación de los indígenas[2]. Los aportes heurísticos más notables del materialismo cultural a la comprensión del sistema de cargos en las comunidades andinas son básicamente dos: por un lado el énfasis en conectar las comunidades al contexto nacional y global al que se integraban de forma dependiente y, por otro, constatar y analizar las desigualdades sociales que operan en el interior de éstas, matizando el imaginario ciertamente idealizado sobre las formas de organización indígenas que predominaba como consecuencia de la influencia ejercida por los análisis funcionalistas de la Escuela de Chicago.

El modelo de "regiones de refugio" de Aguirre Beltrán sobre las comunidades de la sierra de Zongolica, Veracruz (México), resulta paradigmático de este enfoque. Para este autor, la relación entre la sociedad moderna de tipo industrial –representada por la población extranjera o metropolitana– y la sociedad tradicional o arcaica –representada por los indígenas–, estaba gobernada por un juego de fuerzas que hacían posible la dominación o "proceso dominical" (Aguirre Beltrán 1991:35 y ss.). Castillo Ardiles es el exponente más destacado de este modelo en el contexto cultural andino. Este autor caracteriza al mismo distrito de Pisac (Cuzco) como centro rector del proceso dominical en el que la lógica de explotación colonial continuaba reproduciéndose en parte por el papel desempeñado por las autoridades tradicionales: "el gobierno tradicional de origen colonial, los *varayoq*, es

---

[2] El precedente de esta corriente es el estudio clásico sobre el sistema de cargos realizado por Cancian sobre Zinacantán, comunidad tzotzil de los Altos de Chiapas, México (1965). El autor encuentra que, en lugar de nivelar riquezas, la función principal de esta institución era la de contribuir al mantenimiento de las desigualdades.

relegado a cumplir funciones secundarias como las religiosas y se encuentra supeditado a las autoridades de la región, y, aunque todavía tiene importancia, es calificado como una forma de arcaísmo" (1970: 31-32).

Desde esa misma perspectiva, Escobar trasciende el ámbito de lo local e indaga sobre las relaciones que mantienen las autoridades mestizas y las indígenas representadas por los *varayoq*, constatando la notable vigencia de estos últimos a nivel local frente a su práctica desaparición a una escala mayor (1961). En lugar del *ethos* comunitario característico de los primeros estudios de comunidad, Webster (1974) propone entender a la comunidad de indígenas peruana en general y al sistema de cargos en particular como una forma de organización basada en la desigualdad. Para ello, analiza la estratificación social en una comunidad puneña en la que el prestigio adquirido por medio del género, la edad, la riqueza y el servicio de los cargos adquiere un papel fundamental en el mantenimiento de la riqueza individual. Por su parte Fuenzalida (1976) señala que el sistema de cargos unifica en una sola institución las jerarquías de edad, los ayllus, las cofradías religiosas, las sayas y el gobierno local, pero su función no sería la nivelación de las riquezas entre los individuos de la comunidad sino la canalización de los conflictos y las rivalidades entre unidades sociales, conservando intactas las desigualdades. En esa misma línea, Matos Mar y Fuenzalida (1976) interpretan la consolidación del sistema de comunidad y de las instituciones comunales, caso del sistema de cargos, como reductos socioculturales que habrían permitido conservar la identidad de la sociedad andina, sobre la cual se superpondría la estructura económica de la sociedad dominante que acabaría por modernizarla y desintegrarla.

Más allá de matices concretos, el punto de partida común de estos análisis es la constatación del profundo cambio que experimentan las comunidades como resultado del choque entre los agentes modernizadores, en gran medida derivados del contexto político y socioeconómico del gobierno reformista de Velasco Alvarado, y la superestructura ideológica indígena a la que caracterizan de premoderna. Dicho cambio, llámese "integración", "aculturación dirigida", "modernización" o simplemente "occidentalización", es resultado de un proceso inducido por factores externos que, según estos autores, se resolvería en tres fases:

– Mantenimiento de las desigualdades y del *statu-quo*: adaptación de las formas de organización comunal –caso del sistema de cargos– al sistema económico impuesto, hasta que determinados factores medio-ambientales (presión demográfica, agotamiento de recursos, etcétera) tornan la auto-subsistencia como una forma de reproducción económica insuficiente, obligando a los indígenas a relacionarse con el exterior.

– Penetración de nuevas actividades productivas (artesanía, sector servicios) y de nuevas vías de movilidad social (principalmente a través de la migración y la educación) como fuentes de prestigio y estatus en la comunidad.

– Desintegración del sistema por la modernización de las estructuras económicas, políticas y culturales indígenas. Entre los síntomas más destacados de la descomposición de las antiguas formas de organización indígenas se señalan los cambios rituales en la forma de acceso al cargo, la organización y el patrocinio de las fiestas. Ante la ausencia cada vez más pronunciada de candidatos para desempeñar los cargos, el acceso a los mismos comienza a realizarse mediante elección democrática. Del mismo modo, la responsabilidad del patrocinio pasa de asumirse de forma colectiva a otra individual.

Entre los trabajos más recientes que recogen y revisan las pautas marcadas por esta corriente, se ubica el estudio realizado por Seligmann en el distrito de Huanoquite, Cuzco (1995). La autora, que concibe el sistema de cargos como una estrategia para alcanzar estatus social en la comunidad, se ocupa de los nuevos actores surgidos como consecuencia del proceso de reforma agraria tras la expulsión de los terratenientes de las haciendas. El desplome del sistema tradicional de tenencia de la tierra habría supuesto la apertura de nuevas vías de movilidad social para alcanzar el prestigio (educación, migración, sindicalización, entre otras). Este proceso de modernización implicaría que el tipo de inversión ritual que demandan los cargos fuera cada vez menos atractivo para la población autóctona. No obstante, esta jerarquía se conservaría en determinados lugares como medio de expresión y cohesión de la identidad grupal.

Las críticas más frecuentes recibidas por este tipo de interpretaciones de inspiración materialista se centran en el carácter sincrónico de sus estudios, que tan sólo describen el estado y la función del sistema de cargos en un momento determinado pero no explican ni su significado para la población (nivel *emic*) ni tampoco porqué persisten sus funciones simbólico-religiosas en unos lugares y en otros no.

La integración de la comunidad

Los estudios de inspiración funcionalista y estructural-funcionalista que postulan la continuidad de la comunidad indígena y de sus formas de organización comunitarias, a pesar de su integración al sistema moderno, predominan en el área andina desde los años ochenta. El foco de atención se ubica en el estudio de lo local, destacando el origen autóctono de la institución o la resignificación autóctona del sistema colonial impuesto. La regulación de la vida social del grupo sería la principal función ideológica del sistema, mientras en lo económico éste actuaría como nivelador de las riquezas acumuladas por determinados individuos que alcanzan estatus y prestigio social redistribuyéndolas mediante el patrocinio de los cargos[3].

En algunos casos se trata de modelos sincrónicos y organicistas, anclados en los presupuestos del indigenismo de principios de siglo que remiten a supuestas continuidades con el pasado prehispánico, mezclando datos históricos, arqueológicos y etnográficos para garantizar la continuidad del sistema por medio de su auto-estabilización, mientras que en otros, se traza minuciosamente el proceso histórico de fusión entre una tradición colonial temprana y otra autóctona. En ambos casos, el efecto del sistema de cargos sería el de facilitar la integración de la comunidad. Para lograrlo, dos son las estrategias más destacadas: la nivelación de riquezas a nivel comunal, y la resistencia en relación a la sociedad colonial y poscolonial en la que se inserta la sociedad indígena.

---

[3] La noción de "comunidad cooperativa cerrada" introducida por E. Wolf en el ámbito de los estudios americanistas (1957), constituye uno de los antecedentes teóricos de mayor peso en esta corriente. Entre las características que presenta la comunidad indígena –cerrada y corporativa– frente a la mestiza –abierta y no-corporativa–, Wolf señala la participación en este sistema de cargos como un medio de redistribución de las riquezas individuales en beneficio colectivo y como cohesionador de la identidad grupal.

– Modelo de "nivelación de riquezas", que incide principalmente en el plano socioeconómico (Fuenzalida 1970; Isbell 1978; Allen 1988). Para estos autores, el tipo de consumo que implica pasar un cargo tendría como resultado la nivelación de riquezas al interior de la comunidad y por ende su integración como núcleo homogéneo frente al mundo mestizo.

– Modelo de "resistencia cultural", que opera sobre todo en el nivel ideológico. Se trata de una perspectiva ampliamente utilizada en los estudios de antropología política sobre sociedades con una larga historia colonial. Esta corriente propugna la resistencia de las formas autóctonas de organización "a pesar" del poder foráneo. Según el período histórico y el espacio geográfico concreto en que suceda, esa resistencia cultural habría adquirido diferentes formas:

- Pasiva: por la que viejas estructuras materiales e ideales autóctonas dan respuesta a nuevos problemas de tipo organizativo derivados del modelo de organización colonial (Spalding 1981; Platt 1982; Rasnake 1987).
- Activa: por la cual, las sociedades andinas responden explícitamente a los abusos e imposiciones del modelo de dominación foráneo. En cuyo caso, existen a su vez dos posibilidades de respuesta activa: por negación (caso de rebeliones violentas, movimientos milenaristas o revivalistas), o tratando simplemente de aislarse conscientemente del sistema mayor. Stern, uno de los especialistas más destacados en el estudio de los movimientos de insurgencia que suceden durante el período colonial tardío en los Andes centrales, se refiere a esta estrategia de integración como "adaptación en resistencia" (Stern 1990).

Como reflejo de lo que sucede a nivel teórico en antropología, los modelos sincrónicos de corte funcionalista comienzan a ser desplazados en las etnografías sobre los Andes. Se denuncia la concepción etnocéntrica y paternalista que subyace y desde la cual se construye la imagen de sociedades tradicionales y estables (Leach 1976) en las que los ritos "se emplean de la misma forma que un molusco emplea el calcio, es decir, para crear a ciegas un caparazón protector" (Smith 1981:40).

En los años noventa los estudios sobre comunidades y sus formas de organización en los Andes peruanos experimentan una notable reducción. Dos situaciones se entrecruzan para explicar este relativo vacío. De un lado, la situación de violencia política experimentada como consecuencia de la acción terrorista de Sendero Luminoso que obliga a muchos investigadores a optar por otros escenarios andinos para realizar sus trabajos de campo y, de otro, los cambios paradigmáticos experimentados como consecuencia de los influjos del posmodernismo en antropología, que desplazan el foco de atención desde el estudio de las instituciones consideradas como netamente "indias" por la antropología clásica, caso del sistema de cargos, hacia el análisis de los discursos académicos y los contextos que las produjeron como tales. A ello se suma la situación de profundos cambios socio-económicos, demográficos y políticos que transforman radicalmente la estructura de autoridad a nivel local. En ese contexto irrumpe el interés por analizar las formas de organización locales indígenas desde una perspectiva procesual que, si bien no supone una ruptura definitiva con los presupuestos funcionalistas de corrientes anteriores, permite interpretar las instituciones locales en el marco de las transformaciones globales que afectan a las comunidades indígenas en los Andes.

La comunidad como proceso

Desde esta perspectiva se conectan la comunidad, el ayllu andino y el sistema autóctono de autoridades incidiendo en el análisis de los procesos de cambio a lo largo de la historia, lo que permite a los autores trazar ciertas continuidades estructurales (Platt 1982 y 1988; Rasnake 1987; Urton 1990; Martínez 1995)[4]. La combinación de etnografía y etnohistoria como medios para acceder a las identidades socio-culturales que observamos hoy día en los Andes, permite llegar a conclusiones muy similares: en los casos analizados las formas de organización "andinas" vigentes en las comunidades son resultado de procesos de hibridación o síntesis socio-cultural resultado de la mezcla de tra-

---

[4] En estos trabajos resulta notable la influencia de los estudios sobre las estructuras de parentesco y organización social inca de T. Zuidema quien, a partir de un minucioso estudio de las crónicas, ilustra la existencia de un modelo autóctono de organización socio-político, económico y religioso intrínsecamente unido a la forma de concebir y significar el territorio (1995).

diciones de diversas procedencias (Marzal 1985 y 1993; Millones 1987; Rasnake 1987).

Frente a los estudios clásicos de este sistema que postulan el origen colonial temprano y su posterior resignificación autóctona (Wolf 1957; Fuenzalida 1970) y aquellos otros que enfatizan la continuidad de un sistema prehispánico de cargos locales que combinan aspectos políticos y religiosos reacomodados en sus funciones a las demandas de la administración colonial (Carrasco 1979), la ampliación de los estudios de caso etnohistóricos a otras regiones y la utilización de documentación relativa a períodos más recientes de la historia (siglos XVIII y XIX), permite precisar las transformaciones recientes experimentadas por las formas de gobierno indígena en relación al Estado-nación y su papel en la construcción de la identidad cultural. Entre los ejemplos más interesantes elaborados desde esta perspectiva se encuentra el estudio de Rasnake, uno de las escasas monografías antropológicas dedicadas a las autoridades étnicas en los Andes (1987). Su interés se centra en recuperar el valor de la tradición entre los yura de Potosí (Bolivia), cristalizada en una cosmovisión autóctona a la que dota de una argumentación histórica. El sistema de autoridades, con funciones religiosas y civiles, sería una expresión de la cosmovisión del grupo reactualizada continuamente desde la época precolombina aunque su origen como sistema se remontaría a la administración borbónica, cuando los cargos de la nobleza indígena pasan de ser hereditarios a consensuados por el ayllu, convirtiéndose de este modo en su máximo símbolo exponente. Wachtel llega a esa conclusión cuando, refiriéndose al tema de las identidades andinas, señala las ventajas de una aproximación etnográfica e histórica combinada:

> La combinación de una unidad territorial, del sincretismo pagano-cristiano y del sistema de cargos, es el resultado de las transformaciones y de las adaptaciones del mundo indígena bajo la dominación colonial [...] La evangelización y la extirpación de idolatrías chocaron con vivas resistencias, de suerte que en un primer momento los dos campos de creencias, cristianas y autóctonas, permanecieron yuxtapuestas, dando lugar a un juego recíproco de representaciones, que tan sólo se fundieron en una síntesis en una época que se situaría en la segunda mitad del XVIII. Este es el caso del sistema de cargos, expresión institucional del sincretismo pagano-cristiano, que no parece de por sí dar lugar a una práctica regular más que en la segunda mitad del siglo XVIII, de tal manera que la cristalización

> de los elementos constitutivos de las identidades actuales apenas se remontaría a mas de doscientos años (1997: 684).

Desde esta perspectiva procesual el supuesto carácter corporativo y cerrado de las comunidades indígenas que, según los funcionalistas, les habría permitido mantenerse intactas frente al mundo exterior, queda definitivamente en entredicho. Las pruebas etnohistóricas refrendan además el argumento según el cual es precisamente en el contacto con el mundo exterior donde se deben ubicar los procesos de construcción de la diferencia y la diversidad cultural. La figura 1 sintetiza las principales aportaciones teóricas señaladas.

Horizonte teórico de esta investigación

En el caso concreto que nos ocupa afirmar que la comunidad indígena peruana es un sistema superorgánico y autoestabilizante que fabrica su propio aislamiento cultural mediante sus instituciones y formas de organización implicaba toparse más tarde o más temprano con problemas de cosificación (el sistema de cargos como una cosa), con una organización cultural reducida a un puro organigrama institucional (sistema organizado según criterios de edad y género que dan acceso a distintos tipos de cargos –cívicos o religiosos–), con problemas tautológicos (el *wachu* existe porque es necesario y es necesario porque existe), con macizas continuidades entre el pasado prehispánico y las comunidades andinas actuales sin contrastar, y con omisiones empíricas que evitaban tener que responder a situaciones de anomia, conflicto, o simplemente relativas al contexto más amplio que caracteriza la fase actual del proceso de modernización, caso de la migración, la extensión masiva de los medios de comunicación, la afluencia de turismo, organizaciones de desarrollo, etcétera. En ese contexto, desde el cual es necesario pensar la identidad local –en este caso andina–, el supuesto "manto de la tradición" no protegía ni aislaba a las comunidades del distrito andino de Pisac, cuyos habitantes participan activamente tanto en el sistema de cargos o *wachu* de la autoridad como en los procesos históricos globales, al menos, desde el siglo XVI. De lo que se deduce que, para explicar el significado y la vigencia actual que muestra el *wachu* de la autoridad en estas comunidades, sin acabar

FIGURA 1
Principales corrientes en el estudio del sistema de cargos en América Latina

ENFOQUES	FUNCIONALISMO Y ESTRUCTURAL-FUNCIONALISMO	MATERIALISMO CULTURAL	TEORÍA PROCESUAL
Unidad de análisis	Lo local/La comunidad	Lo local en el contexto regional/nacional/mundial	El ámbito de lo político/Contexto global
Tipo de análisis	Sincrónico: énfasis en el funcionamiento del sistema a nivel ideológico	Diacrónico: proceso histórico de constitución de relaciones de poder	Diacrónico: combina historia y etnografía
Papel de la historia (origen del sistema)	Particular/origen del sistema prehispánico + influencia colonial	Global/con valor explicativo. Origen colonial	Colonial reapropiado por los indígenas
Papel economía (efectos del sistema)	Las riquezas son redistribuidas: Nivelador de riquezas Mantiene identidad étnica	Mecanismo de explotación colonial. Mantiene *status quo* y desorganiza a los indios. Modelos de "triángulos sin base"	No suprime desigualdades pero permite espacio para la negociación de los actores
Articulación con otros sistemas	Mecanismo homeostático (equilibrio)	No existe: contaminación de la sociedad moderna dominante	Pluralismo legal (naturaleza híbrida)
Imagen de comunidad	Corporativa-cerrada (aislada, ligada a territorio)	Abierta y expuesta a agentes modernizadores	Transnacional, abierta; sin referente fijo territorial
Concepto de cultura	Ideático: sistema de valores: esencia dada	Material: carácter construido	Ideal y material: carácter construido
Papel del cambio social	Estrategia de resistencia frente al cambio	Modernización/Aculturación	Valor explicativo. Causa de fronteras étnicas en el contexto global

cayendo en otro inventario de datos empíricos acerca de su funcionamiento –desprovisto de actores y de historia–, es necesario trascender tanto las versiones primordialistas, duales y sincrónicas sobre la identidad cultural, como las interpretaciones monocausales de los procesos de globalización formuladas en términos económicos que acaban por difuminar las particularidades locales. Con esas premisas, tres observaciones permiten precisar el horizonte teórico en el que se desenvuelve esta investigación.

Primero, frente a la concepción culturalista que domina en los paradigmas teóricos revisados según la cual un determinado grupo social es identificado con un conglomerado de rasgos culturales y una identidad compartida, proponemos pensar la *identidad cultural* en relación a los procesos económicos, políticos y sociales históricamente construidos entre los que se desarrolla. Esta concepción es deudora de las investigaciones realizadas a mediados de los setenta por F. Barth entre otros y compiladas por él mismo en la obra *Los grupos étnicos y sus fronteras* (1976). En su introducción, el autor señala que la identidad de un grupo sólo surge en situaciones de contacto e interacción cultural, nunca como una característica propia o fruto de ninguna esencia dada. Por ello, propone desplazar el estudio de los rasgos culturales por la manera en que éstos son seleccionados como categorías de adscripción e identificación por los miembros de los grupos que interactúan (1976: 9). Frente a la equiparación de grupo étnico y cultura en la que caen las versiones materialistas y funcionalistas anteriores[5], Barth pro-

[5] La tradición de la antropología culturalista que sustenta los paradigmas teóricos revisados, concibe la cultura como parte del comportamiento aprendido, haciendo hincapié en el contexto ideático y significativo en el que se inscriben los comportamientos culturales (aprendidos) de la especie humana. Desde esa perspectiva se destaca lo específico y diferenciador de los rasgos que posee cada cultura (formas de subsistencia, gobierno, cosmovisión, o de parentesco, asumidas como "autóctonas") que suele coincidir con los de un grupo asentado en un territorio. Metodológicamente dicha concepción se plasma en las etnografías de comunidad que parten de identificar, implícita o explícitamente, un área cultural o grupo étnico (pues todo ello equivale a "cultura") a partir de la selección de una serie de rasgos según criterios de procedencia indígena o no-indígena perpetuando con ello la confusión entre identidad étnica e identidad cultural, o en términos antropológicos, entre el nivel *emic* y *etic* de análisis: v. g. la mera existencia del sistema de cargos o el uso compartido de una lengua, se convierten en rasgos de la identidad cultural indígena.

pone que la identidad de un determinado grupo carece de objetividad o sustancia inmutable, lo que no implica negar su especificidad cultural pero sí que ésta sea una entidad delimitable que se genera mecánicamente por compartir un mismo modo de vida, unas instituciones o habitar un territorio. Desde ese enfoque, los *procesos históricos globales* en los que se inscriben la construcción y transmisión de las identidades étnicas y culturales se incorporan al análisis de forma substantiva, es decir con valor explicativo, no marginal ni folclórico (Roseberry 1989; Comas 1998).

Segundo, para restituir el significado y la vigencia de esta institución en el contexto andino, no basta con delimitar apropiadamente los conceptos de identidad cultural y étnica y rescatar los procesos históricos globales en relación a los cuales ésta se construye, también es necesario recuperar a los *actores y sus formas de resistencia y negociación* en relación a las estructuras. Ello significa prestar atención a las formas en las que la población de estas comunidades, a través de sus instituciones –en este caso el sistema de cargos–, se apropian de manera individual y colectiva de los procesos materiales (económicos, sociales y políticos) que marcan su historia: caso de los cambios introducidos por la administración colonial en el sistema de tenencia de la tierra y en sus formas de gobierno, los impulsados por los grandes terratenientes en la sierra, por el gobierno reformista de Velasco Alvarado o por las políticas neoliberales de los últimos gobiernos, entre otros. Visibilizar la capacidad de acción de los actores, invisibles en los paradigmas revisados, requiere asumir una perspectiva reflexiva de la acción que conjugue de forma relacionada el determinismo de la estructura y la libertad de la "agencia" (*agency*). Dos enfoques praxeológicos de las ciencias sociales resultan de especial utilidad en ese empeño; por un lado, la noción de "habitus" de Bourdieu (1991) y, por otro, la "teoría de la estructuración" de Giddens (1995)[6].

Según el primero, los actores nos socializamos en medio de estructuras que nos preceden y que de alguna manera prefiguran nuestras prácticas culturales específicas. Sin embargo, estas estructuras son al

[6] G. Dietz realiza una revisión de ambos planteamientos en su análisis de la comunidad y el movimiento indígena en la región purhépecha en Michoacán, México (1999: 65-79).

mismo tiempo reproducidas y modificadas por nosotros mismos en función de nuestros intereses e identidades sociales. De lo que se desprende la noción de "habitus" como un sistema socialmente constituido de disposiciones estructuradas y estructurantes adquirido mediante la práctica y siempre orientado hacia funciones prácticas (1991: 92). Por su lado, Giddens parte de las estructuras y su carácter dual para analizar la relación entre individuo y sociedad. Este autor entiende las estructuras como: "un conjunto de reglas y de recursos organizados de manera recursiva que están fuera del tiempo y del espacio, salvo en sus actualizaciones, y que se caracterizan por una ausencia de sujeto. Los sistemas sociales en los que está implícita una estructura incluyen, además, las actividades de los seres humanos situadas en un tiempo y en un espacio. De lo que se sigue que analizar la estructuración de los sistemas sociales significa estudiar el mundo en que son reactualizados por los actores en la interacción" (1995: 61). Dicha reactualización tiene su origen, según Giddens, en la rutina: "la continuidad del mundo de los objetos así como en la trama de la actividad social tienen su origen en ciertas conexiones especificables entre el agente individual y los contextos sociales a través de los cuales ese agente se desenvuelve en el curso de una vida cotidiana" (1995: 94-95).

Tercero, si el sistema global es el contexto en el que surge la conciencia de la diferencia, o dicho de otro modo, la identidad de los grupos humanos como pueblo, es necesario por último precisar en la delimitación de esta trama teórica una noción de *cambio social* y por extensión de *globalización* acorde con los conceptos de cultura, etnicidad y agencialidad expuestos. Entendemos por globalización la última fase del proceso de modernización occidental caracterizado por la creciente interconexión del mundo a través de viajes, migraciones y medios de comunicación de masas. Desde una perspectiva antropológica contemporánea, este proceso no se traduce únicamente en una mayor homogeneización sino que posibilita a la vez la construcción de nuevas identidades culturales que no coinciden con las fronteras geográficas, hoy esencialmente móviles, disolviendo viejas oposiciones conceptuales tales como rural/urbano, moderno/tradicional, campesino/no campesino (Escobar 1995; Kearney 1996; Giddens 1997; Comas 1998; Beck 1998; García Canclini 1999; Appadurai 2001, Pérez Galán y Dietz 2003). Desde esta perspectiva, el proceso de globalización en el que están inmersas actualmente estas comunidades andinas forma parte de la matriz explicativa de su identidad étnica y cultural, una identidad "esencialmente híbrida".

Para García Canclini, como para otros autores que reflexionan sobre los efectos de la globalización en América Latina en términos de culturas híbridas (Manrique 1992; Rowe y Schelling 1993; Escobar 1995, García Canclini 1992, 1995; 1999; Dietz 1999), el conjunto de transformaciones que ésta implica no opera necesariamente por substitución de lo tradicional sino más bien por los continuos intentos de renovación que llevan a cabo una multiplicidad de grupos. La pregunta que surge entonces al aplicar esta propuesta explicativa al análisis del sistema de cargos en los Andes es de orden modal: ¿cómo se produce la renovación continua del sistema de autoridades? En otras palabras: ¿cómo la población de estas comunidades transforma sus prácticas locales en el contexto global? Para Canclini, para quien los indígenas latinoamericanos serían los sujetos eclécticos por antonomasia de la modernidad[7], dicha transformación es el resultado de una permanente negociación. Según el autor, estas sociedades habrían descubierto que la preservación de las tradiciones no resulta ser siempre el camino más apropiado para reproducirse y mejorar su situación, decidiendo integrarse en la modernidad sólo cuando pudieran sacarle provecho (1992: 6). La negociación, entendida desde esta posición como la estrategia mediante la cual la población indígena se integra en la modernidad, parece quedar reducida a una opción a la que no afectan las condiciones de desigualdad en el acceso a los recursos y al poder. Sin embargo, por más que se trate de conceptos culturales construídos tanto la cultura de un grupo como su etnicidad son el resultado de procesos que transcurren en contextos concretos, estructurados por relaciones políticas, económicas y sociales más amplias que restringen la capacidad de autodefinirse de ese grupo, por lo que su persistencia como tal no sólo depende del "nosotros" sino también del "ellos". De lo que se deriva que es necesario incluir en el debate las relaciones de poder y dominación en cuyo contexto se produce dicha negociación (Pérez Galán y Dietz 2003).

En un excelente trabajo sobre la producción del Tercer Mundo a través del discurso, Escobar plantea que ni los procesos de hibridación

---

[7] La expresión es nuestra.

operan por supresión de lo local ni tampoco deshacen las lógicas de dominación anteriores, a pesar de que: "tales desigualdades ya no pueden ser nunca más confinadas en los términos duales de tradición y modernidad, dominadores y dominados" (1995: 219). El contexto global actual no suprime desigualdades pero proporciona un espacio de actuación y de negociación a los indígenas que antes no tenían. Y llega hasta el núcleo de la cuestión cuando precisa su noción de "cultura híbrida". Más allá de la lectura biológica que el término pueda sugerir, dice Escobar: "no es el resultado de la imbricación de elementos de tradición y modernidad en estado puro que dan lugar a un producto cultural híbrido con una nueva esencia, que nada tiene que ver con la constelación hegemónica política dominante. Los grupos étnicos en América Latina no están al margen de estos procesos, pero las circunstancias actuales proveen por medio de la posibilidad de la negociación una serie de oportunidades para mantener y trabajar las diferencias culturales" (*ibíd*: 220). De lo que se deduce que la articulación entre tradición y modernidad como estados complementarios que caracterizan las formas de organización que se practican actualmente en los Andes, no implica conformarse con ubicar en términos explicativos el sistema de autoridades tradicionales en uno de los dos únicos polos que parece tener esta línea –bien en la tradición o bien en la modernidad–, empeño que no modifica en lo sustancial el significado que la población le otorga a través de sus prácticas sociales. No se trata de afirmar la coexistencia del *wachu* por un lado y de la democracia participativa por otro; de un tiempo mítico y otro secularizado; de *chaquitaqlla* y tractores, hechos evidentes a poco que se mire alrededor. A nuestro juicio el reto está en indagar cómo los actores de un espacio concreto y desde la experiencia subjetiva de su cotidianidad, negocian en el contexto político hegemónico actual esas relaciones. Como veremos, los procesos de hibridación y convergencia de tradiciones de procedencias diversas del que es resultado el sistema de cargos que revisamos a continuación, ni son exclusivos de las sociedades andinas ni tampoco peculiares del momento actual. Al contrario, están presentes en mayor o menor medida en todas las sociedades, sean éstas del pasado o del presente, del hemisferio norte o sur, occidentales o no. Lo que ha cambiado y lo que los diferencia de otros momentos anteriores, es la forma en que esas tradiciones se relacionan e interactúan y la intensidad con la que se manifiestan a comienzos del siglo XXI.

A partir de estas reflexiones, en las páginas que siguen tratamos de restituir el significado del *wachu* de la autoridad en las comunidades del distrito de Pisac, como parte de un sistema cultural híbrido que se desarrolla en el contexto mundializado actual, no *a pesar de los cambios* sino en gran medida *favorecido* por los mismos.

El distrito de Pisac y los cambios recientes

Fundado como reducción colonial en el fértil valle del río Vilcanota bajo el nombre de "San Pedro de Pisac", se ubica el actual distrito de Pisac, situado a treinta kilómetros de la ciudad del Cuzco, provincia de Calca, al sur del Perú.

Eminentemente rural e indígena, Pisac es en la actualidad un escenario híbrido en el que confluyen diversos paisajes culturales, étnicos, socio-económicos, religiosos y políticos que rebasan las meras fronteras geográficas locales (Appadurai 2001). Las transformaciones experimentadas en las últimas tres a cuatro décadas en todo el país y en el sur andino peruano en concreto, han afectado a este distrito modificando no sólo la fisonomía del pueblo y las comunidades sino también las prácticas sociales de sus habitantes. Desde mediados de los años cincuenta y en un proceso ininterrumpido de construcción de fronteras étnicas que continúa hasta hoy, los vecinos del pueblo de Pisac han aprendido castellano, abandonado la agricultura y la ganadería como actividades productivas para dedicarse al comercio de artesanía y, lo que es más importante, han transformado su sistema de cargos tradicionales en un moderno complejo de mayordomías. Mientras, en algunas de sus comunidades el sistema de cargos o *wachu* de autoridad observa una extraordinaria vigencia.

Como otros distritos situados a lo largo de este valle, Pisac está formado por dos hábitat geográficos, culturales y socio-políticos bien diferenciados, aunque no homogéneos en su interior: el primero constituido por la capital del distrito que da nombre al pueblo, ubicado éste a 2.900 metros de altitud en la cordillera oriental de los Andes centrales y cuyos habitantes se consideran a sí mismos "mestizos", y el segundo compuesto por trece comunidades indígenas –quechuas– distribuidas, entre los 3.400 y los 45.00 metros de altitud. Los cambios experimentados en la estructura demográfica de cada una de estas unidades en los últimos años dan cuenta de la diversidad de su paisaje étnico y cultural.

Tomando como referencia el censo de población de 1971 y comparándolo con los posteriores, se observa un notable aumento de la población urbana que se ubica en la capital del distrito y que prácticamente se duplica en esos años frente a la de las comunidades, que aumenta algo menos del 15%. A fines de los años noventa, aproximadamente el 30% de la población del distrito se concentran en su capital.

Esa progresiva urbanización se debe básicamente al contingente de población inmigrante que ha recibido la capital del distrito en los últimos años que actualmente constituye entre el 35% y el 40% del total de sus vecinos. Este notable incremento coincide en lo esencial con un momento álgido del turismo y con el consiguiente desarrollo de la

FIGURA 2
Evolución demográfica del distrito de Pisac, según sexo y lugar de residencia (1971-1993)

COMPOSICIÓN	1972	1983	1993
TOTAL	6.579	7.496	8.153
HOMBRES	3.302	3.736	4.121
MUJERES	3.277	3.760	4.035
RURAL	5.405	5.898	6.188
HOMBRES	2.714	2.904	3.076
MUJERES	2.691	2.994	3.112
URBANA	1.174	1.598	1.968
HOMBRES	588	832	1.045
MUJERES	586	766	923

Fuentes: Censos Nacionales de Población y Vivienda de 1972, 1981 y 1993, Instituto Nacional de Estadísticas e Informática del Perú (INEI), Lima, Perú.

actividad artesanal como principal recurso productivo. Los lugares de procedencia son básicamente dos: por un lado, una migración interna por la que se produce un trasvase de población desde las comunidades más cercanas (Cuyo Chico, Cuyo Grande, Amphay y Masca-Ccotobamba, principalmente), y un segundo contingente de población procedente de otros distritos vecinos que se establecen en el pueblo de Pisac atraídos por las posibilidades económicas que ofrece este lugar. Paralelamente al incremento demográfico registrado, han aparecido un nutrido conjunto de asociaciones que organizan la participación en la vida sociocultural, religiosa y económica en el pueblo y naturalizan el sentido de pertenencia del recién llegado al colectivo de los *mistis* ("mestizos"). De tal modo que para ser considerado piseño de pleno derecho hoy, es necesario participar en una o varias de las treinta y cinco "asociaciones vivas" creadas durante los años noventa y entre las que se cuentan: tres asociaciones de artesanos, varios comités pro-vivienda, dos asociaciones de comerciantes, panaderos, transportistas de triciclo, agricultores, manaderos, transportistas a motor, una empresa agrícola comunal de comercialización, un comité de regantes, una asociación de padres de familia por cada uno de los centros educativos con que cuenta el pueblo, varias asociaciones de vivanderas y de vendedores ambulantes, y, por último, doce agrupaciones folclóricas y tres hermandades que protagonizan los festejos y las celebraciones litúrgicas de la Virgen del Carmen, su reciente patrona.

Entre las nuevas generaciones de vecinos de Pisac que han podido cursar estudios superiores, más de un tercio de los jóvenes ha optado por alguna de las carreras consideradas de "especial relevancia" en el pueblo y cuyo denominador común es su relación con la gestión de la tradición y el patrimonio cultural y artístico que posee la región: bellas artes, turismo, antropología y arqueología, principalmente. Sintomático del prestigio social que supone adquirir uno de esos perfiles profesionales es la concurrencia en las tres últimas elecciones municipales de candidatos egresados de una de esas disciplinas para ocupar puestos de responsabilidad como alcaldes o regidores de Pisac.

El segundo hábitat está integrado por las trece comunidades campesinas[8] que se distribuyen en los cerros colindantes de este valle entre los 3.400 y los 4.500 metros: doce de ellas están ubicadas a un lado de la margen del río Vilcanota (Masca-Ccotobamba, Amphay, Sacaca, Cuyo Chico, Cuyo Grande, Chahuaytiri, Pampallacta, Paru-Paru, Viacha, Amaru y Ccotataqui) y Huandar, antigua hacienda recientemente anexada a Pisac como comunidad, está situada al otro lado del río, en dirección al distrito de San Salvador.

Sus habitantes, denominados por la sociedad mestiza y criolla "indios" y después de la reforma agraria, "campesinos", se reconocen a sí mismos como runas, literalmente "seres humanos", término que adoptaremos en adelante para referirnos a la población étnicamente indígena que vive permanentemente o no en las comunidades pero que comparte un mismo universo simbólico que se refleja y reactualiza mediante su participación en distintas formas de organización. Entre las más recurrentemente referidas por la población como rasgo de adscripción étnica destaca el *wachu* de la autoridad.

---

[8] Actualmente se calcula en 5.680 el número de comunidades campesinas en el Perú, las cuales albergan una población estimada de 2.700.000 personas concentradas básicamente en el área conocida como "mancha india", en los departamentos serranos de Ayacucho, Apurímac, Cuzco y Puno. Esta población representa más del 50% de la población rural y el 15% del total nacional (Valera Moreno citado en Pajuelo, 2000:123-4).

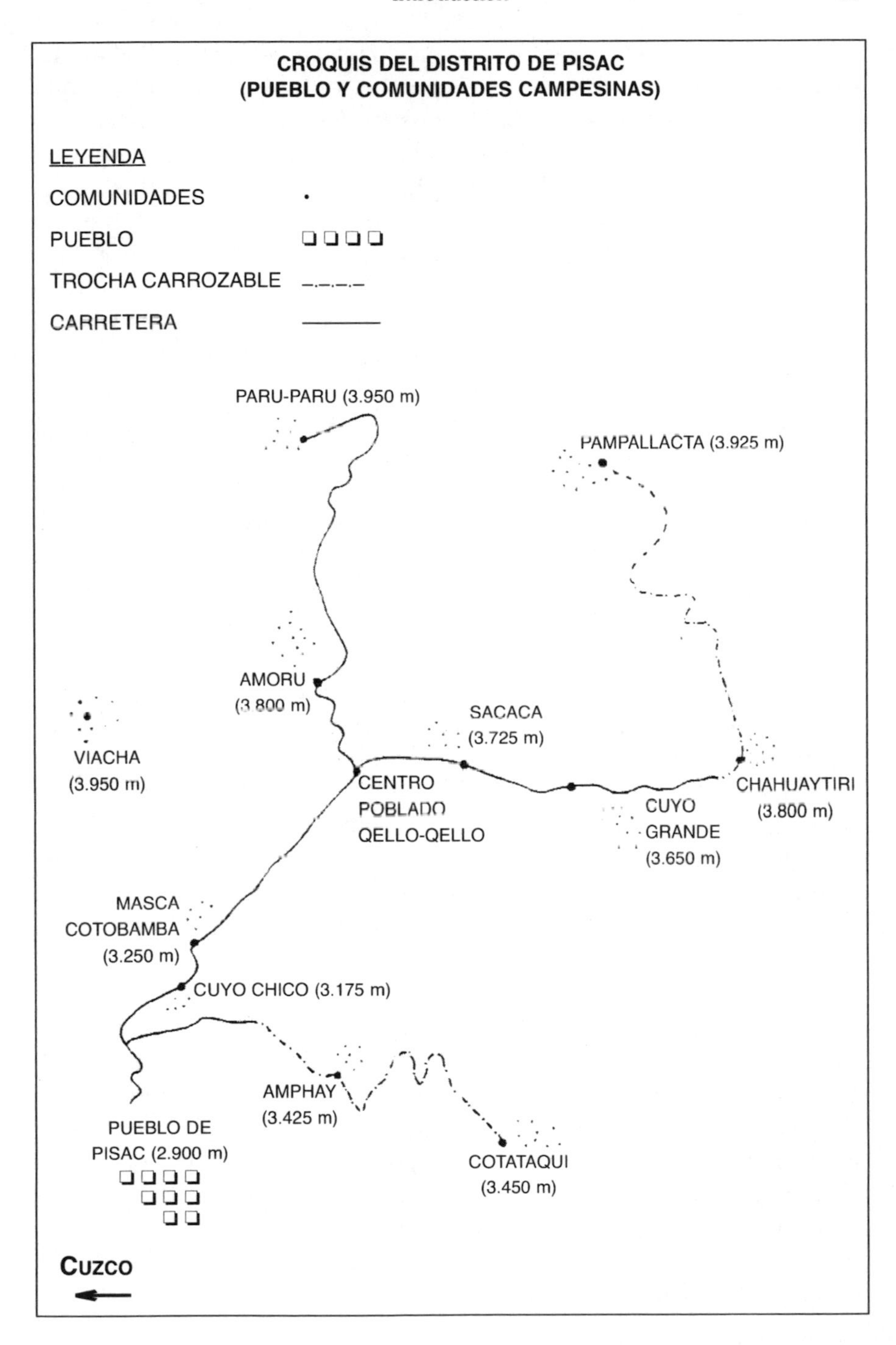
CROQUIS DEL DISTRITO DE PISAC
(PUEBLO Y COMUNIDADES CAMPESINAS)
LEYENDA
COMUNIDADES
PUEBLO
TROCHA CARROZABLE
CARRETERA
PARU-PARU (3.950 m)
PAMPALLACTA (3.925 m)
AMORU
(3.800 m)
VIACHA
(3.950 m)
SACACA
(3.725 m)
CENTRO
POBLADO
QELLO-QELLO
CHAHUAYTIRI
(3.800 m)
CUYO
GRANDE
(3.650 m)
MASCA
COTOBAMBA
(3.250 m)
CUYO CHICO (3.175 m)
AMPHAY
(3.425 m)
PUEBLO DE
PISAC (2.900 m)
COTATAQUI
(3.450 m)
CUZCO

Estos runas constituyen los dos tercios restantes de la población del distrito, aproximadamente 6.000 personas. Las comunidades que habitan no son en general muy extensas (entre 600 y 3.000 hectáreas de terreno) y su población oscila entre las 50 familias de la comunidad de Pampallacta y las 260 de Cuyo Grande (1998), distribuidas según un patrón disperso acentuado en el caso de las menos pobladas. La migración que se registra en estas comunidades es básicamente de dos tipos: una temporal con destino a los valles aledaños en el tiempo de cosecha de café, y cacao, y otra definitiva cuyo destino es Lima, Cuzco o el pueblo de Pisac. En los últimos cinco a diez años se observa un descenso de ambos tipos de migraciones. Entre las razones que explican este descenso se encuentra la posibilidad de desarrollar otras actividades productivas sin salir de la propia comunidad, como por ejemplo la confección de artesanía y textiles para su venta –directa o indirecta– en el mercado de Pisac, o la participación en algunas de las tareas que demandan los proyectos de desarrollo implementados por las organizaciones no gubernamentales de desarrollo (ONGD) que existen en este área y por la que, eventualmente, pueden percibir una pequeña remuneración económica.

A pesar de que la endogamia comunal sigue siendo el patrón más generalizado en estas comunidades a la hora de elegir pareja, existe un importante trasvase de población mediante alianzas matrimoniales. Desde aquellas que registran una mayor presión demográfica sobre un terreno cada vez más escaso y menos fértil (caso de Cuyo Grande), con destino hacia las menos pobladas y con más terreno disponible (caso de Chahuaytiri y Pampallacta) y, más recientemente, hacia las más cercanas al pueblo de Pisac (caso de Cuyo Chico).

Para acceder a estas comunidades existe una trocha carrozable asfaltada en los años cincuenta que va surcando el cerro en zigzag hasta alcanzar Q'ello-Q'ello, centro poblado perteneciente a la comunidad de Amaru. Este lugar, convertido en paradero de carros (aparcamiento) y lugar de aprovisionamiento, está estratégicamente situado en un cruce de caminos que comunica a las comunidades de Pisac entre sí y con el vecino distrito de Paucartambo, frontera ecológica entre el paisaje andino de montaña y la selva. En la época precolombina estas dos áreas guardaban una estrecha relación comercial como lo demuestra su inclusión en los *hatun ñan*, la red de caminos reales del Inca. En la actualidad, si bien las relaciones comerciales entre los runas

FIGURA 3
Población de las comunidades de Pisac, según lugar de nacimiento (1993)

Comunidades campesinas	Total	Nacidos en la comunidad	Nacidos fuera de la comunidad
Población	6.188	5.822	366
Amphay	917	852	65
Amaru	757	734	23
Chahuaytiri	519	450	69
Cottobamba	117	115	2
Ccotataqui	310	309	1
Cuyo Chico	407	315	92
Cuyo Grande	1.360	1.326	34
Huandar	124	95	29
Masca	166	160	6
Pampallacta	172	167	6
Paru-Paru	497	488	9
Sacaca	575	559	16
Viacha	249	246	3

Fuentes: Censo IX de población y IV de vivienda, 1993, Lima: INEI.

de las comunidades y los nativos de la selva se reducen a la cada vez más escasa migración temporal de los primeros hacia el valle, la condición de frontera de este distrito entre las dos áreas es renovada simbólicamente con motivo de diferentes festividades del calendario ritual que practican los runas. En los últimos años, el mejoramiento de este camino carretero y la mayor afluencia de pasajeros, ha incentivado a algunos vecinos del pueblo y otros de las comunidades a adquirir vehículos que se ocupan del servicio hasta ese cruce de caminos y, en algunos casos, hasta las comunidades situadas a mayor altitud.

En estas comunidades la tenencia de la tierra se organiza sobre la base de un sistema mixto en el que se combina la propiedad familiar o privada, que ocupa las mayores extensiones de terreno y las de mayor calidad, con los *muyuys* (del quechua "girar" o "rotar"), tierras de secano de propiedad comunal situadas en los lugares más altos. Estas comunidades tienen entre dos y siete *muyuys* que "rotan" en un doble sentido: cuando están en barbecho pertenecen a la comunidad y son trabajadas mediante un sistema de faenas que se organiza por sectores, mientras que cuando están en explotación la comunidad se las asigna a diferentes familias por turno o "en *wachu*". En las comunidades situadas a mayor altitud la actividad agrícola es complementada con ganadería ovina y de auquénidos (llamas, alpacas), mientras que en las más cercanas al valle la actividad se diversifica mediante la producción de artesanías que se comercializan en el pueblo de Pisac, directamente o a través de comerciantes mestizos. En estas últimas (Amphay, Masca, Cuyo Chico y Cuyo Grande), la población es prácticamente bilingüe (castellano-quechua) y participa activamente de la economía mercantil del pueblo así como de los servicios que éste ofrece (sanitarios, educativos, etcétera). Mientras, en las comunidades situadas a mayor altura (Viacha, Ccotataqui, Amaru, Paru-Paru, Sacaca, Chahuaytiri y Pampallacta), aproximadamente dos tercios de la población es monolingüe, porcentaje compuesto principalmente por mujeres adultas y niños menores de diez años.

La esperanza de vida en estas comunidades oscila entre los 55 y los 60 años, por lo que no podemos hablar de "ancianos" en el sentido cronológico del término. Esta situación se debe, entre otras razones, a las duras condiciones de vida, a una deficiente dieta en proteínas y vitaminas, a las frecuentes infecciones respiratorias agudas (IRA), que afectan sobre todo a las comunidades situadas a más altitud, y al incremento sistemático del consumo de "trago" (alcohol metílico rebajado con agua), práctica extendida tanto en varones como en mujeres en los últimos años[9].

En cada comunidad hay una pequeña escuela de primaria (hasta cuarto grado), y sólo Amaru, situada estratégicamente en un cruce de caminos, cuenta con una posta médica que cubre las urgencias de pri-

---

[9] El consumo ritual de alcohol entre la población andina ha sido documentado desde antiguo y constituye en la actualidad parte fundamental de su lenguaje ritual. Sin embargo, en las últimas décadas el empobrecimiento paulatino de las economías familiares cada vez más ligadas a los vaivenes que impone el mercado y la falta de expectativas de salir de esa situación, son causantes en gran medida de las transformaciones experimentadas en los patrones de consumo y en el tipo de alcohol consumido por los runas: de la chicha y el cañazo se ha pasado al alcohol metílico, con la consecuente extensión del alcoholismo como una de las patologías más frecuentes en estas comunidades.

meros auxilios de las restantes comunidades. Hasta 1999, Cuyo Chico era la única que disfrutaba de los servicios de luz eléctrica, que hoy han alcanzado prácticamente a todas las demás comunidades del distrito, así como los servicios de agua entubada instalados por una de las ONGD con más continuidad en la zona.

Entre las estrategias socio-económicas que utilizan los campesinos andinos para organizar el trabajo agrícola y pecuario se destacan dos: la reciprocidad y el control vertical de un máximo de pisos ecológicos o "modelo de archipiélago vertical" (Alberti y Mayer 1974; Murra 1975; Golte 1980; Plaza y Francke 1985). A efectos de esta investigación interesa rescatar el nivel significativo de esas prácticas, de cuyo campo semántico se extrae la metáfora del *wachu* que vertebra las prácticas sociales y la cosmovisión de sus pobladores. Ya en 1923 M. Mauss se percataba del carácter totalizador de las relaciones recíprocas como mecanismo articulador de lo social. La reciprocidad andina definida como el intercambio normativo de bienes y servicios entre personas –o entre éstas y las instituciones–, cuyo proceso de negociación se expresa ritualmente (Alberti y Mayer 1974: 21), observa una plena vigencia como principio estructurante y estructurado de las practicas socio-culturales de estos runas (Bourdieu 1991). Ese intercambio recíproco sustenta la relación de estas personas con los demás runas así como con los seres sobrenaturales que significan su territorio, y regula el acceso y el funcionamiento del *wachu* de la autoridad, sistema que a su vez organiza las diferencias de estatus, género y edad en las comunidades.

Como en el caso de los vecinos del pueblo, las formas de organización del trabajo, del ocio y de las demás actividades sociales se han atomizado en múltiples células en los últimos años. Si tomamos como ejemplo a Chahuaytiri, con una población de escasamente 110 familias (1997), constatamos que esta comunidad cuenta, entre otras formas de organización, con cinco equipos de fútbol que participan en tres ligas a nivel local y de distrito, dos Iglesias mayoritarias entre las que se divide la población (católica y evangélica peruana), dos asociaciones de tejedores que comercializan sus productos en el mercado de Pisac, además de los dos sistemas de autoridad que coexisten en el mismo espacio social y geopolítico:

– Uno *democrático*, impuesto por el gobierno de la República peruana en 1984 y constituido por una Junta Directiva (presidente, vicepresidente, vocales y tesorero). Sus miembros son elegidos con el voto de los comuneros/as mayores de dieciocho años que conforman la "Asamblea Comunal", máximo órgano representativo de autoridad de la comunidad. A la Junta Directiva se unen varios comités especializados en distintas actividades (escolar, luz, agua, etcétera), algunos de los cuales fueron creados durante el gobierno de Velasco Alvarado, mientras que el resto han surgido a mediados de los años ochenta fomentados por las ONGD que precisan de interlocutores que se ocupen de organizar la mano de obra en determinadas líneas de trabajo.

– Otro *jerárquico,* impuesto en el período colonial, pautado por la costumbre y sancionado colectivamente mediante la participación activa de todos los runas según estatus, sexo y edad. Es el *wachu* de la autoridad o sistema de cargos sobre el que versa este libro.

I

ANTECEDENTES: LAS AUTORIDADES INDÍGENAS EN EL PASADO

A menudo se asume que las formas actuales de organización social y política de la población del Ande son el resultado únicamente de la imposición colonial, obviando el sustrato sobre el que se asientan. Numerosos son los autores que desde diferentes disciplinas (etnohistoria, arqueología, antropología) han argumentado el carácter etnocéntrico que subyace a esta afirmación. Ya que, si bien los pueblos andinos carecían de escritura, ello no significa que no registraran sus hechos históricos y, menos aún, que esta historia esté desligada por completo de las formas de organización social y cultural que actualmente encontramos en las comunidades andinas (Murra 1975; Spalding 1974 y 1981; Rasnake 1987; Flores Galindo 1988 y 1994; Burga 1988; Harris 1986; Urton 1990).

Como es bien sabido, desde antes de la expansión inca el territorio andino se dividía en "ayllus", núcleo fundamental de organización e identificación de la sociedad andina que junto con otros ayllus integraban las etnias. En los primeros diccionarios de quechua, ayllu aparece traducido indistintamente como sinónimo de "linaje, genealogía, parentela o casta" (González Holguín 1989: 40), designando tanto un principio de organización parental (un linaje), como una unidad territorial con una ubicación geográfica determinada (comunidad, parcialidad), y un sistema de relaciones sociales unido a los procesos de división jerárquica de los grupos. Actualmente, en las comunidades del distrito de Pisac el concepto "ayllu" no corresponde de modo preciso ni con el grupo de individuos residentes ni tampoco con el lugar geográfico en el que residen (la comunidad), sino más bien se trata de una de las estrategias de adscripción étnica recurrentemente utilizada por la población para diferenciarse, cuando ello es preciso, frente a otros grupos.

El siguiente nivel de organización que articulaba las relaciones entre los diferentes ayllus y el Estado inca eran los curacazgos o señoríos indígenas. Una vez conquistado, cada curacazgo anexado enviaba a un señor para que viviera y se estableciera en el Cuzco como una manera de asegurar las relaciones de reciprocidad sobre las que se sustentaba este imperio (Rostworoski 1988: 183). El Inca, como centro de convergencia de toda la actividad en el mundo andino, recibía de sus súbditos prestaciones de trabajo en las tierras controladas por él y les retribuía asegurando la paz del imperio, redistribuyendo productos en caso de necesidad y cumpliendo funciones religiosas y militares entre otras (Alberti y Mayer 1974: 16). Varios autores coinciden en señalar que la importancia del curaca en la organización económica del imperio inca, radicaba en su capacidad de mediador para movilizar a la población en los trabajos requeridos por el Estado (Spalding 1974 y 1981; Alberti y Mayer 1974; Rostworowski 1983; Rasnake 1987; Stern 1990; O'Phellan 1995).

Con la conquista del Tahuantinsuyu por los españoles, la organización colonial instaurada se basará, al igual que lo hizo la incaica, en la nobleza indígena, la cual, a cambio de conservar ciertos privilegios, continuó desempeñando el papel de intermediario, recaudando tributos o reclutando indígenas para la mita, ahora al servicio de los españoles. Sin embargo, como se ilustra en las siguientes páginas, el papel que desempeñaron estos señores indígenas en Pisac no se agotaba ahí. Su condición de autoridades les hacía reunir un doble papel de intermediarios simultáneamente: por un lado, como mediadores en los asuntos administrativos entre el gobierno foráneo y la población local y, por otro, como transmisores y reactualizadores simbólicos de un conjunto de significados acerca de la naturaleza trascendente del mundo y del papel que el grupo ocupaba en él. Ese doble papel es de importancia para entender por un lado la capacidad de estos curacas para movilizar a miles de indígenas contra la explotación del gobierno colonial en las rebeliones que colapsaron los Andes a fines del siglo XVIII (Stern 1990; O'Phellan 1988 y 1995), y por otro el tipo de autoridad que ejercen en la actualidad las personas que "pasan un cargo" en estas comunidades.

M. Rostworowski (1983), entre otros autores, ha analizado la existencia de una lógica binaria presente en la concepción prehispánica del poder cuya expresión territorial se encuentra en el par *hanan-urin*. Este principio impregnaba tanto la organización del panteón de divinidades inca, como la de los ejércitos, los ayllus, los curacazgos, la misma división jerárquica del imperio inca, así como su forma de organizar sus relaciones de parentesco[1]. A ese principio estructurante de la bipartición en la organización social y política precolombina se superponía el de la tripartición.

T. Zuidema en su estudio clásico *The ceque sistem in Cuzco* ([1964] 1995), analiza la organización social y política inca. A partir de la información contenida en la llamada "Relación de los Fundamentos..." de Polo de Ondegardo (1571) sobre la existencia de más de 300 lugares sagrados ubicados en la ciudad del Cuzco y sus alrededores y divididos en grupos cada uno dispuesto en una línea imaginaria o *ceque*, el autor descubre las reglas de parentesco y organización social que regían durante la época del incanato[2]. Veamos la aplicación de estos principios precolombinos en el ordenamiento del territorio en el caso de Pisac.

---

[1] Si bien en las comunidades del distrito de Pisac ni la organización social, política ni la territorial contemplan hoy formalmente esta división entre *hanan* y *urin*, un análisis del simbolismo ritual que expresan los runas en la organización del trabajo, de sus fiestas y de su vida cotidiana ilustra la vigencia de esa antigua división dual que articula su visión del mundo. En la actualidad estas comunidades se dividen por "sectores", cada uno de los cuales con sus propias autoridades, sobre los que se organiza la competencia y la solidaridad entre grupos de una misma comunidad. Tomando como ejemplo la comunidad campesina de Chahuaytiri observamos que se divide en dos sectores: Uyucati y Huancarani, cada uno con su propio *wachu* de autoridades que organizan la vida social, política y religioso-festiva de forma autónoma, aunque no independiente. Ambos *wachus* de autoridades forman parte de una misma jerarquía que otorga preeminencia a uno (Uyucati) por encima del otro (Huancarani), replicando el principio de organización prehispánico señalado.

[2] En el imperio inca existieron dos tipos de descendencia con distintas reglas de sucesión. El primer tipo es ejemplificado por la forma que adoptaba la sucesión real y el grupo endogámico de la nobleza inca (grupo Collana), es decir, los descendientes directos del Inca y de su hermana *pana*. Mientras el otro estaba formado por los hijos e hijas de mujeres de fuera del grupo endogámico, calificados como *concha* o "hijos de la hermana de *pana*". Ambos formaban una *panaca*. En el Cuzco estas *panacas* eran ayllus secundarios en relación al ayllu primario de la familia real o Capac Ayllu. Collana, literalmente "el primero, el más prominente", designaba al linaje endogámico del Inca y la familia real (el Capac Ayllu), mientras que el resto de la humanidad no emparentada con Collana y de donde los hombres Collana podían escoger sus esposas secundarias, recibía el nombre de Cayao. Finalmente, la prole de las uniones entre hombres Collana y mujeres no Collana se llamaba Payan (Zuidema 1995: 119-122). Cada grupo de *ceques* se correspondía con uno o varios de esos grupos políticos o parentelas, ubicados territorialmente en uno de los cuatro *suyus* divididos en las dos mitades mencionadas: *hanan* (superior) y *urin* (inferior).

Los ayllus de Pisac

Sobre la base de la documentación hallada en el ADC, sabemos que a la llegada de los españoles a este valle cuatro fueron los ayllus que se encontraron con la preeminencia de una mitad superior o *hanan* constituida por el ayllu Collana (ayllu principal) y el ayllu Pumacurco, sobre otra inferior o *urin* formada por los ayllus Cuypan y Qosqo, siguiendo los principios estructuración del espacio mencionados. Según el modelo estudiado por Zuidema, Collana era el nombre que recibía el ayllu del linaje real y sus descendientes. En Pisac, el espacio ocupado por el ayllu Collana se corresponde actualmente con el lugar conocido como Intiwatana, donde se conservan los restos arqueológicos del que fuera uno de los centros políticos, administrativos y religiosos incas más importantes del sur andino peruano. En la actualidad ese terreno está ocupado por la comunidad campesina de Viacha. El segundo ayllu de la mitad superior, Pumacurco, que aparece en los documentos coloniales en ocasiones unido al primero, se corresponde con la actual población de Pisac en la que fueron reducidos los indígenas a la llegada de los españoles. Por su parte, la mitad *urin* estaba constituida por los antiguos ayllus Cuypan (actuales comunidades de Cuyo Grande, Cuyo Chico) y el ayllu Qosqo en el vecino distrito de San Salvador. Cada uno de estos ayllus estaría muy probablemente dividido a su vez en otras dos mitades, *hanan* y *urin*, que contaban cada una con su propio curaca. La organización del parentesco y la autoridad entre los cuatro ayllus se resolvería tomando como referencia el principal, es decir Collana, ubicado en dirección a la ciudad del Cuzco de la que partían los cursos rituales de los cuatro *suyus*. Los hombres de este ayllu organizarían su descendencia combinando la endogamia con mujeres de su propia familia (*pana* = hermana) y, por tanto, Collana como ellos. Con ello garantizarían la continuidad del linaje. Simultáneamente, estos varones elegirían otras mujeres secundarias de cualquiera de los tres ayllus restantes, subordinados al principal en términos de autoridad.

Este modelo de organización se transformaría sustancialmente a la llegada de los españoles, reorientando aquellas instituciones como el curacazgo que resultaban útiles a la lógica de explotación de los recursos que guió a la administración colonial. Lo sucedido en el período colonial temprano en el caso de Pisac ilustra esta idea.

La reorganización colonial del espacio andino

Entre 1532 y 1580 se produce un radical reordenamiento poblacional que obedece fundamentalmente a dos factores: de un lado la baja demográfica que dejó despobladas vastas zonas y, de otro, la reorientación del aparato productivo. Ambos hechos exigieron constituir una maquinaria de control estable que definiera las relaciones entre vencedores y vencidos. Según Wachtel (1992), la característica fundamental de esta relación fue la apropiación de las tierras y de la mano de obra indígena. La población indígena, que vivía dispersa en ayllus, fue distribuida en encomiendas y reducciones para facilitar el cobro de tributos. Por su parte, las autoridades andinas, los curacas, fueron reacomodados en sus funciones obedeciendo a las necesidades de la metrópoli. La explotación de nuevos centros mineros como Potosí (Bolivia), aumentó la demanda de alimentos y con ella la extensión de las propiedades de los encomenderos y repartidores que comenzaron a invadir las tierras colindantes de los indígenas. Estos nuevos terratenientes, los hacendados y sus mayordomos, españoles o criollos, ejercieron durante siglos en la sierra peruana un poder omnímodo sobre la población indígena.

El origen legal de la encomienda en Perú hay que situarlo en la Capitulación de Toledo de 1529 que autorizaba a Francisco Pizarro a repartir estas propiedades entre sus compañeros de conquista, en calidad de depósito[3]. Este sistema de propiedad sirvió, por un lado, para lograr la sujeción de los naturales al poder español y, por otro, para garantizar el poblamiento de las tierras. En la jurisdicción de la ciudad del Cuzco, que reunía el mayor número de población indígena organizada en curacazgos, el reparto de encomiendas comenzó a partir de la fundación española de esta ciudad (1534). En esta distribución, el repartimiento de Calca y Amaybamba, ubicado en la provincia del Antisuyu y en el que se incluía Pisac, estuvo encomendado a Hernando Pizarro. En la Tasa o relación de tributarios ordenada por el licenciado Pedro La Gasca en 1549, tras la pacificación del territorio perua-

[3] La encomienda es definida como el derecho concedido por merced real a las personas que habían participado de forma más o menos directa en la conquista y/o a sus descendientes, para percibir los tributos de los indios encomendados (Mellafe 1969: 12).

no, se constata que este repartimiento constaba de 608 indios tributarios que pagaban sus tributos en varios productos entre los que se incluyen el trigo y el maíz, procedentes de las tierras ubicadas en la cuenca del Vilcanota, la papa que se cultivaba en las punas de Chahuaytiri y Pampallacta, y también coca, procedente del vecino valle de Qolqepata, siguiendo la práctica indígena de control y explotación simultánea de varios pisos ecológicos (Murra 1975).

Hacia la segunda mitad del siglo XVI, las encomiendas, que ya comenzaban a ser escasas, continuaban siendo requeridas por aquellos españoles que habían formado parte de la pacificación. Es el caso del capitán Mancio Sierra de Leguísamo, uno de los primeros conquistadores y pobladores de la ciudad del Cuzco, quien consiguió acceder a numerosos privilegios entre los cuales se cuentan las encomiendas de Alca y Vito (posiblemente los actuales Calca y Vicho, respectivamente). Hacia 1560, durante el gobierno del virrey Conde de Nieva, muchas de estas encomiendas se dividen como consecuencia de la escasez de tierras y el aumento de la población española, fraccionándose aquellas que mayor número de tributarios tenían. Como resultado de ese fraccionamiento, en Calca aparecen las siguientes encomiendas ("Tasa de la Visita General de Francisco Toledo" [1572], en UNMSM 1975: 182-186).

- Pisac-Pumacurco, que fue otorgada por Nieva primero a Juan Sierra de Leguísamo[4] y más tarde a su hijo Pablo Sierra de Leguísamo.
- Chimbopata y Mollopongo, también propiedad de los Leguísamo.
- Oma y Taray, propiedad de Diego de Torres.

De las tres, nos detendremos en el caso específico de la primera:

> [...] Este Repartimiento de *Pomacorco* tiene en encomienda por los días de su vida Pablo Sierra de Leguísamo, hijo y sucesor de Juan Sierra de Leguísamo, difunto a quien encomendó el conde de Nieva virrey que fue de estos reinos... en el cual se hallaron al tiempo de la visita general que se hizo por orden del virrey don Francisco de Toledo: 117 tributarios, 14 vie-

[4] Juan era hijo natural del capitán Mancio y la indígena Beatriz Manco Cápac, hija menor del Inca Huayna Cápac.

jos e impedidos que no pagan tasa, 172 muchachos de 17 años abajo, 330 mujeres de todas edades y estados, que por todas son 633 personas [...] ("Tasa de la Visita General de Francisco Toledo", UNMSM 1975: 185).

La entrega de las primeras encomiendas, como ésta de Pumacurco, se realizó sin tener un cabal conocimiento de los territorios sobre los cuales estaban emplazadas ni tampoco de las poblaciones repartidas, lo que produjo, al poco tiempo, un notable desajuste en la cantidad de tierras e indígenas y los propietarios a los que fueron asignados, de modo que algunos de ellos comenzaron a adquirir demasiado poder. Sin embargo, la reacción de la administración metropolitana no se llevaría a efecto hasta 1570, durante el gobierno del virrey Francisco de Toledo.

Toledo reorganiza el Virreinato sobre la base de la agrupación o reducción en pueblos de estilo europeo de la población indígena que vivía dispersa en los ayllus. Desde ese momento, los privilegios de las encomiendas y de sus propietarios fueron sucesivamente mermados por la Corona, hasta que acabaron extinguiéndose definitivamente en 1721 (De la Puente 1992). Para llevar adelante este proyecto, Toledo nombró visitadores para cada provincia o corregimiento, los cuales recibieron instrucciones precisas para escoger el lugar más apropiado "y de buen temple, con abundancia de tierras laborables, aguas, pastos y montes" (Málaga 1974:98). Según esta disposición, la estructura urbanística del pueblo reducido fue igual y general para todo el Virreinato: el visitador se constituía en el lugar y ubicaba un sitio propicio para la reducción de la población, generalmente plano y por tanto contrario a la lógica vertical de sus pobladores. Una vez ubicado, iniciaba el trazado de las calles por cuadros, partiendo de la plaza principal, eje simbólico del poder y la dominación coloniales. Repartidos los solares para la construcción de viviendas, se procedía al reparto de tierras, que eran divididas en tres partes: tierras destinadas al usufructo de los ayllus, tierras destinadas a los pastos de los ganados y para recoger la leña y, por último, las tierras comunales y de la Iglesia. Como parte de la estrategia de conquista, los españoles superpusieron a los etnónimos y topónimos quechuas otros cristianos que se convierten en los patrones de los respectivos pueblos reducidos.

Según la cantidad de población que había en el valle de Pisac, el visitador decide reducir a los indígenas de los ayllus mencionados en tres pueblos, uno principal y dos anexos:

- San Pedro de Pisac, pueblo principal donde residía el cura doctrinero.
- María Magdalena de Taray.
- San Salvador de Chukibamba.

En función del tipo de población que residía en estos lugares (su origen étnico y su estatus de contribuyentes), cada uno estaba constituido por diferentes ayllus y estancias, además del propio pueblo reducido. El siguiente cuadro recoge cuál era la situación en el caso concreto del pueblo principal San Pedro de Pisac.

FIGURA 4
Ayllus reducidos y tipos de población en Pisac

Originarios con tierras	**Ayllus y estancias (A.) (E.)**	**Tributarios**
	A. Cuipan-Cuzco	36
	A. Pumacurco[5]	17
	E. Ampay	21
	E. Amaro	29
	E. Sacaca	16
	Total	**119**
Forasteros sin tierras	A. Cuipan-Cuzco	5
	A. Pumacurco	11
	E. Ampay	16
	E. Amaro	10
	E. Sacaca	12
	E. Chahuaytiri	41
	E. Pesca	8
	Total	**103**

Fuente: ADC, IV Repartimiento de Calca, Pueblo de Pisac (1757), Libro de Contribuyentes, provincia de Calca.

[5] Es muy posible que la población del ayllu Collana, el principal, estuviera prácticamente en su totalidad compuesta por originarios y por consiguiente, con derecho a

Como se desprende del gráfico, no toda la población incluida bajo el nombre de un ayllu era originaria del mismo y por tanto tenía el mismo derecho a tierras. Éste es el caso de los "forasteros", población reubicada por la necesidad de mano de obra en las tierras de otros ayllus. Como consecuencia de esa reubicación vastas extensiones de terreno, especialmente en las partes más altas, habrían quedado prácticamente vacías. Los españoles constituyeron esas tierras como estancias, destinadas principalmente a la explotación ganadera (camélidos andinos) y al cultivo de tubérculos autóctonos. Sacaca, Amaru, Amphay, Chahuaytiri y Perca, fueron inicialmente pobladas con indígenas procedentes de los ayllus vecinos que trabajaban como mano de obra. Estas estancias ocuparon proporcionalmente la mayor extensión de tierras de esta reducción. De ellas, las tres primeras contaban tanto con población originaria como con población trasplantada o forastera. Mientras, las estancias de Chahuaytiri y Perca, que más tarde se unirían en una sola, fueron constituidas como haciendas-estancias desde el período colonial temprano y fueron en su totalidad trabajadas con población forastera procedente de otros ayllus. Este dato será de gran importancia ya que, como veremos más adelante, la secuencia más completa en el sistema de cargos o *wachu* de la autoridad se observa en la actual comunidad de Chahuaytiri (antigua hacienda colonial) y no, como se podría suponer, en uno de los cuatro ayllus prehispánicos que perduraron durante todo el período colonial.

Por su parte, en el pueblo de Pisac también convivían diferentes tipos de población: los indígenas de los cuatro ayllus reducidos o yanaconas, la elite que estaba exenta del pago de tributos y los vecinos, españoles encomenderos y sus descendientes. A cada una de estas categorías les fue asignado una ubicación espacial en el pueblo fundado por los españoles, articulado en torno a la plaza central. En ella se ubicaron el edificio del cabildo, la iglesia y las casonas de los vecinos (encomenderos, curas, y jueces españoles). El resto del pueblo reducido fue dividido por los españoles en cuatro calles, cada una de las cuales daba paso a un sector en los que se distribuyó a la población del

tierras. En otros documentos de la misma época referentes a los tributarios, aparece recurrentemente junto al ayllu de Pumacurco, con el que constituía la mitad *hanan* o superior.

ayllu correspondiente, según una práctica que parece haber sido general en otras partes de los Andes (Platt 1982: 26). Es bastante probable además que esa división cuatripartita se rigiera a su vez por otra de *hanan* y *urin*, tal y como sucedía en la época precolombina. Así, la distribución urbanística del pueblo reducido reproducía en lo esencial la cartografía local de los cuatro ayllus principales, orbitando ahora en torno a la plaza como eje simbólico de la dominación española.

El visitador otorgó el nombre de cada uno de los cuatro ayllus que encontraron los españoles a las respectivas calles en que se dividió el pueblo según la siguiente distribución:

– Collana: Cápac ayllu o ayllu del linaje del Inca. Básicamente se correspondería con el territorio ocupado actualmente por la comunidad campesina de Viacha. A este ayllu se le asignó en el pueblo reducido el cuadrante nororiental.

– Pisac-Pumacorco: se trata del ayllu ubicado en la explanada al pie de la andenería inca. Ése es el territorio en el que se extiende el actual pueblo de Pisac, al que se le asignó el cuadrante de las calles principales frente a la plaza.

– Cuypan-Cuzco: Población ubicada en el sector del mismo nombre que colinda con la ribera del río Vilcanota. En este ayllu se incluyeran probablemente las actuales comunidades de Cuyo Grande y Cuyo Chico, y parte de las estancias de Sacaca y Amphay. La población de este ayllu fue reducida en el pueblo en el cuadrante suroriental. Y, por último,

– Qosqo: Población reducida del ayllu del mismo nombre procedente del pueblo de San Salvador, al que se asignó el cuadrante nororiental.

La cartografía de este espacio urbano al reubicar a la población indígena es la inversa respecto del lugar ocupado por su ayllu de origen. Tomando como ejemplo la ubicación geográfica originaria del ayllu Qosqo, situado en dirección suroeste respecto del pueblo de Pisac, comprobamos que el cuadrante que el visitador le otorgó en el pueblo reducido corresponde justo a la dirección opuesta, es decir, al noreste. Y lo mismo se repite en los demás ayllus a los que se adjudica en el pueblo el cuadrante situado en el lado inverso respecto a la ubicación geográfica del ayllu del que procedían. Así, la imagen resultante de la distribución urbana colonial de este pueblo sería la de una fotografía de la concepción nativa del espacio, pero una fotografía invertida, "un mundo enfermo" o "cabeza abajo" como lo calificaba Guamán Poma de Ayala al relatar el orden impuesto por los españoles.

Esa distribución cuatripartita en el pueblo se conservó nítidamente hasta hace aproximadamente cuatro décadas, pues todavía los *ñawpa-wiñay*, los ancianos del pueblo de Pisac, dan cuenta de ella. Pero no sólo la tradición oral es la única estrategia de la que se sirven éstos para conservar la memoria de su antiguo territorio. Año tras año, esa distribución es reactualizada simbólicamente en las fiestas en las que participa la población de las comunidades, caso del Corpus piseño que tiene lugar en la octava de la Mamacha Asunta (última semana de Agosto), la que fuera la fiesta mayor de este pueblo hasta hace unos años.

Durante cuatro días, los runas bajan las imágenes de sus santos patrones al pueblo"para que escuchen misa" y para hacerlos desfilar el día central por el perímetro de la plaza, según un orden o *wachu* predeterminado. En las cuatro esquinas de esta plaza, los runas levantan vistosos altares. Cada uno ubicado en una dirección que coincide con la de su antiguo ayllu de origen. En la procesión, las autoridades del *wachu* de cada comunidad, quienes portan en andas la imagen sagrada, presentan sus respetos tres veces frente a cada uno de los altares. Si tenemos en cuenta lo señalado respecto a la reducción colonial de estos ayllus, podemos deducir que la importancia de este paseo ritual no sólo estriba en la reverencia a los santos en sí, sino en el significado simbólico que esta población otorga al espacio que ocupan los altares: las cuatro direcciones de sus respectivos ayllus de origen.

Desde esta perspectiva parece legítimo pensar que, tal y como ilustra el ejemplo del manejo colonial del territorio en este pueblo, no todo fueron rupturas radicales respecto al período anterior. De hecho, la reubicación de la población de los ayllus en la cabecera de la reducción, se sirvió de la antigua división cuatripartita inca, otorgando a la población de cada ayllu un sector. Previsiblemente, entre las ventajas de conservar esa antigua división se encontraba la de usufructuar las formas de organización del trabajo indígenas colaterales a la división espacial autóctona. Platt llega a la misma conclusión cuando señala que "lejos de desestructurarse las bases prehispánicas de la prosperidad andina, el antiguo patrón del control vertical se mantuvo como un elemento institucionalizado dentro de la formación colonial [...]

sólo así se podían explotar los valles cálidos y proveer de mano de obra a las minas" (1982: 26). De modo que, frente a la idea largamente asumida acerca de la desarticulación de las identidades locales que resultaría de la reducción en pueblos de la población indígena, el caso de Pisac ilustra que si bien los ayllus prehispánicos tuvieron que compartir a veces el espacio en un sólo pueblo, las identidades étnicas se mantuvieron en gran medida al asignarse sectores específicos a cada uno de ellos.

LA LITURGIA CRISTIANA Y LOS CARGOS INDÍGENAS: EL ORIGEN INSTITUCIONAL DEL *WACHU*

> [...] Gobiernen los indios a los suyos, porque mandar según ley es el arte más directo para aprender en cabeza ajena y en la responsabilidad propia su respeto y su influjo en la vida civilizada. Y manden pocos porque la multitud de semibárbaros se convierte en behetría. Y sean indios entre indios los *alcaldes* y sus colaboradores, que calan más hondo el alma de sus contríbulos y sus riendas son más suaves que las del conquistador (Bayle 1952: 364).

Una vez reducida la población y establecidos unos mínimos criterios de diferenciación, se necesitaba de un cuerpo institucional capaz de generar y mantener los derechos y obligaciones entre los distintos tipos de pobladores que se basó en la coexistencia paralela de dos jerarquías: una civil y otra religiosa, no siempre nítidamente diferenciadas.

A nivel local, la legislación española colonial prescribía la fundación de cabildos como representantes legales de los municipios, al modo de los consejos castellanos. Para garantizar no sólo el buen gobierno de los indios sino la conversión de sus almas, a cada municipio principal se le asignó una parroquia o doctrina (en este caso el pueblo de Pisac) donde residía el cura doctrinero. El cabildo de españoles se constituyó en función de una serie de cargos bajo las órdenes de los "alcaldes ordinarios", encargados de administrar justicia en los respectivos municipios, por lo que también eran conocidos como "justicias". Generalmente había dos en cada población por la convivencia de las dos categorías de habitantes: una de "vecinos" (población con derecho a encomienda que residían y participaban activamente en la vida municipal) y otra de "moradores" (con casa abierta pero sin residencia permanente), cada uno de los cuales contaba con un representante propio para el ejercicio de administrar justicia. El representante de los primeros era el "alcalde de primer voto" y el de los segundos era llamado de "segundo voto"[6]. El cargo de alcalde era siempre electivo, aunque sólo tenían voto los capitulares y las autoridades gubernativas superiores. Para optar a ser elegido era necesario ser mayor de 25 años, vecino de la población y saber leer y escribir. Entre las obligaciones de estos cargos figuraban: dar juicio de residencia, acompañar los sábados por la tarde a los oidores de Audiencia desde la cárcel a la ciudad y llevar siempre la vara de la justicia, que sólo podían dejar en su ausencia en manos del alférez o regidor mayor (Avellá 1934).

Por su parte, el cabildo de indios estaba formado por un alcalde de incas (los curacas) y otro de yanaconas, dos regidores –igualmente de incas y yanaconas–, un alcalde de arboledas, otro del hospital de los naturales, un mayordomo de la parroquia, un alguacil mayor y el escribano público. Respecto a las obligaciones del alcalde de indios, el gobierno colonial prescribía lo siguiente:

> [...] Guardar las ordenanzas, servir de auxiliar de justicia, procurando el bienestar de los naturales, la difusión de las prácticas religiosas y de no permitir borracheras, amancebamientos e idolatrías, cumpliendo fielmente el oficio para el que habían sido elegidos [...] (*ibid*: 232).

Esta estructura de autoridad del gobierno municipal en la que coexistían varios alcaldes tuvo plena vigencia hasta principios del siglo XX.

---

[6] La dualidad también caracterizó algunas instituciones coloniales, hecho especialmente evidente en la organización de la autoridad. Si en la época precolombina la división que articuló toda la organización socio-política y territorial de *hanan* y *urín* se traducía, según hemos visto, en una permanente dualidad en los curacazgos, durante el gobierno colonial la coexistencia de al menos dos categorías de pobladores –vecinos/moradores, en el caso de los españoles y elite/yanaconas, en el caso de los indígenas–, precisó de una división similar. Así, en lo que concierne a la administración de la autoridad, dicha dualidad se tradujo en la coexistencia de diferentes alcaldes (primer voto y segundo voto o segunda) con igual preeminencia, lo que se reflejaba espacialmente en el lugar que ocupaban en las sesiones del cabildo que presidían: cada uno se sentaba en el lado derecho durante seis meses.

En el pueblo de Pisac, por la convivencia de españoles e indios, el número de alcaldes se elevaba a cinco a los que se sumaban los de los ayllus, cada uno con sus respectivos séquitos de segundas y regidores (entre tres y ocho por cada alcalde), y cobraba su máxima expresión los domingos durante la asistencia obligatoria de los cabildantes al templo. En ese espacio confluían los alcaldes representantes de los vecinos (primer voto) y de los moradores (segundo voto) respectivamente, mestizos descendientes de españoles o criollos que constituían el cabildo de españoles, y los dos alcaldes del cabildo de indios como representantes de los indígenas de los ayllus reducidos: por un lado, el alcalde de incas (primer voto) y, por otro, el de los yanaconas (segundo voto) a los que se sumaba un tercero o "tasa alcalde", encargado de recoger el tributo desde fines del siglo XVIII y comienzos del XIX. Los alcaldes de primer y segundo voto que representaban a los vecinos y moradores del pueblo respectivamente eran referidos por la población como "*llacta*-alcaldes" o "*misti*-alcaldes" (alcaldes del pueblo y alcaldes mestizos respectivamente) y se distinguían por poseer una vara de pequeño tamaño. Mientras, los alcaldes de indios (también de primer y segundo voto), eran conocidos como "runa-alcaldes" (alcaldes de los indígenas), por oposición a los primeros. La vara de los runa-alcaldes se diferenciaba de las de sus homónimos mestizos por ser de mayor tamaño, rasgo visible hasta la actualidad. Así lo señalan algunos *ñawpa-wiñay* de Pisac:

> [...] *Misti*-alcalde y runa-alcalde es separado [...] el *misti* llevaba una vara en el sobaco, dentro de su poncho lo llevaba, en ellos casi ni siquiera reparábamos, no sé qué cosas habrán hecho, pero de los runa-alcalde su vara era ¡grande! Ahora ya no hay esos alcaldes en este pueblo [...] (Doña Albina Quillo, pueblo de Pisac, marzo, 1996).

No obstante la nutrida representación de la que gozaban los indígenas, dada su supuesta "niñez", ésta quedaba en la práctica vacía de contenido y a merced del cura doctrinero. La injerencia de esta figura en la vida política de Pisac fue constante, según consta en los libros de actas de este municipio. La implantación y el desarrollo de las cofradías coadyuvó a tal efecto.

Las cofradías eran asociaciones de tipo voluntario –dependientes de las órdenes religiosas que llegaron a América con el objetivo de evangelizar– en las que los socios alternaban el desempeño de cargos civiles y religiosos como medio de adquirir prestigio a través de la celebración de fiestas (Celestino y Meyers 1981). A pesar de la escasa bibliografía que ha generado este tema, es muy posible que las cofradías desempeñaran un papel clave en la organización de la vida cotidiana durante toda la época colonial: de un lado, como difusores del catolicismo en la lucha contra las idolatrías y al mismo tiempo como cohesionadoras de la identidad grupal a través de la celebración de fiestas, funciones tradicionalmente reservadas a los ayllus (Celestino y Meyers 1981: 89-90).

Españoles, indios, negros y otras poblaciones, tenían cada uno su propia cofradía con devoción a un santo patrón. Para ello, se instaura un calendario festivo que los cofrades debían hacer cumplir celebrando la fiesta patronal con una misa y un banquete. Las diferencias entre "fiestas de runas" y "fiestas de *mistis*" o, si se prefiere, entre "runa-cargos" y "*misti*-cargos" respectivamente, se reflejaban tanto en los recursos económicos y humanos que movilizaba cada tipo de población (obviamente más modestos en el primer caso), como en la devoción a diferentes santos, unos de connotaciones más indígenas que los otros, distinción que se ha hecho más nítida si cabe para sus pobladores en la actualidad:

> Los *misti*-cargos son el albazo, el niño mayordomo y mayordomo de la Virgen del Carmen. En el mes de agosto había la Mamacha Asunta, pero ése era un runa-cargo [...] (Doña Albina Quillo, pueblo de Pisac, marzo, 1996).

La reapropiación del sistema de cabildos y cofradías de españoles e indios por separado, inició un proceso de formación de identidades colectivas que sirvió para forjar las fronteras étnicas entre los dos tipos principales de pobladores. De hecho, la consolidación de estas instituciones, origen del *wachu* de la autoridad tal y como lo observamos actualmente, es un proceso cuyo origen se remonta a fines del siglo XVIII a medida que las atribuciones administrativas otorgadas por el gobierno colonial a los curacas se reducen drásticamente. Ello sucederá a raíz de las revueltas de varios de estos curacas en las que se demuestra la extraordinaria capacidad de movilización que aún tenían sobre la población indígena. Temerosos del poder que eran capaces de ejercer entre su población, la administración borbónica decide cortar las prerrogativas de estos señores étnicos cuyas funciones principales (recaudación de tributo y organización del trabajo obligatorio) son traspasadas desde entonces al alcalde del cabildo de indios y a los otros cargos de la jerarquía cívico-religiosa o *wachu* de la autoridad.

Los levantamientos de los curacas y las reformas

A fines del XVII comienza un proceso en el que se intensifica el desorden y la corrupción en la adquisición de corregimientos y alcaldías mayores. La venta y el traspaso indiscriminado de estos cargos de autoridad supone la multiplicación de funcionarios, además del descrédito progresivo de dichas instituciones. Esta situación, que afecta tanto a los oficios del cabildo de españoles como al de indios, tiene como resultado en el segundo caso el debilitamiento paulatino de las atribuciones de los curacas. La intensificación de las cargas contributivas para la población indígena por un lado, y los continuos abusos cometidos por otro, desembocarán en un período de convulsiones sociales que se extiende entre 1720 y 1790, aproximadamente (Stern 1990; Spalding 1974 y 1981; Rasnake 1987; O'Phelan 1988 y 1995, entre otros). En ese tiempo los curacas, cuyos privilegios habían sido paulatinamente mermados por la Corona, encabezarán más de cien levantamientos contra los dominadores entre las poblaciones nativas de Perú y Bolivia[7].

Tan sólo meses antes de la rebelión de Tupac Amaru II, en el Cuzco, Bernardo Tambohuacso, curaca natural de Pisac, se rebela contra los abusos de autoridad del visitador Arreche por la sobrecarga de tributos a que somete a la población. La revuelta, conocida como "Los pasquines", por ser ése el medio elegido para expresar el descontento frente a los funcionarios de la aduana, llegó rápidamente a Cuzco donde el virrey recibe un extenso memorial sobre la indigencia, pobre-

[7] Dos momentos destacan en este tenso siglo de rebelión: el primero la insurrección mesiánica desatada en 1742 por Juan Santos Atahuallpa desde las zonas selváticas, y el segundo la guerra civil que se extendío por los territorios serranos del sur del Perú y de Bolivia entre 1780-1782 abanderada por los curacas José Gabriel Condorcanqui en Cuzco (Tupac Amaru II) y Tomás Katari en Bolivia, (Tupac Katari). Juntos, estos dos momentos han sido definidos por Stern como la "era de insurrección andina" (Stern 1990: 51).

za y explotación de que eran objeto los indígenas por parte de encomenderos, frailes, curas doctrineros y corregidores. Sin embargo, a esta petición de justicia, el virrey responde en forma negativa y amenazadora para los responsables. Bernardo Tambohuacso, que encabeza el movimiento de protestas en el Valle Sagrado, logró levantar a 3.000 indígenas contra el poder colonial. La rebelión fue sofocada casi inmediatamente y los curacas apresados y condenados a la pena máxima. Tambohuacso fue ahorcado y descuartizado en la plaza mayor del Cuzco el 17 de noviembre de 1780 y su cabeza llevada a Pisac como escarmiento para la población.

El resultado directo de éste y de otros levantamientos sucedidos en estos años fue la abolición del curacazgo hereditario en la mayoría de las áreas de las rebeliones. En su lugar se nombran como recaudadores de impuestos a los alcaldes del cabildo de indios (primer y segundo voto), sistema que, a diferencia del curacazgo, era electivo y no de sucesión hereditaria. En algún momento de comienzos del XIX que no podemos precisar con exactitud, a esta estructura de autoridades indígenas se suma un tercer alcalde conocido como "tasa alcalde", pues era el encargado de mantener la relación de tributarios del distrito o "tasa" y de su cobro[8].

Frente a la sucesión hereditaria de los curacazgos, la instauración del cabildo de indios y de sus alcaldes de vara ha sido interpretado por distintos autores como una de las primeras instituciones "democráticas" de la historia colonial, (O'Phelan 1995). Sin embargo, la historia de la legislación colonial y su práctica posterior ofrece distintos ejemplos que señalan que la simple existencia de un mecanismo formal democrático como es la elección de los puestos de autoridad indígenas, no garantizaba entonces –como no lo hace ahora– una representación efectiva ni satisfactoria de esta población. La documentación

---

[8] En su descripción del sistema de cargos en la comunidad de Chuschi en la sierra central peruana, Isbell (1978) menciona la existencia de dos sistemas de alcaldes envarados combinados: uno *hatun* (grande) y otro *taksa* (pequeño), que podrían ser equivalentes a los alcaldes de primer y segundo voto. Sin embargo, en Pisac no se trata de dos jerarquías separadas sino de una sola secuencia de estatus. Sintomático de la autoridad que ejercía este tercer alcalde es el lugar que ocupaba en el espacio respecto a sus homólogos. Según los narradores del pueblo, el tasa alcalde (no *taksa*) se situaba al final de la fila de sus homólogos, lo que denota su mayor poder.

hallada en el ADC correspondiente a Pisac revela cómo la elección de los alcaldes de indios debía ser inmediatamente elevada al intendente, una de las autoridades criollas. De él dependía en la práctica aprobar o denegar dicha elección. Existían una serie de criterios selectivos acerca de los que podían ser potenciales candidatos para la alcaldía entre los que destacan la buena conducta, la dedicación exclusiva a la agricultura y el hecho de que fuesen letrados en lengua y escritura castellana. Así se recoge en los siguientes extractos:

> Señor Gobernador Intendente General. Señor de mi Mayor Veneración incluyo la... (roto) elección de alcaldes, de los pueblos de este partido para que Usa. los apruebe a reforme según... (roto), de superior agrado, sirviéndose Usa. volverlos con deliveración para víspera de año nuevo, en cuyo día concurren todos a esta caveza del partido a recivirse..., Calca, 29 de diciembre de 1784... (ADC, Intendencia C. O. Leg.1, 1784).

> Debuelbo a UM... El tanto de la elección de Alcaldes que me incluye en su oficio de este día pero como no se expresa en ella haverse practicado con arreglo a los artículos 10 y 11 de la nueva institución de Intendente, en que previene S.M se celebren tales actos en todo pueblo presididos de *sugetos españoles* y de los que se exerzan por comisión... y que para dichos empleos sean preferidos los Yndios más instruídos en el idioma español y más aplicados a la agricultura [...] pues suspendo la aprobación encargando a U.M [...] (Fdo. Benito de la Mata Linares, Cuzco, 29 de diciembre de 1784).

Como se infiere de las citas, en la práctica, la libertad de elección de los alcaldes indígenas en este distrito era restringida y descansaba, en último término, en la discreción de las autoridades españolas o criollas. Habrá que esperar aún hasta comienzos del siglo XIX para asistir al proceso de consolidación del *wachu* de la autoridad, tal y como se observa hoy día en las comunidades de Pisac.

EL *WACHU* ENTRE COMUNIDADES Y LA POBLACIÓN CONTRIBUYENTE

A comienzos del XIX estallan las guerras de independencia en las que los indígenas jugaron un papel fundamental. La legislación bolivariana suprime el tributo indígena, aunque solo momentáneamente. Se intercambian nombres y los tributarios pasan a denominarse "contribuyentes". Como en el pasado, la contribución de los indígenas continuó constituyendo una parte muy significativa del presupuesto de los nacientes Estados y, por tanto, el Estado republicano continuó utilizando a los alcaldes de indios, ahora según un sistema rotatorio en el que se cambian algunos nombres y se instauran nuevos cargos (Davies 1974).

Entre las nuevas autoridades locales que aparecen destaca el gobernador, representante directo del Estado, que será el encargado de organizar a los alcaldes indígenas que entonces adquieren el nombre de "mandones". En ese contexto de cambios y con una legislación favorable algunos de los antiguos ayllus, ahora "parcialidades", que habían sido previamente disueltos y reducidos junto a los cuatro principales (Collana, Cuypan, Pumacurco y Qosqo) recuperan sus antiguos nombres. En ese momento, el *wachu* de los alcaldes de cada parcialidad se ordena en una sola jerarquía aún hoy visible en el lugar relativo que ocupan en la fila cada vez que se congregan en el pueblo de Pisac para acudir al templo como parte de su antigua obligación colonial. La siguiente figura ilustra cuál es ese orden o *wachu* intercomunal[9].

FIGURA 5
***Wachu* de los alcaldes de las comunidades de Pisac**

Paru-Paru-	Pampallacta-	Chahuaytiri-	Ccotataqui-	Viacha-	Sacaca-	Cuyo-	Maska-	Amaru-	Amphay
(1°)	(2°)	(3°)	(4°)	(5°)	(6°)	(7°)	(8°)	(9°)	(10°)

[9] A pesar de que el distrito de Pisac cuenta con trece comunidades, a efectos del *wachu* de la autoridad intercomunal nos ocupamos tan sólo de diez. Las tres restantes (Cuyo Chico, Ccotobamba y Huandar) no poseen alcaldes indígenas. Las razones son varias. En el caso de Ccotobamba y Huandar, se trata de comunidades con escasa población y recientemente reconocidas como tales. Ccotobamba se considera en términos administrativos un apéndice de Maska, mientras que Huandar, antigua hacienda situada en la otra orilla del río, sigue un desarrollo histórico independiente de las comunidades de Pisac. El caso de Cuyo Chico es diferente. Tradicionalmente, esta comunidad contaba con autoridades indígenas. La influencia en la década de los cincuenta del "Proyecto de antropología aplicada Cuyo Chico" y más tarde de la actividad artesanal, a la que se dedica prácticamente toda su población, son algunos de los factores que explican esa ausencia. No obstante, ello no modifica la validez de los datos que presentamos ya que históricamente Cuyo Chico y Cuyo Grande por un lado (antiguo ayllu Cuypan), y Maska y Ccotobamba por otro, eran considerados como dos unidades en lugar de las cuatro actuales.

Un primer intento de explicación a este ordenamiento, tratamos de hallarlo en la ubicación geográfica de cada comunidad en relación a la capital del distrito. Según una primera hipótesis, la reducción de los ayllus en el pueblo de Pisac habría sido la causa de que las comunidades ubicadas más cerca del pueblo ocuparan los últimos lugares en el *wachu* (los primeros en términos de preeminencia de la autoridad) y las más distantes los puestos delanteros. Sin embargo, un simple vistazo al croquis de distribución de las comunidades en este distrito contrastado con el *wachu* observado, convertía esta suposición en pura elucubración (ver mapa nº 2). Era posible entonces que se tratase de un orden prehispánico que reflejara en la posición de los alcaldes la preeminencia de los antiguos ayllus de la mitad *hanan* frente a los de la mitad *urin*. De nuevo esta segunda hipótesis resultó falsada pues, en caso contrario, las autoridades del ayllu Collana, es decir los alcaldes indígenas de las actuales comunidades de Viacha y Maska, debían figurar en el primer lugar de esa jerarquía, es decir al final de la fila. Finalmente hallamos una respuesta más satisfactoria en la historia reciente, según la cual la estructura del *wachu* o sistema de cargos, tal y como lo observamos actualmente, se remonta más precisamente a la primera mitad del siglo XIX y alude al número específico de población contribuyente (los antiguos tributarios) que cada parcialidad aportaba. La figura 6 ilustra cuál era el peso específico de cada parcialidad y de cada estancia en la primera mitad del siglo XIX.

Comparemos ahora estos resultados con la evolución experimentada por esa misma población de contribuyentes a fines del XIX (1887). Para ello es necesario tener en cuenta dos observaciones relativas a este período. Primero, la disminución general de personas obligadas a tributar y segundo, la mencionada aparición de nuevas parcialidades, caso de Masca. Su población posiblemente se desglosa de la comunidades de Amphay y Amaru, entre las que se reubican el número de contribuyentes. Del mismo modo, los antiguos cuatro ayllus reducidos en el pueblo de Pisac (Collana, Pumacurco, Qosqo y Cuypan) considerados como dos unidades tributarias hasta mediados del XIX (utilizando la antigua división entre *hanan* y *urin*), reaparecen a fines del XIX como cuatro parcialidades separadas. En ellas se registra una disminución de casi un tercio en el número de contribuyentes respecto al período anterior (de 110 a 79 contribuyentes). Este hecho se explica, muy probablemente, por el retorno de muchos indígenas de los ayllus

FIGURA 6
Población tributaria de Pisac[10] (1836-1856)

Estancias y ayllus	1836	1856
Ayllu Cuipan-Cuzco	65	66
Ayllu Pumacorco-Collana	47	46
Estancia de Amphay	93	116
Estancia de Amaru	106	123
Estancia de Sacaca	71	79
Ayllu y estancia Ccotataki	27	28
Estancia de Chahuaytiri y Pampallacta[11]	27	32

Fuente: ADC, Libro de contribuyentes de la provincia de Calca y Lares (7 libros).

reducidos en el pueblo a sus comunidades de origen. Por su parte, Viacha, antiguo ayllu Collana o Capac ayllu, se une en términos de población contribuyente con la población reducida de Pisac, mientras que Cuyo, lo hace con la población del ayllu Cuypan, tal y como observamos en la figura 7.

Si bien es cierto que la población tributaria no se mantuvo estable durante el período analizado, es posible registrar ciertas regularidades en términos del peso específico que cada parcialidad aportaba a la economía política de Pisac como centro de la dominación foránea. Ese cálculo arrojaría el orden recobido en la figura 8.

Si comparamos este orden con el de la figura 5 en el que se observa la ubicación de los alcaldes vara de las comunidades en el momento actual, observamos que existe una correspondencia casi perfecta. En primer lugar se sitúa el alcalde de la comunidad de Amphay, a la cabeza en número de contribuyentes, después el de Amaru y tras éste el de la comunidad de Masca, una de las parcialidades que recuperan su nombre en este momento y cuya población se disgrega de las dos ante-

[10] Para facilitar la comparación entre los diferentes períodos hemos contabilizado bajo la categoría de contribuyentes la suma de los "originarios con tierras" y "forasteros sin tierras".

[11] Consta por separado el número de tributarios de la estancia de Guancarani (58) y de Uyucata (20), todos clasificados como forasteros sin tierras dada su condición como población trasplantada.

FIGURA 7
Contribuyentes por parcialidades y estancias de Pisac (1887)

Parcialidades y estancias	Número de contribuyentes
Parcialidad de SACACA	46
Parcialidad de MASCA	18
Parcialidad de CCOTATAQUI	22
Parcialidad de AMARU	71
Parcialidad AMPHAY	79
Parcialidad de CUIPIN	23
Parcialidad de COSCO	16
Parcialidad de PUMACORCO	14
Parcialidad de COLLANA	19
Estancia de CHAHUAYTIRI y PAMPALLACTA	27

Fuente: *Ibíd.*

FIGURA 8
Orden de las parcialidades según población tributaria (siglo XIX)

Parcialidades	1836	1856	1887
1. AMPHAY	93	116	79
2. AMARU	106	123	71
3. SACACA	71	79	46
4. CUYO	65	66	23
5. VIACHA	47	46	19
6. COTATAQUI	27	28	22
7. CHAHUAYTIRI	27	32	27

Fuente: *Ibíd.*

riores. El puesto cuarto lo ocupa el alcalde de la comunidad de Cuyo (antiguos ayllus Cuypan-Cuzco); después, la comunidad de Sacaca, Viacha (antiguo ayllu Collana) y Ccotataqui. Finalmente, encontramos a Chahuaytiri y Pampallacta, parte de la misma estancia-hacienda colonial y, por tanto, con menor población. La comunidad de Paru-Paru (representada por el primer alcalde de la fila) perteneció durante todo el período colonial al distrito de Taray. Su incorporación tardía a este distrito explicaría el último lugar en el *wachu* de la autoridad, aunque espacialmente situado al comienzo de la fila.

De los datos expuestos se infiere que el sistema de cargos o *wachu* de la autoridad en Pisac es producto del primer tercio del siglo XIX, momento en el que comienza a gestarse en el Perú una imagen de nación moderna sobre la base de una identidad política y cultural compartida por toda la población, de la que aproximadamente la mitad era indígena y quedaba en la práctica excluida. Ése es posiblemente el punto de inflexión en el que situar el comienzo de sucesivas legislaciones que afectan el estatus político y tributario de esta población inaugurando "un estilo de hacer política en el Perú en el que se utiliza el tema indígena para recabar el apoyo de ciertos grupos, mientras por otro lado se continuaba cubriendo la retaguardia de la oligarquía terrateniente" (Davies 1974: 90). Los decretos de San Martín, aboliendo el tributo y cambiando el uso legal de las palabras "indios" y "naturales" por la de "ciudadano", al tiempo que favorecen la consolidación de la gran propiedad, deben ser ubicados en ese contexto.

En el siguiente apartado nos ocupamos de la oligarquía terrateniente de las haciendas de Pisac conocidos como *llactataytas* o "padres del pueblo", personas que ejercieron la dominación en este distrito manipulando a su antojo el sistema de cargos o *wachu* de la autoridad.

Haciendas y llactataytas (fines del XIX y comienzos del XX)

> I este pueblo de Pisac consta de ochocientas personas de Indios y mugeres viejos y viejas y dos españoles... en el distrito de los tres pueblos ay quinze haciendas de españoles [...]. Las estancias de las punas de los Indios son ocho por todas... las iglesias de dichos tres pueblos no tienen rentas sino de los frutos que se cojen de mais y trigo, que los indios siembran en quatro topos de tierras, que cada uno tiene (Felipe Flores de Miranda, 9 de mayo de 1690; citado en Villanueva 1982: 287-88).

El surgimiento y la consolidación de la hacienda en la sierra sur del Perú, está relacionado con un proceso paulatino de mecanismos de acaparamiento de tierras por parte de distintos estamentos sociales que las obtenían haciendo uso de distintos mecanismos legales e ilegales: composiciones reales, mercedes de cabildos, gobernaciones, ocupaciones de hecho, contratos fraudulentos, desvirtuación de tributos y formas de trabajo, fusión de pueblos indígenas o reducciones, donaciones, ventas y pago de deudas, entre otros. Una vez reunidas las tierras por cualquiera de estos medios y establecidas las relaciones de explotación entre el hacendado y los feudatarios, las haciendas se organizan como unidades mono-productoras orientadas hacia el mercado de exportación[12].

En el Valle Sagrado, estos productos fueron principalmente el maíz en las haciendas de piso de valle, y la lana y la carne en las de altura. En la figura 9 se indica la orientación productiva de las quince haciendas que a fines del XVII se contabilizan en el municipio de Pisac, incluidos los territorios anexos de los pueblos de San Salvador de Chukibamba y María Magdalena de Taray y sus respectivos ayllus.

Los propietarios que acumulaban un mayor número de hectáreas eran el capitán Pedro Güemes y su esposa Francisca Bravo Dávila, quienes poseían la estancia de Chahuaytiri y Pampallacta, las haciendas de Chongo, Huandar y Tucsan. La primera, ubicada en las alturas del distrito, estaba dedicada a la producción de papas en numerosas variedades y también al ganado lanar (ovejas y camélidos andinos), mientras que las tres restantes se especializaban en la producción de maíz blanco de alta calidad. El mercado para estos productos fue probablemente el de las ciudades vecinas de Cuzco, Collao y Potosí. En

---

[12] Existe un cierto consenso entre los autores al afirmar que este proceso arrancaría a principios del siglo XVI, aunque es muy posible, como señalan Glave y Remy que, *estricto senso*, se remonte a la época precolombina si tenemos presente el régimen de señoríos indígenas que los españoles aprovecharon para asentar el sistema de hacienda española (1983: 72). La formación de mercados agrícolas con la consiguiente expansión del capital minero por un lado, y la decadencia de las economías campesinas que se veían en la necesidad de ampliar sus excedentes para destinarlos al mercado por otro, parecen ser los factores decisivos en la acumulación de tierras. Una vez establecidas las "composiciones" o concentración de tierras en el transcurso del siglo XVI, los indios y mestizos poseedores de los señoríos y necesitados de dinero, vendían las tierras a estos nuevos terratenientes. En la base de estos tratos irían incubándose las relaciones de producción características entre los terratenientes y los "colonos" o "feudatarios" de las haciendas.

FIGURA 9
Haciendas de Pisac y ubicación por anexos

HACIENDAS	ANEXO
Conocata y Sañuguay	Pisac
Chongo y Chahuaytiri	Pisac
Huallagua	San Salvador
Huancayma	Taray
Huandar	San Salvador
Lauraypampa	Taray
Los molinos y Huerta	Pisac
Pacor	Taray
Pacalla	Taray
Patay y Laserpata	Taray
Sondor	San Salvador
Vilcar San	Salvador
Bicho	San Salvador
Tucsan	San Salvador

Fuente: ADC, Temporalidades, 1767.

las otras haciendas se combinaba la producción de maíz, trigo, frutas y hortalizas. La magnitud y el peso específico de estas propiedades en la economía regional colonial es ilustrado por Mörner (1975) quien señala que, en 1786, el 67% de las cosechas de maíz y el 79,7 % del trigo que se recogía en esta doctrina procedía de las haciendas.

A fines del XVIII, el número de haciendas no habría variado en relación al período anterior pero sí el de los propietarios. La mayor parte de éstas habrían pasado a manos de diferentes órdenes religiosas, concretamente a los conventos de Santa Clara, Santo Domingo y la Compañía de Jesús[13].

[13] El papel de las órdenes religiosas y de los monasterios durante los siglos XVII y XVIII es de singular importancia para entender la vida económica de la época. A falta de instituciones crediticias o financieras, las órdenes religiosas y en concreto los monasterios de Santa Clara, Santa Catalina y Santa Teresa y sus homónimos masculinos (San Francisco, Santo Domingo y San Agustín) cumplieron ese papel. Distintas formas de crédito, principalmente los "censos" y las "capellanías" fueron los medios utilizados.

FIGURA 10
Propietarios de las haciendas y estancias de Pisac (siglos XVII a XIX)

Haciendas	Dueño 1689	Dueño 1784	Dueño 1854
Sañiwasi	Dominicos	Dominicos	Enfiteusis a Idelfonso Polo
Chongo	Fca. Bravo Dávila	Santa Clara	Dividida en dos: Chongo-Grande, propiedad del Colegio de Ciencias del Cuzco; y Chongo-Chico, de E. Navia
Huandar	B. Pulido	M. García Viana	Julián Ponce
Molinos-Huerta (Huk'i)	Compañía de Jesús	Temporalidades (institución encargada de la administración de los bienes de los jesuitas)	Colegio de Ciencias de Cuzco
Tucsan	P. de Jiménez	(no se ha encontrado)	Convento de Sta. Clara
Chahuaytiri	Fca. Bravo Dávila	Convento de Sta. Clara	Familia Centeno

Fuente: *Ibíd.*

Los mecanismos para acceder a las propiedades que llegaron a acumular fueron también diversos, ya que se suponía que como órdenes mendicantes no podían recibir encomiendas ni tampoco tributo indígena (Burns 1992). Las limosnas o donaciones hechas por los vecinos de la ciudad del Cuzco fueron uno de los primeros mecanismos para conseguir propiedades. El segundo lo constituyeron las dotes que ofrecían las novicias que habían decidido seguir la carrera religiosa. El tercero, e indudablemente el más importante, fueron los censos por medio de los cuales se prestaba dinero a particulares en forma de hipoteca. En el caso de no satisfacción de los réditos anuales, el administrador del monasterio procedía a iniciar un proceso judicial para embargar los bienes hipotecados que eran rematados públicamente. El propietario, una vez establecida y formada la propiedad inmueble (casas, haciendas y estancias), tenía la posibilidad de fundar censos y también capellanías. Estas últimas procedían de la misma forma que los anteriores, sólo que la renta anual que se obtenía del préstamo era destinada al pago de misas para recordar al fundador, aligerar sus pecados y permitir el descanso eterno de su alma (Burga 1976: 19).

A fines del siglo XIX, como resultado de los cambios que operaban en la economía regional, la mayor parte de estas propiedades pasaron a formar parte de la nobleza aristocrática y terrateniente del Cuzco. Los propietarios, entre los que destacan familias como los Romainville, de tradicional peso en toda la provincia, ejercieron de autoridades de hecho en la zona hasta hace apenas treinta años. Su autoridad no sólo se circunscribía al ámbito de sus propiedades que, exceptuando las haciendas de tipo tradicional ubicadas en las alturas del distrito, no ocuparon grandes extensiones de terreno aunque sí muy productivo, sino que se extendía de forma más o menos directa a todo el distrito. De hecho, en virtud de su posición, los hacendados tenían la potestad de utilizar la mano de obra no sólo de sus hacienda-runas (indígenas de las haciendas) sino también de los ayllus vecinos y simultáneamente ocupar los puestos de autoridad del municipio. La información procedente de los expedientes de afectación de reforma agraria correspondientes a este distrito, contrastada con los títulos del Registro de la Propiedad del Cuzco, permiten reconstruir cuáles fueron esas propiedades y sus respectivas familias de propietarios durante el siglo XX.

La información contenida en los libros de actas de este municipio, desde su fundación en 1895 hasta la afectación de los predios por reforma agraria (1974), confirma cómo los cargos burocráticos de autoridad fueron sistemáticamente monopolizados por los terratenientes de las haciendas, principalmente las familias García y Loayza respectivamente. La población se refiere a ellos como *llactataytas*, una variedad de personajes mestizos que desempeñaron el papel de autoridades de facto en virtud de sus posesiones y de su red clientelar. El profundo enfrentamiento que existió entre estas familias por el control de la tierra y de la mano de obra indígena durante todo el siglo XIX y primera mitad del XX, se extrapoló a la arena política por el control de los cargos municipales, concretamente aquellos que conformaban la llamada "Junta de Notables": alcalde municipal, teniente alcalde, regidores y secretario. Otros cargos de autoridad fueron los de juez de paz, gobernador y párroco. Concretamente, los dos últimos eran, por sus funciones, los que entraban en una relación más directa con los alcaldes de indios de las comunidades y, aunque del mismo modo que el resto de los cargos municipales hasta los años ochenta no contaron con retribución económica, fueron de los más codiciados por los beneficios indirectos que implicaban. Los diarios de la prensa cuzqueña de

FIGURA 11

Extensión y propietarios de las haciendas de Pisac y anexo de San Salvador (siglo XX)

Haciendas y extensión	Propietarios	Especialización productiva	Observaciones
Chawaytire **8.153 ha**	Familias Romainville-Alvistur	Estancia ganadera y papas de origen colonial	De 14.070 ha a comienzos del siglo XX, esta propiedad quedó reducida a poco más de 3.100 ha en 1990 (ver ritual del mojón *muyuy*, en "Día de Comadres: mojones y batallas", Cap. IV)
Chongo Chico (Aiñas) **11,27 ha**	Familia García	Maicera y pastos	Con la reforma agraria, 5 ha pasaron a manos de los campesinos, y las otras 6 fueron vendidas a N. Zaldivar, dueño de Hoteles Royal Inka. Una parte fue readquirida por la familia García a una de las comunidades campesinas (Amphay)
Chongo Grande **39,50 ha**	Familia García	Maicera	
Huandar Grande y Chico **322 ha**	Familia Loayza	Ganado vacuno y maíz	La población de esta hacienda procedía de Sicuani y fue trasplantada para trabajar como feudataria

FIGURA 11 (Cont.)

Haciendas y extensión	Propietarios	Especialización productiva	Observaciones
San Luis (antigua Sañiwasi) 600 ha	Del convento de Santo Domingo pasó en alquiler al Sr. Rodríguez, quien la explotó durante veinte años. De éste, pasó en arrendamiento a la familia Calderón Fuenzalida, que la condujo durante unos diez años. Poco antes de la reforma agraria, aparece como propietario Emilio Paredes, quien tras la reforma la venderá a L. Rondón (15 ha), y a D. Yabar (17-8 ha)	Maicera, sólo 70 ha son cultivables	Es la hacienda más productiva del pueblo. Prácticamente todo el eriazo pasó a manos del pueblo (sector de Qanopata)
Tucsan Grande y Chico 268,57 ha	Familia Loayza	Maicera	
Punas Percca[14] 465 ha	Familia Loayza	Pastos, en su mayoría eriazo	
Huertas Huk'i 11 ha	Familia Polo	Frutales, sólo 3 ha son cultivables	Abarca una parte de las andenerías incas de "Pata Pata"

Fuentes: Expedientes de afectación de la Oficina de Comunidades Campesinas y Nativas (Ministerio de Agricultura), Registro de la Propiedad (Ministerio de Justicia), Registros Notariales (ADC) y entrevistas con las familias García y Loayza del pueblo de Pisac.

[14] La tradición oral en Cuyo Grande, comunidad que desde antiguo ha reivindicado los derechos sobre esta propiedad, recrea la historia de esos derechos a partir de un trato establecido entre los antiguos *ilactataytas* de Cuyo y Chahuaytiri. Según ésta, Percca fue el depósito entregado por el entonces hacendado de la familia Loayza a su homónimo de Chahuaytiri como pago por haberle prestado su *llakolla* (jubón negro que usaban las autoridades en las fiestas). Por razones que no se mencionan, el jubón nunca fue devuelto quedando Percca en posesión de Chahuaytiri hasta la reforma agraria.

la época reflejan esta situación de explotación frente a la que los caciques no parecían hacer mucho:

> Por no poder imprimirse en el Cuzco, pasamos a la imprenta Arequipa Libre para hacer ver la conducta del Cura de la Doctrina de Pisac, Calca, en el dpto. de Cuzco. Después que los miserables indíjenas están sobrecargados con mil penciones arvitradas por él, que por esto aún el gobierno los ha mirado piadosamente, y les ha rebajado un peso de la general contribución, todavía persisten sobre ellos muchas nuevas operaciones impuestas con diversos fines como son las prácticas absurdas de *ricuchicos, alferasgos, priostasgos, velaciones, derechos de bautismo,* y las continuas faenas que los oprimen de las que los *casiques* no defienden... Igual echo en la santa quaresma, les obliga a que precisamente junten dinero por lista, para la cera de juebes santo que les señala a dos reales a los de *Atunruna,* y a otros a un real, y las viudas medio que suma cantidad de pesos; fuera aparte de mandar estraer bacas lecheras de cada ayllo con el objeto de tomar toda la leche con los cuaresmeros, sin más recompensa que privarles del alimento a sus hijos, por sólo ser Cura, entiendo cura de almas curad y no robad, manifestando ser más verdaderamente Lobo que pastor de su rebaño... firmado: un indígena (*El Sol del Cuzco,* tomo 4, libro 9, Leg. 261, 1828).

Como se desprende de este extracto, convertirse en autoridad del municipio significaba en la práctica acceder a una red de influencias que permitían a los cargos municipales y al cura doctrinero utilizar en su propio beneficio las faenas que la población indígena desempeñaba con carácter obligatorio hasta la aplicación de la reforma agraria. Así consta en los libros de actas del municipio, repletos de acusaciones cruzadas entre las principales familias de *llactataytas* inculpándose mutuamente sobre los abusos de autoridad que cometían en beneficio propio y en virtud del cargo que ocupaban:

> El Señor M. Loayza denunció que la faena del día lunes que correspondía a la parcialidad de Pillahuara había sido distraída por D. H., en beneficio de sus sementeras de San Salvador... a consecuencia de la denuncia que hace el agente municipal de San Salvador de que el teniente gobernador hace reparto de los indígenas todos los lunes que son días de faenas, que todos los concejales confirmaron que las faenas del pueblo de San Salvador eran para el beneficio del Teniente Gobernador (Sesión del Consejo Municipal, 18.12.1896, Libro de Actas del Municipio de Pisac, Calca, Cuzco).

Según estipulaba el municipio, los únicos exonerados del trabajo obligatorio de la limpieza y el acicalamiento de las calles y caminos del pueblo, y de cualquier otro que establecieran de forma individual los *llactataytas*, eran los "hacienda-runas", runas cautivos de las haciendas, caso de Chahuaytiri-Pampallacta. La única autoridad reconocida en ese territorio era la del hacendado y sus mayordomos. Sin embargo, el *wachu* de la autoridad o sistema de cargos compartió el mismo espacio transformando aquellas estructuras que fue preciso y acomodando otras al poder omnímodo ejercido por los terratenientes de las haciendas a través de sus empleados. Veamos en qué consistieron esas transformaciones tomando como ejemplo el caso de la hacienda Chahuaytiri, la más grande y antigua que albergó este distrito.

Las autoridades indígenas en el siglo xx: de la hacienda a la comunidad campesina. El caso de Chahuaytiri

Los registros históricos de comienzos del siglo indican que el territorio de la hacienda se dividía en tres bandas o sectores, en función de la especialización productiva para la que fueron repoblados:

a) Llocllapampa, una pampa desierta y elevada con vegetación de tipo alpino explotada para el pastoreo de auquénidos que no contaba con población estable a la que los textos se refieren como una *astana*.
b) Pampallacta, donde predominaba el cultivo de papa.
c) Chahuaytiri, a su vez subdividido en dos sectores: Uyucati y Huancarani, en los que se combinaba la explotación agrícola y la pecuaria.

Los sectores "b" y "c" fueron poblados con familias procedentes de los ayllus "cautivos", esto es, comunidades indígenas que estaban en el territorio acaparado por los hacendados, situación que convertía automáticamente a sus habitantes en "colonos" y a sus tierras en comunidades "cautivas" de la misma. Ése fue el caso de las actuales comunidades de Chahuaytiri y Pampallacta, una parte de Cuyo Grande, Sacaca, Paru-Paru, Huarki y Llocllapampa.

En términos de organización, cada uno de los tres sectores poseía un elevado grado de autonomía. Cada uno disfrutaba de su propia capilla y sus santos patrones, así como su propia jerarquía de cargos o *wachu* de la autoridad. Esta división por sectores permitía organizar el trabajo y la mano de obra a partir de un sistema de retribuciones mutuas. Para garantizar el funcionamiento de ese sistema, el hacienda-runa era mantenido al nivel de subsistencia: la propiedad recibida en usufructo era de dimensiones muy reducidas, mientras que el tiempo de trabajo obligatorio en la hacienda era muy elevado. Protección, cuidado y un pedazo de tierra en usufructo o *mañay*, del que el indígena feudatario podía ser despojado en cualquier momento, constituían la retribución del hacendado. Éste preservaba sus propios intereses "protegiendo" a los hombres jóvenes de la hacienda, por ejemplo, de ser reclutados por el ejército, ya que ello se traducía no sólo en la pérdida de mano de obra para la hacienda, sino también en el riesgo de la influencia cultural y política del medio urbano (Anrup 1990: 86). Por otra parte, entre las prohibiciones más significativas que el hacendado impuso hasta los años sesenta destaca la negativa a permitir la construcción de una escuela, razón por la cual prácticamente la totalidad de los comuneros de Chahuaytiri que en la actualidad rebasan los 45 años son *mana ñawiyoq*, literalmente "sin ojos" o iletrados. Estas relaciones recíprocas entre el patrón y los hacienda-runas eran ratificadas mediante lazos de compadrazgo[15], según los cuales el patrón actuaba como padrino de matrimonio, de bautizo o del primer corte de pelo de los hacienda-runas y, de ese modo, el trabajo obligatorio se reforzaba con un barniz familiar (Contreras 1985).

[15] El compadrazgo sigue siendo una de las formas básicas de relación en las comunidades de este distrito. Como en tiempos de la hacienda, se trata de una relación de reciprocidad asimétrica. Generalmente los runas prefieren compadres dentro del grupo de vecinos del pueblo de Pisac y otros *mistis* foráneos venidos de Cuzco, Lima o de otros países. Desde un punto de vista económico, con esta relación garantizan una cierta protección, entendida de forma amplia: un lugar donde alojarse cuando acuden al pueblo, mediación frente a las autoridades mestizas en caso de conflicto y, ocasionalmente, apoyo económico. En contraprestación los indígenas ofrecen a sus compadres productos a mejor precio (en ocasiones gratuitos), mano de obra cuando sea requerida, y, en los últimos años, su voto y el de su familia en tiempo de elecciones. De hecho, las formas actuales que adquiere lo político en este distrito siguen articulándose sobre la base de este tipo de relaciones. Así, los vecinos del pueblo que se presentan como candidatos a la alcaldía del municipio, comienzan su campaña desde meses "apadrinando" bautizos, bodas y otros ritos de paso de los runas de las comunidades que más electores tienen.

En la hacienda Chahuaytiri, el principal trabajo retributivo en favor del hacendado era la "condición". Ésta consistía en el desempeño de las labores agrícolas durante un período de tiempo variable al mes (entre una y tres semanas) y en jornadas de seis a diez horas, según los criterios que estableciese cada propietario. Otras obligaciones complementarias a la condición eran:

– Chacra *arariwa* o encargado de cuidar las parcelas y seleccionar la semilla adecuada. Había dos por cada sector. Eran los encargados de cuidar de los robos de semilla.

– Troperos o pastores del ganado o 'tropa'. Esta obligación era de singular importancia si tenemos en cuenta que la orientación productiva principal de esta hacienda fue, hasta los años sesenta, la ganadería. Dependiendo de la composición del hato ganadero, se distinguían: el *waka* tropero (encargado del rebaño de vacas), el *oja* tropero (de ovino), el alpaca tropero y el *uywa* tropero (de caballos y mulos). Cada tropa de ganado era sometida a un estricto control por el administrador de la hacienda quien llevaba una libreta de cada uno de los pastores. Cuando una res de ganado moría, se perdía o era atacada por el zorro, el tropero tenía la obligación de presentarse ante el administrador con los restos del animal, en caso de que los hubiera, y explicar minuciosamente las causas de lo ocurrido. Después de tres o cuatro años de tener la tropa o rebaño del hacendado a su cuidado, el tropero se la devolvía al patrón, resultando casi siempre deudor de varias cabezas de ganado que debía reponer con cualquier otro animal que tuviera (Cevallos 1974: 61).

– Pongos, encargados del servicio doméstico en alguna de las propiedades del hacendado, bien en la casa-hacienda (Chahuaytiri pongos) o bien en las propiedades que poseía la familia en Cuzco (Qosqo pongos). Este trabajo era generalmente desempeñado por niños de entre 10 y 15 años durante dos a tres semanas consecutivas. Tanto los días empleados en el viaje a Cuzco (uno de ida y otro de vuelta) como los gastos, en caso de haberlos, corrían a cuenta de los mismos pongos y de sus familias. Sus labores principales consistían en preparar la comida de los perros y de los cerdos de la hacienda, hacer recados y encargarse de la limpieza de las habitaciones de la casa-hacienda.

Además de la condición y alguna otra obligación complementaria en el trabajo, los hacienda-runas de Chahuaytiri estaban además obligados a contribuir a las arcas del hacendado con un rescate que consistía en una cantidad variable de lana de ovino (entre 30 y 70 vellones según el ganado que tuviese cada familia) y una contribución de 60 cargas de guano de oveja (Cevallos 1974: 68-70).

Para organizar el trabajo en el interior de la hacienda, dada la condición de absentistas de los dueños que sólo residían en ella en época estival, el patrón contaba con una serie de empleados a su servicio. Todos ellos mestizos que vivían permanentemente con sus familias en el caserío de la hacienda. Los más destacados eran los cargos de administrador y mayordomo, respectivamente. El primero era la autoridad máxima tras el hacendado y, como tal, se encargaba de vigilar sus intereses (organización del trabajo, las finanzas de la hacienda, administración de la autoridad política). A diferencia del hacendado, trataba directamente con los runas, por lo que, para éstos, él era la autoridad visible y cabeza de la hacienda. Por su parte, el mayordomo era el acólito del administrador y, al igual que éste, también mestizo. Un tercer intermediario entre el hacendado y los runas era el mandón, quien, a diferencia de los anteriores, era de extracción indígena. Nombrado por el hacendado para que ejerciera de bisagra entre ambos tipos de autoridad, el mandón notificaba a los indígenas las faenas en las que debían participar obligatoriamente. Cualquiera de los tres cargos se servía de la fuerza y de los castigos físicos para obligar a los hacienda-runas a cumplir con sus obligaciones. Por esa razón los runas se refieren a los tres sin distinciones como *wiracochas*.

Para hacer efectivo su poder entre los hacienda-runas, fue necesario reorientar la estructura de cargos de la población indígena o *wachu* de la autoridad en una cadena de órdenes cuyo vértice era el patrón:

> El que ordenaba era el mayordomo de la hacienda, pero el máximo jefe era el hacendado. Y el hacendado ordenaba a los mayordomos y a los otros empleados de la hacienda, hasta al veterinario ordenaba. Y esos mayordomos ordenaba a los mandones, y el mandón arreaba al alcalde para que arreara a los runas, y toditos se arreaban. Así era en el tiempo de la hacienda (Don Plácido Illa, agosto de 1996).[16]

[16] Excepto que se indique lo contrario, todos los extractos de entrevistas que se reproducen en este texto han sido originalmente recogidos en quechua y traducidos al castellano con la ayuda de Guadalupe Holgado. Para facilitar la lectura, en aquellos

El impacto de la hacienda sobre el sistema de cargos ha recibido escasa atención en la bibliografía (Gow 1974; Cevallos 1974; Seligmann 1995). Gow, quien interpreta este sistema como estrategia para nivelar riquezas y conseguir estatus, señala que los cargos se habrían mantenido en las haciendas como un mecanismo de explotación, dada la situación de aislamiento y autonomía económica, política y religiosa que caracterizaba a estas propiedades. En consecuencia, la reforma del agro habría significado la apertura de nuevos canales para alcanzar prestigio que acabarían por desintegrar este sistema. Por su parte, Cevallos (1974) analiza los efectos de la reforma agraria comparando el caso de dos haciendas: Echarati, en el valle de la Convención y Chahuaytiri, en Pisac. Tomando su descripción acerca del sistema de cargos en Chahuaytiri y contrastándola con los testimonios obtenidos en nuestro trabajo de campo, ilustraremos el funcionamiento del *wachu* de la autoridad en esta hacienda hasta mediados de la década de los setenta del pasado siglo.

Cevallos divide los cargos de esta jerarquía en función de la relación de subordinación frente al hacendado, distinguiendo, por una parte, los cargos de adquisición de estatus con atribuciones principalmente religiosas, a los que se refiere como "cargo-runa" y, por otra, aquellos directamente relacionados con el servicio de la condición, es decir, con la organización y distribución del trabajo obligatorio entre los hacienda-runas, a los que denomina *wachu-runa* (*ibíd*: 24-30). Los segundos, entre los que figuran el regidor, el alcalde, y el primer *wachu*, eran nombrados por el hacendado aprovechando algún momento del trabajo agrícola. Los *kuraq* o cargos-pasados proponían a una serie de candidatos que ya "estaban en su *wachu*", es decir, en su turno para pasar el cargo. Del mismo modo que a fines del siglo XIX el intendente tenía derecho de veto en la elección de los alcaldes del cabildo, en tiempos de la hacienda, el patrón o el administrador gozaban de ese mismo derecho. Una vez aprobado el candidato por el patrón, el runa recibía su cargo simbólicamente de manos de éste o de alguno de sus empleados, ante quien prestaba juramento. Posterior-

casos en los que se conserva el término original (topónimos, nombre de los cargos, así como determinadas categorías culturales) la norma empleada es la de seleccionar la ortografía más cercana al castellano.

mente este cargo era ratificado mediante una invitación de comida y bebida a toda la comunidad. Sin embargo, las evidencias señalan que las funciones desempeñadas por algunos de esos cargos indígenas, estrechamente supervisados por los empleados del hacendado, fueron manipulados por la población indígena en su propio beneficio. Así lo demuestra el papel clave desempeñado por algunos de estos cargos, concretamente el de mandón y el de alcalde, durante la época del sindicato que se formó en esta hacienda en los años sesenta.

El sindicato campesino

A mi papá en aquella ladera de Uñamarka la tarea de veinte sacos que había sacado se los botó al suelo el Sr. A. [el administrador], y le había dicho: "Oye tú perro carajo, carga en lo que sea, aunque sea en *q'epi*, carajo, en cualquier cosa vas a trasladarlo hasta la hacienda". Era el mes de mayo, el dos de mayo [de 1962]. Ahí estaba I. I. [un comunero] y nos dijo: "Ahora hay una federación, ¡vamos! Hay que ir por si acaso, como quien pregunta, ¡vamos!..." Y con mi papá se fueron y caminaron toda la noche, y en la mañana se presentaron a la federación los dos. Y regresaron. Al día siguiente la gente de Chahuaytiri casi no acudió a la faena de la hacienda. El mandón empezó a llamar pero todo fue *c'hin*, total pararon, no había ni una persona, nadie. Entonces ellos [los empleados de la hacienda] empezaron a corretear en caballos. Esa tarde llegaron V. H. y S. W. [líderes sindicales de la Federación Campesina de Cuzco] a la comunidad y empezaron a caminar de casa en casa, y les avisaron a los pobladores para que se reunieran de inmediato en el cerro. Entonces llegaron A., J. C, A. S. y R. H. [empleados de la hacienda], ¡los cuatro con armas carajo!, y dijeron: "¡Vamos a matar a esos perros que se están reuniendo ahora!" Pero la gente ya estaban toditos organizados, toda ya estaba listo. De un momento a otro la gente empieza a aparecer de todas partes: "¿Qué cosa pues?, ¡a las armas entonces carajo!" Fue difícil bajarlos del caballo y se escaparon: dos a la pampa y otro allá arriba. En la pampa los cogieron y R. H [el mandón] dijo: "Soy campesino tal igual como ustedes", y a él no le hicimos nada. Pero a A. [el mayordomo], sí. Le quitamos su zapato[17], después toda

[17] En diferentes momentos de las entrevistas se subraya la importancia del zapato como signo civilizador y, por consiguiente, su despojo como un castigo que devuelve al individuo al estado de la naturaleza. En un trabajo sobre el régimen hacendario cuz-

> su ropa, le dejamos *qalato* (desnudo) y le pusimos una pollera, le pintamos con achiote y palillo, y descalzo lo hemos jaloneado hasta aquí, y después lo hemos llevado hasta la puerta de la hacienda para descuartizarlo... Todita la gente, ¡y éramos hartos! Vinieron a ayudarnos desde Terakanchi y Percca [haciendas vecinas], los tres ayllus fuimos y entre los tres cualquier cantidad de gente había, y se asustaron duro. En la mañana aparecieron J. C. y A. S. [los dos empleados de la hacienda que habían conseguido escapar] y dijeron: "¡Si voy a ser campesino, no me hagan escándalo!" Eso fue lo que pasó en esos días" (Don Plácido Illa, diciembre, 1995).

Éste es el relato del que fuera el primer presidente del sindicato campesino que se organizó en la hacienda Chahuaytiri, a comienzos de los años sesenta. Las primeras reacciones de su población frente al sistema de explotación del que habían sido partícipes durantes siglos vinieron inducidas a través de dos vías: una primera por la acción del movimiento sindical que comenzaba a gestarse en los valles de la Convención y Lares y la segunda a través de la Federación Departamental de Campesinos del Cuzco (FDCC), la misma que Don Plácido menciona en su relato, desde la que se envían emisarios al territorio de las haciendas para informar y tratar de organizar en sindicatos a los hacienda-runas.

Si, como parece generalmente aceptado en la bibliografía sobre el tema, los objetivos del movimiento sindicalista en el Cuzco apuntaban más hacia una modernización de las haciendas por medio de la desaparición o reducción de las formas serviles de explotación que a una transformación radical del sistema de tenencia de la tierra, no es menos relevante reconocer el papel que este movimiento desempeñó en la creación del clima social propicio para la reforma agraria de 1968. Los sindicalistas de la Federación Departamental de Campesinos del Cuzco (FDCC) llegaron a Chahuaytiri en 1962, momento especialmente duro en el trabajo de la condición y en los tratos dispensados por el hacendado a los feudatarios. Como resultado de estas primeras incursiones se constituyó el Sindicato Campesino Chahuaytiri, momento

queño, Anrup hace notar esta importancia en la hacienda Huadquiña, propiedad de la misma familia de hacendados, cuando señala que: "Los hacendados Romainville no permitían a los campesinos usar zapatos, puesto que ello significaba querer dejar su estrato social, inmutable según la opinión del hacendado" (1990: 86).

desde el cual la población comienza a servirse de la huelga y de las asambleas como medios para enfrentarse al patrón y resolver sus problemas. Dos son los factores que intervienen a nivel interno en la articulación de este sindicato: la lucha por conseguir una escuela para la comunidad, reivindicación a la que el hacendado se había negado explícitamente y que canalizó el descontento de la población encabezada por el mandón (antes al servicio del hacendado), el alcalde envarado y los *kuraq* o cargos-pasados y, por otro lado, la influencia ejercida por el Proyecto de Antropología Aplicada de Cuyo Chico, comunidad vecina a Chahuaytiri, dirigido por Núñez del Prado (Universidad de Cuzco) y William White (Universidad de Cornell), respectivamente. El objetivo explícito de este tipo de proyectos consistía en "conseguir el cambio cultural planificado de las comunidades para integrarlas al sistema dominante en condiciones de menor desigualdad y explotación" (Núñez del Prado 1970)[18].

Bajo la consigna de la modernización económica y tecnológica como vía para lograr la integración de los indígenas, el programa de Cuyo Chico consistió en diferentes planes que afectaban a la población tanto en el mejoramiento de las infraestructuras como en sus niveles organizativos. Dentro del primer rubro se incluyó la rehabilitación de viviendas, la dotación de equipamientos para una unidad de primeros auxilios, la construcción de canales y acequias para la irrigación. En cuanto al nivel organizativo, sin duda el más importante para el tema que nos ocupa, se desarrollaron los llamados "clubes de sociabilización", que perseguían la castellanización y la participación activa de los adultos, varones y mujeres, en las decisiones de la comunidad. En línea con la interpretación dominante de la época, la llamada corriente de la dependencia, el sistema de cargos fue concebido por los líderes sindicalistas como una estrategia de las elites mestizas para mantener a los indígenas oprimidos. Saturnino Huillca, líder de la FDCC, consideraba que el cargo era un enemigo del campesino indígena: "pues los runas debían sufragar costosas celebración que los *mistis* utilizaban en provecho pro-

---

[18] En línea con la política intervencionista del gobierno norteamericano que trataba de evitar otros estallidos insurgentes como los sucedidos en Chile, Bolivia y Cuba por esos años, se implementan en distintas partes de América Latina los llamados "proyectos de comunidades" liderados por antropólogos de universidades norteamericanas. Entre los más conocidos se encuentran el proyecto Vicos y el proyecto Camelot.

pio" (Huillca, citado en Anrup 1990: 167). Rescatando la antigua legislación de la época de la independencia peruana, los integrantes del proyecto dispusieron la abolición del sistema de cargos al que consideraban "una forma de explotación y servidumbre al servicio de los mestizos" (*ibíd*: 89). En esta legislación se recogía la existencia de las comunidades de indígenas por un lado y, por otro, de la Junta Directiva Comunal y varios personeros como sus representantes legales. Para los promotores del proyecto, estas autoridades elegidas democráticamente por la población eran las únicas reconocidas como válidas.

Más allá de los logros específicos en Cuyo Chico, el alcance de este programa se tradujo en un notable cambio de actitud de los runas de todas las comunidades frente a sus patrones y sus empleados. Al saberse respaldados legalmente por los antropólogos del proyecto, éstos comienzan a ser reclamados para ejercer como intermediarios para conseguir algunas mejoras en la prestación de servicios. Concretamente, los personeros como representantes legales, y los alcaldes como autoridades de facto de los runas, acuden al proyecto en busca del apoyo legal para conseguir sus propias escuelas, postas médicas o simplemente para defenderse de los abusos de los mestizos. El requisito exigido era la constitución de una Junta Directiva en cada comunidad con la que de hecho se desplazaban las ya escasas competencias administrativas de los alcaldes indígenas. Por primera vez, los runas se negaron a prestar servicio gratuito en la limpieza del pueblo al que estaban obligados desde la época colonial y el ejemplo de Cuyo Chico se extendió como una mancha de aceite por las restantes comunidades de Pisac.

En Chahuaytiri, una vez formado el sindicato, algunos de los *kuraq* que ocupaban los principales puestos de autoridad en éste buscaron al profesor Núñez del Prado para que mediase entre la última hacendada y la FDCC en pleno enfrentamiento por la construcción de la escuela. La Sra. Alvistur, que se había negado en numerosas ocasiones a consentir una escuela en su territorio, sin embargo aceptó frente al antropólogo cuzqueño y cedió el terreno para su construcción al Plan Nacional de Integración de la Población Aborigen, de quien dependía este proyecto. En las asambleas, que comienzan a realizarse con periodicidad semanal desde 1962 y hasta 1964, se nombra a los representantes del Sindicato Campesino pero, en lugar de la habitual Junta Directiva, los *kuraq* de Chahuaytiri optan por su propio modelo de organización: tres personeros y tres tenientes escolares, uno por cada sector, organigrama que reflejaba más fielmente su reivindicación principal. El incumplimiento sistemático del patrón sobre los acuerdos tomados en cada una de las asambleas lleva a la realización de sucesivas huelgas y reclamos de los directivos del sindicato en el Cuzco. En el siguiente extracto aparecen algunas de las reclamaciones que se canalizaron a través de la FDCC.

> [...] Que todos ponemos chanchos gratis, y después borregos [...] y todos ponemos gratis gallinas y conejos, cuando tenemos vaca con cría se lleva a la hacienda para su leche, y cuando llega la fiesta hace degollar gratis los ganados [...]. Y carretera gratis hemos construido durante tres años todos, ahora también arreglamos gratis; y tenemos que arreglar acequias, tenemos que curar llamas y alpacas, y ovejas tenemos que escoger las preñadas gratis, y tenemos que cercar gratis, y cacas de caballos lavamos con nuestras manos gratis, y cuando se ensucian los corrales limpiamos gratis aunque llueva, y abono ponemos sesenta costales, y todo gratis [...]. El cuidador de papas también cuida gratis durante la cosecha. Durante siete meses y poniendo de todo [...] y desde los siete años ayudan los chiquitos durante cuatro años gratis, y sin alimentación, y todos los años hasta que hagan *regidor*. Y también vamos a arreglar la quinta todos con alimentos, sin camas, hasta dos semanas, y el *pongo* tiene que llevar un capón gratis, puesto los pasajes y todo [...] y en su casa de la patrona tenemos que hacer limpiar caca de caballo y de perro, y limpiamos el excusado, y tenemos que traer leña cada día y tenemos que sacar caballos a ensillar, y todo a patadas y carajos y al fin de todo cuando viene su hijo tenemos que cargar hasta Pisac, y cuando vienen feriados tenemos que alcanzar una botella de licor al *mayordomo*, que no da comida al *regidor*, y los dos meses y medio su padre nomás mantiene al *regidor* [...]. Las mujeres pastan las ovejas, sin comer, hasta siete, ocho o diez años. Sin alimentos, aunque llueva, con hijos, y todo gratis [...] nos levantamos a las siete y descansamos a las seis de la tarde, y no hay tiempo, y cuando nos enfermamos tampoco nos da permiso [...].
>
> Firmado con huellas digitales: prisionero uno: Bernabé Illa Gonzales [*varayoq*]; prisionero dos: Juan de Dios Sutta [*kuraq*]; prisionero tres: Justino Illa Ccoyo [*antiguo mandón de la hacienda*]; prisionero cuatro: Andrés Sutta Huaraka [*kuraq*]; prisionero cinco: Idelfonso Illa [*kuraq*]; prisionero seis: Gregorio Illa (Pliego de reclamaciones presentado ante la FDCC en el Cuzco el 28 de mayo de 1962, en Cevallos 1974)[19].

---

[19] Los cargos que desempeña cada uno de los firmantes que figuran en cursiva son añadidos nuestros.

El documento resulta lo suficientemente expresivo de la situación de explotación que los campesinos de Chahuaytiri soportaron durante años. Sin embargo, posiblemente lo más sorprendente de este documento no sea lo humillante de algunas tareas que los hacienda-runas estaban obligados a desempeñar, sino el énfasis retórico que se hace en el hecho de que se realizaban de manera gratuita. Parece razonable pensar que una toma de conciencia como la que se infiere de la cita, tan radical como repentina, acerca de la situación de explotación que soportaron por más de cuatro siglos, refleja en gran medida la influencia ejercida por los sindicalistas del Cuzco. Pero, sobre todo, interesa destacar el papel que desempeñaron las autoridades del *wachu* y los *kuraq* como cabecillas del movimiento sindical, firmantes del documento. De lo que se deduce que prácticamente todos los que encabezan los cargos de dirección del sindicato constituido, eran, o habían sido años atrás, cargos del *wachu* de la autoridad al servicio de la hacienda, esto es, alcaldes y mandones. La participación activa de estos cargos frente a los abusos de autoridad del patrón se ratifica al examinar el perfil de algunos de los principales interlocutores en las entrevistas, actualmente *kuraq* de la comunidad. Así, a la pregunta "¿Qué cargos has ocupado en la Directiva de la comunidad?", la mayoría responde: "Teniente escolar" o "personero", cargos que constituían el organigrama del sindicato. Prácticamente ninguno de estos narradores ha participado como autoridad posteriormente en ningún otro cargo del sistema de la Junta Directiva, dada su condición de *mana ñawiyoq* o analfabetos. El caso del sindicato en Chahuaytiri ilustra el papel desempeñado por las autoridades tradicionales como canalizadores de las reivindicaciones de la población frente a las necesidades coyunturales que imponía el nuevo escenario.

Una vez constituido el Sindicato Campesino en Chahuaytiri se suprimen los servicios prestados por Qosqo pongos, Chahuaytiri pongos, chacra *arariwas* y también las obligaciones contributivas del rescate. Desaparece el cargo de mandón, desempeñado por J. I., quien es elegido por los runas de esta comunidad primer personero, es decir, presidente del sindicato campesino. De este modo J. I. pasa, junto con otros *kuraq* de Chahuaytiri, de empleado del hacendado a cabecilla del sindicato que lucha enconadamente contra él. Tras dos años de movilizaciones a los resultados mencionados se sumarán: la reducción en el número de horas y de los días de la condición, la adquisición de una *h'urka* o retribución en especie y un salario por el trabajo de la condición. Asimismo, desaparecen momentáneamente algunas modalidades de pongueaje y otras complementarias, caso del rescate y la contribución de guano. Y, quizá lo más importante para los runas de esta comunidad, en 1964 se construyó su escuela.

El declive del movimiento campesino comienza aproximadamente en ese mismo año (1964) y se prolonga por espacio del siguiente lustro. Apenas seis años más tarde, la ley de reforma agraria afecta el predio Chahuaytiri y el *wachu* de la autoridad experimenta nuevas transformaciones.

La cooperativa agrícola

La transformación definitiva del sistema tradicional de dominación sobre la base de un territorio a otro moderno en el que se reconoce el derecho legal a la propiedad de la tierra y a la participación política de la población indígena, tendrá que esperar al gobierno militar de Velasco Alvarado. Poco menos de un año después de haber llegado al poder, un simbólico 24 de junio, "Día del Indio", Velasco decreta la ley de reforma agraria, reconocida como una de las más radicales de toda América Latina. Los precedentes de esta reforma hay que situarlos por un lado en el primer gobierno de Belaunde Terry (1964), quien promulga una tímida reforma que no afectaría los intereses de la oligarquía terrateniente y, por otro, en el clima de inestabilidad social y emergencia de nuevos liderazgos que predominaba en toda la sierra peruana desde fines de los años cincuenta y que lleva a muchos hacendados –como los Romainville de Chahuaytiri– a ceder, poco a poco y sin mediar documentos, una considerable cantidad de tierras en favor de las comunidades ante el temor a la anunciada reforma.

Según diferentes autores, el carácter radical de la reforma de Velasco viene determinado no tanto por el alcance de la distribución de las tierras, que sólo afectó a un tercio de las familias campesinas de la sierra (Matos y Mejía 1984), sino por la forma y la procedencia de las leyes que se promulgan[20]. Es el Estado el encargado de garantizar,

[20] Se calcula que la reforma afectó al 40% de la superficie nacional. Sin embargo, la mayor parte de las tierras adjudicadas estaban conformadas por pastos naturales

mediante la creación de un Tribunal Agrario y otras instituciones como el Sistema Nacional de Apoyo a la Movilización Social (SINAMOS), el respaldo legal y jurídico a los indígenas en cualquier disputa de tierras. De este modo, se trataba de promover la participación organizada y democrática de la población (Matos Mar y Fuenzalida 1976; Cencira 1981; Seligmann 1995). Este proteccionismo se reflejó también en el intento por reestructurar las relaciones étnicas. Así, según el argumento manejado por el gobierno revolucionario, una vez que los indígenas tuvieran el control sobre la tierra y su trabajo recuperarían la dignidad perdida como sujetos económicos. En consecuencia debían renunciar a ser llamados "indios" para ser reconocidos como "campesinos", término que desde entonces ha devenido en el Perú como sinónimo del primero. En un intento por diluir las particularidades étnicas de la población en pro de una identidad nacional peruana, el 24 de junio, "Día del Indio", se transforma oficialmente en el "Día del Campesino". Mientras tanto, el aparato propagandístico del régimen hará uso de la iconografía indígena del siglo XIX presentando a Velasco como un nuevo Tupac Amaru en lucha contra la oligarquía terrateniente blanca y mestiza.

En ese contexto de reestructuración de las relaciones étnicas y de dominación que rodean a la reforma, es necesario ubicar los principales resultados y limitaciones que alcanzaría este proyecto. Según reza el artículo 159 (capítulo VII del Régimen Agrario), la reforma: "pretendía ser el instrumento de transformación de la estructura rural y de promoción integral del hombre del campo", asegurando una mayor presencia del Estado en el agro a través de la supresión del latifundio y la constitución de diferentes formas cooperativas de propiedad. Las tierras de las haciendas más desarrolladas y con mejores recursos se adjudicaron preferentemente a Cooperativas Agrarias de Producción (CAPs), "unidades indivisibles de explotación, cuyos bienes de capital son de propiedad colectiva" (Matos Mar y Mejía 1984)[21]. De este modo, las familias campesinas se convierten en socios de la cooperati-

---

(aproximadamente el 70%), mientras que aproximadamente un 15% eran terrenos eriazos y sólo el resto tierras cultivables (J. Díaz Gómez 1984: 33).

[21] Otras formas cooperativas en las que se resolvió la adjudicación de tierras fueron las Sociedades Agrícolas de Interés Social (SAIS) y los grupos campesinos (Díaz Gómez 1984: 37).

va participando en su gestión y en los órganos de gobierno que se crean a tal efecto: Asamblea de Socios, Consejo de Administración y Consejo de Vigilancia. En cada hacienda se establece una Unidad Agrícola Familiar (UAF) inafectable que queda en propiedad del hacendado. Generalmente, la UAF corresponde a la extensión de la casa-hacienda y al patio que la rodea.

Calca y Paucartambo resultan ser dos de las provincias cuzqueñas más beneficiadas por la reforma, dado el gran número de haciendas tradicionales que concentraban. Entre 1970 y 1977, el total de hectáreas afectadas es de 93.326, que corresponden a unos 89 predios (Cencira 1981: 120). En la figura 12 se relacionan los predios afectados en Pisac.

Mas allá del alcance específico en términos de la redistribución de las tierras, es interesante destacar la consolidación definitiva del modelo de líder que se venía gestando desde la década anterior, el *ñawiyoq*. En línea con la política adoptada por los sindicatos campesinos, el sistema de cargos es legalmente abolido en 1970 por el gobierno militar que lo consideraba como una forma de explotación colonial. La legislación prescribe que aquellos campesinos que ocupen los cargos del Comité de Vigilancia y de Administración, nuevos órganos de gestión y administración de la Cooperativa, deben ser letrados desplazando, al menos formalmente, a las autoridades tradicionales de las comunidades. Además de estos órganos, en las comunidades se crean una serie de "comités especializados" para gestionar asuntos específicos (agua, luz, etcétera), que irán incrementándose durante los gobiernos posteriores. Como resultado de estas reformas en el modelo de organización de la autoridad política y de la administración repercute en un esquema de autoridad atomizado en múltiples células de gestión y administración burocrática de los asuntos de la comunidad que, sin embargo, en la práctica no deriva en una mayor descentralización en la toma de decisiones. El caso de la CAP Chahuaytiri ilustra como en multitud de ocasiones los nuevos cargos de autoridad fueron cooptados sistemáticamente por los antiguos mandones y otros empleados de las haciendas quienes, además de gozar de cierta ascendencia entre los runas, reunían los requisitos exigidos por la ley de saber leer y escribir como se muestra en la figura 13.

Si bien es cierto que la redistribución de la tierra constituyó uno de los avances cualitativos más importantes en la estructura de la propie-

FIGURA 12
Afectación de las haciendas de Pisac por reforma agraria

Nombre predio y extensión	Superficie afectada (ha)	Modalidad de adjudicación	Tipo de tierras y extensión (ha)
Chahuaytiri[22] 8.153 ha	7.960	CAP San José Patriarca de Chahuaytiri	7.767 (pastos)
		Sara Alvistur (UAF)	8 (pastos)
Chongo Chico 11,27 ha	5,69	C. C. Masca Ccotobamba	5,69 (riego)
Chongo Grande 39,50 ha	39,5	C. C. Masca Ccotobamba	35,5 (riego y pastos)
		Jorge A. García 4.00 (riego)	
Huandar Grande y Chico 322 ha	322	C. C. Emiliano. Huamantica	318 (pastos y secano)
		Raquel de Loayza (UAF)	4 (riego)
San Luis 42 ha	12	Rubén García Luna Inafectables	6,5 (riego) 5,5 + 30
Tucsan Grande y Tucsan Chico 268,57 has.	268,57	C. C. Viacha	
Punas Percca 465 has.	465	CAP San José Patriarca	465 (pastos)
		C. C. Cuyo Grande	465

Fuentes: Expedientes de afectación de la oficina de comunidades campesinas y nativas, Ministerio de Agricultura; Registro Público de la Propiedad, Ministerio de Justicia, Cuzco.

[22] Cuando la reforma afecta al predio Chahuaytiri (1974), E. Alvistur Braganini, viuda de E. Romainville y última propietaria de la hacienda, había conseguido vender prácticamente todo el ganado y las semillas dejando la propiedad prácticamente vacía.

FIGURA 13
Autoridades de la CAP San José Patriarca de Chahuaytiri

PERÍODO (1974-1986)	JUNTA DIRECTIVA DE LOS COMITÉS DE VIGILANCIA Y ADMINISTRACIÓN
1974-75	Plácido Illa
1976-77	Alejandro Ugarte (ex-administrador de la hacienda) y Alberto Baca
1978-79	Alejandro Ugarte y Celestino Baca (familia del ex-hacendado)
1980-81	Celestino Baca, Lino Illa, Alberto Baca, Alejandro Ugarte
1984-85	Renuncia de Celestino Baca; Ugarte continúa como tesorero
1985-86	Francisco Illa Coyo y Julián Pérez Sutta (comienzan las primeras voces para que se convierta en comunidad campesina)

Fuente: Libro de Actas de la CAP San José Patriarca de Chahuaytiri (tomo I).

dad del agro, el fracaso de esta cooperativa y de la propia reforma agraria en cuanto a las metas propuestas se explica por una combinación de factores entre los que destacan dos: por un lado, la serie de asunciones desde el poder acerca del 'natural colectivismo' de los runas, ignorando o minimizando el interés familiar y la existencia de propiedad privada, idea que forma parte del imaginario sobre lo andino desde antiguo[23] y, por otro lado, la mencionada continuidad en los puestos de autoridad de la CAP de personas anteriormente vinculadas a los hacendados, generalmente ex empleados y familiares, quie-

---

[23] Los indigenistas de principios de siglo utilizaron esta idea como núcleo de su prédica política y argumento de sus novelas. En los años setenta, el gobierno velasquista la revistió de un marco legal para ajustarla a la lucha de clases y, en las dos últimas décadas, las instituciones de desarrollo tanto estatales como paraestatales (ONG), la incluyen como argumento central de su retórica sobre el comunitarismo "quasi natural" de los pobres.

nes se las ingenian para ocupar sistemáticamente los cargos de los comités directivos. De este modo, la lógica vertical y autoritaria del sistema hacendario se reprodujo nuevamente, pero ahora bajo el barniz democrático y participativo que caracterizaría a la reforma
Tras poco menos de ocho años, el despojo de los recursos en ganado y semilla que poseía la CAP San José Patriarca de Chahuaytiri es prácticamente total:

> Total pelado nos han dejado los directivos de la CAP. ¡Había tantas alpacas!, ninguna nos han dejado. Entonces había un señor de Calca, comerciante viejo, tal vez ya se han muerto, tenía caballos y de aquí ha comprado todas las mulas: él, en un sólo día, juntando en ahí los pequeños fetos que estaban por nacer se ha llevado. Esas alpaquitas yo mismo he sacado, y le he ayudado a quitar para que se lleve el cuero. Solamente se llevó el cuero, y la carne, como no podía cargarla, la regaló (Don Plácido Illa, diciembre de 1995).

Hacia 1984 comienza a desmoronarse el sistema de las CAP en todo el área, al tiempo que se produce un lento proceso de reconocimiento legal de las comunidades campesinas. La Cooperativa Agraria de Producción San José Patriarca de Chahuaytiri sucumbe durante los siguientes años. Tal y como había ocurrido con la hacienda, la población se organiza y consiguen expulsar a los dirigentes. Chahuaytiri obtiene su reconocimiento oficial como comunidad campesina en 1992. Dos años después el sector de Pampallacta se deslinda y se convierte en una comunidad independiente. La comunidad vecina de Cuyo Grande, la más poblada de todo el área y con un tradicional problema de escasez de tierras, invade el territorio de Tentarakay, frontera con Chahuaytiri, y más tarde lo reclama legalmente. Chahuaytiri queda finalmente constituida con 3.010 has. (frente a las 14.000 que ocupaba en tiempos de la hacienda), que se dividen en dos sectores: Huancarani y Uyucati, que ocupan a fines de los años noventa unas 110 familias.

Del mismo modo que durante los casi cinco siglos de historia colonial y republicana, y pese a su abolición legal y los oscuros pronósticos de algunos andinistas al respecto de su inminente desaparición, en la actualidad, y junto al sistema moderno de juntas directivas y comités, coexiste con una extraordinaria vigencia el sistema de cargos o *wachu* de la autoridad de cuya estructura nos ocupamos en el siguiente capítulo.

II
Estructura y composición del *wachu* de la autoridad hoy

Una de las primeras sorpresas al iniciar nuestro trabajo de campo en las comunidades de Pisac y conversar en quechua con sus pobladores fue descubrir que, a poco que se indagara sobre quiénes eran las autoridades, las respuestas de nuestros interlocutores señalaban a los *kuraq*, "los mayores", "las personas de respeto", "los que nos ordenan" [...]. A los pocos días obtuvimos una respuesta tan concisa como sorprendente de la Sra. María Illa, nuestra casera en la comunidad de Chahuaytiri: una relación con los nombres completos y sector de residencia de las treinta y cuatro personas que en ese momento eran los *kuraq* de la comunidad.

María, como cualquier otro runa de este área, cuando habla de los *kuraq* no se refiere sólo a los ancianos ni tampoco a las autoridades de la Junta Directiva –el sistema de organización político-administrativa impuesto por el gobierno peruano– sino a las personas de mayor estatus como resultado de haber culminado todos los cargos que componen el *wachu* de la autoridad. Este servicio, que deben cumplir todos los runas, ya sean varones o mujeres, niños, jóvenes o adultos, católicos o protestantes, especialistas rituales o simples comuneros, está compuesto por una decena de cargos en la comunidad de Chahuaytiri cuyos nombres delatan su procedencia híbrida: mezcla del léxico castrense reminiscencia de su imposición por el antiguo gobierno colonial por un lado y, por otro, de la tradición autóctona visible en el apostillado de nombres quechuas: alférez, regidor, *wachu* capitán, primer-capitán, sargento o *wifala*, *wifala*-capitán, segunda, velada, alcalde o *varayoq*, mayordomo mayor o *kimichu*. Una vez culminados todos los cargos, la comunidad expresa su respeto a los *kuraq* exonerándoles de cualquier trabajo u obligación comunal pesada y reservándoles un espacio privilegiado tanto en las ocasiones festivas (procesiones, faenas, renovación de sus símbolos de autoridad) como cuando se sientan a descansar, a beber y comer o participan en una asamblea convocada por la Junta Directiva de la comunidad, como señala Don Gerardo Pérez, *kuraq* de Chahuaytiri:

> A las personas que no han hecho los *wachus* no les respetan, ni siquiera les hacen caso, ni nosotros les hacemos caso a ellos y por eso ellos se sientan atrás. En cambio, nosotros,[1] delante. D. Roberto Illa, igual que los niños se sienta atrás y los *kuraq* nos sentamos delante. Por ejemplo, mi hermano menor, Julián, hizo más antes que yo todos sus cargos, y se sienta más adelante que yo y a mí me deja atrás. De acuerdo a nuestros *wachus* nos sentamos (diciembre de 1995).

De las palabras de Don Gerardo se deduce que el lugar privilegiado en términos de autoridad es siempre cerrando las filas, bien al final o bien a la derecha. La metáfora que utilizan es la del pastor de ovejas "que arrea" (*kateq*) al resto de los runas. Por ello, durante cualquier actividad comunal los *kuraq* serán siempre los primeros:

> Nosotros máximos *kuraq* somos para que nos respeten, y de nosotros empieza cualquier cosa, y nosotros ponemos las bendiciones cuando sale la comida y detrás recién comienzan los demás. Entonces nos respetan (Don Martín Illa, *kuraq* de Chahuaytiri, febrero de 1995).

Conseguir el "respeto", entendido como el reconocimiento individual que se refleja en el exquisito tratamiento que es dispensado a los *kuraq* en todo momento, es uno de los motivos más importantes para participar en este sistema. De lo que se deduce que una primera dimensión significativa del *wachu* de autoridad es en tanto que estrategia para alcanzar estatus individual en la comunidad. Este argumento es recurrentemente señalado en las entrevistas:

> Los cargos hacemos para la gente del pueblo y para convertirnos en *kuraq* [...]. Para hacernos respetar y hacer respetar a nuestro pueblo. Por

[1] De las dos formas lexicales que existen en quechua para referirse al pronombre "nosotros", según la posición que ocupa el hablante respecto del grupo (*nokanchis*, extensivo, que incluye el grupo al que pertenece ego: 'nosotros, todos', y *nokayku*, que se refiere exclusivamente al grupo al que pertenece el hablante 'nosotros sin vosotros'), la más utilizada en las entrevistas es la segunda *nokayku, kuraqkuna* que resalta su diferencia de estatus respecto al resto.

> ese motivo nosotros hacemos alcaldes, mayordomo y al *wachu* mayor entramos (Don Martín Illa, febrero de 1995).

Sin embargo, como señala Don Martín, el prestigio y el estatus adquirido por el desempeño de los cargos del que emana el "respeto" no acaba en el individuo, es decir, no se trata tan solo de un estatus individual, sino de una forma de diferenciar a la comunidad, un marcador de la identidad colectiva. Y es que tanto los *kuraq* como las autoridades en funciones del *wachu* de la autoridad son, además, los representantes individuales de la comunidad y, como tales, están encargados de ordenar simbólicamente a toda la comunidad y los elementos que la componen (runas, animales, cerros, seres sobrenaturales, etcétera). De esta observación se extrae la segunda dimensión significativa del *wachu* de la autoridad.

El tipo de orden que transmiten estas personas a través del servicio de los cargos no tiene un carácter impositivo o coercitivo, sino modal; esto es, está relacionado con la producción y reproducción continúa de un modo de hacer las cosas pautado por la costumbre. De ese modo, los diversos grupos que coexisten en la comunidad (según género, edad, religión) se diferencian entre sí y respecto a otras comunidades del área. El *wachu* como marcador de identidad colectiva es otra de las funciones recurrentemente expresada en las entrevistas:

> El *wachu* tenemos que mantener, eso era desde antes y no podemos perderlo y vamos a llevarlo igual. Si no hiciéramos esas costumbres el nombre de Chahuaytiri desaparecería y eso también hablamos en nuestras reuniones (Don Pío Pérez, *varayoq* de Chahuaytiri, febrero de 1995).

Es probable que ése sea uno de los motivos por los que rara vez se escucha la voz de un *kuraq* en las asambleas comunales, el espacio público de toma de decisiones en el que participan democráticamente todos los comuneros/as mayores de 18 años. Estarán presentes y observarán desde el lugar que les corresponde por su condición de *kuraq* que todo está en orden y que todos los runas se comportan y actúan de acuerdo a la costumbre pero, al igual que sucede con las mujeres, muy raramente pedirán la palabra para hablar. No tienen nada que decir en ese espacio formal. El tipo de autoridad que ejercen estas personas es inherente al sistema socio-cultural al que pertenecen, según el cual las reglas del juego democrático, frecuentemente pensadas por los investigadores como equivalentes a "comunales", resultan en la práctica excluyentes de una buena parte de la población. Retomaremos y desarrollaremos esta idea en varias ocasiones a lo largo de las siguientes páginas. Baste por el momento señalar que el lenguaje en el que se expresa la autoridad de los *kuraq* y de las personas que pasan un cargo no es verbal, se expresa mediante la acción y se proyecta en el territorio al desplazarse por él.

Tres cuestiones preliminares ilustran el alcance cotidiano y el alto grado de implicación de estas comunidades en el sistema de cargos. En primer lugar, cada uno de los cargos es consensuado y desempeñado *warmi-qari*, es decir conjuntamente "mujer-varón". En los cargos mayores (los de vara), esta pareja está formada por esposa-esposo, mientras que en los restantes el binomio lo componen madre-hijo o hermana-hermano, indistintamente. En segundo lugar, esta secuencia de cargos se realiza de forma independiente en cada uno de los dos sectores en los que se divide la comunidad (Uyucati y Huancarani), por lo que la estructura que se describe es en realidad doble. Y la tercera característica es que se trata de un sistema de ordenamiento autocontenido, es decir, cada uno de los cargos está organizado jerárquicamente en su interior como un *wachu*. Este ordenamiento tiene su correspondiente reflejo en el lugar que ocupan en el espacio estas personas. Por ejemplo, tomando el cargo de regidor observaremos que está constituido a su vez por un regidor mayor (que se sitúa en última posición), un regidor segundo o *chawpi* regidor (situado delante de aquél), regidor tercera, y así sucesivamente repitiendo esta misma secuencia en el caso de los restantes cargos.

El orden seleccionado para describir los cargos del *wachu* de la autoridad en el caso de la comunidad de Chahuaytiri es el de la edad de los participantes (cargos de niños/as, de jóvenes y de adultos). Este criterio cronológico da cuenta de la tercera dimensión significativa del *wachu* en tanto que sistema de socialización del individuo en la comunidad. Y es que para ser considerado "runa", es decir, individuo social con derechos y deberes consensuados por todos en la comunidad, es necesario pasar los cargos del *wachu* de la autoridad. Sin embargo, del desempeño progresivo de cargos que sucede conforme avanza el ciclo vital de cualquier runa no se deduce que el sistema tenga un carácter lineal-ascendente, ni tampoco que cada cargo sea eliminatorio respecto del siguiente. Como veremos, una persona puede desempeñar el mismo cargo hasta tres veces y avanzar o retroceder en la secuencia sin un criterio claramente definido.

Los cargos en la comunidad de Chahuaytiri

Alférez o *misayoq*

Este cargo es realizado por niñas de entre seis y doce años aproximadamente que deben costear la misa para la celebración del santo patrón. En esta comunidad, ese privilegio está reservado a la Mamacha Asunta lo que explica que los *carguyoq* (los que poseen el cargo) sean niñas. Durante la misa, las niñas alféreces se sitúan en las primeras bancas del templo portando la "guía", una vara de metal con el estandarte que lleva la imagen de la patrona. Dada su condición de menores, sus padres son los que ejercen de contraparte del cargo recibiendo simbólicamente el compromiso de manos de la alcaldesa o la mayordoma de la comunidad, ya que son el alcalde y el mayordomo a quienes corresponde la organización general de esta celebración. La forma que adopta el compromiso ritual al que los runas se refieren como *munay* o "cariño" es siempre tarea reservada a las contrapartes femeninas de los cargos en quienes descansa la continuidad del sistema. La fórmula ritual, altamente estereotipada, que observa este "cariño" en el caso de todos los cargos sigue una secuencia que se compone de los siguientes pasos: la persona que solicita la colaboración de otro cargo, en este caso la mayordoma, acude a la casa de aquellos que por su edad están en el turno de asumir las responsabilidades que conlleva el cargo y hace entrega de una ofrenda compuesta de dos botellas de trago o *yanantin*, y una cantidad variable de hojas de coca en una *unkuña* o manta pequeña generalmente tejida a mano. La aceptación y el consumo compartido del trago y la coca entre los presentes supone aceptar los derechos y las obligaciones que conlleva el cargo. A cambio, los *carguyoq* se comprometen a costear los gastos de la celebración, en este caso de la misa.

El cargo, como se denomina en la literatura antropológica al desembolso económico que supone para las economías domésticas esas celebraciones, es para los runas de Chahuaytiri su *derechu* (derecho), término que resalta el carácter socializador que implica el servicio a la comunidad a través del *wachu* de la autoridad. En el caso del alferez, su "derecho" dependerá del número de personas comprometidas, dado que éste se cubre a partes iguales entre todas ellas (generalmente entre dos y cinco personas)[2]. Este cargo tiene carácter nominativo, por lo que puede ser desempeñado en nombre de una persona que está ausente. En tal caso, una niña portará la guía o estandarte en nombre de otra que no está presente pero cuyos padres asumen su "derecho" y colaboran en los gastos derivados de la misa. Además, de modo opcional se podrá realizar hasta tres veces por la misma persona o en su nombre.

Regidor

Cargo desempeñado por varones de corta edad, entre ocho y catorce años, cuyas funciones consisten en asistir al alcalde tanto en la comunidad como en el pueblo de Pisac. En su indumentaria se mezclan los elementos de las diferentes regiones del Perú: poncho de *pallae* originalmente elaborado con lana de alpaca que tejen los mismos varones, pantalones de bayeta o tergal negro, ojotas o sandalias de goma, una vara fina de chonta, madera que procede del valle, y un *pututu* o *q'epa*, concha marina que procede de la costa. Los dos últimos –la vara y el *pututo*– como símbolos más distintivos de este cargo, son conseguidos de anteriores cargos a los que se compromete mediante el *munay* o cariño y, en ocasiones, un alquiler en dinero.

Su labor, como la del alcalde al que asiste, dura todo el año, pero las funciones más importantes se concentran desde el Domingo de Pascua hasta el final del año. Durante este tiempo, el regidor es el encargado de recitar los "alabados", estrofas rituales en las que se mezclan símbolos de la liturgia cristiana y símbolos de la naturaleza. Según la clasificación empleada por Turner (1988), estos rezos constituirían un ejemplo de símbolos de referencia ya que dotan de valor

---

[2] Se trata de una cantidad variable ya que el precio de la misa es fijado por el párroco en cuestión. En algunos casos, a este precio hay que sumar el alquiler de un vehículo todoterreno con chofer que lo lleve a la comunidad y lo recoga una vez acabado el servicio. En 1997 sólo el precio de la misa en las comunidades oscilaba entre 30 y 40 nuevos soles, cantidad compartida entre todos los *misayoqkuna* y el mayordomo.

sagrado a los símbolos dominantes sobre los que reposa el complejo significado de la autoridad en estas comunidades, caso de varas, cruces, mojones, santos, vírgenes, cerros y lagunas, entre otros. (Pérez Galán 2002). Otra función del regidor consiste en anunciar la llegada de una autoridad o de alguien que porte un elemento que detenta el tipo de autoridad al que nos referimos, haciendo sonar su *pututo,* caso del alcalde, de la hostia consagrada que porta el sacerdote en el momento de la eucaristía, y de las imágenes de los santos que cargan los mayordomos y otros runas en las procesiones. Hasta los años setenta, en que la comunidad adquiriera los primeros altavoces, los regidores también utilizaban sus *pututus* para convocar a la población en caso de faenas, asambleas u otras reuniones. La regiduría es otro de los cargos nominativos del *wachu* de la autoridad y, como tal, puede ser desempeñado por la misma persona u otras distintas en su nombre hasta tres veces.

El "derecho" del regidor consiste en una invitación a comida o *tiyarikuy* que se celebra el día de Año Nuevo. En Chahuaytiri, este *tiyarikuy* implica la preparación de veinte a treinta platos de "merienda", plato frío que contiene un pedazo de carne –generalmente de oveja–, patatas, chuño, moraya, tortillas de maíz y arroz, con el que convidan a todos los runas que se acerquen hasta la puerta de la casa del alcalde. Con ese agasajo festivo, los padres del regidor aseguran la continuidad del compromiso recíproco entre la familia y el resto de los habitantes de la comunidad, a los que se refieren como "runa-*masi*" (runas como ego, mis iguales). En el lenguaje ritual de la autoridad, la participación colectiva en este *tiyarikuy* equivale a la aceptación del *munay,* la ofrenda de trago y coca con la que se compromete a los individuos eligidos para desempeñar el cargo y, al igual que aquella, supone el reconocimiento y la validación colectiva del cargo.Como en el caso del alferez, los padres del futuro regidor también son "queridos" o comprometidos ritualmente por la alcaldesa.

Sin embargo, en los últimos años, el *munay* es sustituido y, más habitualmente, complementado por una elección democrática. Este hecho, que para algunos autores constituiría un claro síntoma de la desintegración del sistema, debe ser matizado a partir del ejemplo que provee esta comunidad. Un simple vistazo a quiénes son los candidatos entre los cuales la Junta elige a aquel que desempeñará el cargo durante el siguiente año, muestra que el mecanismo es más complejo de lo que a primera vista implicaría una simple elección democrática. Los runas se sirven de los mecanismos "modernos" de elección, como la asamblea democrática, pero resignificados mediante estrategias "tradicionales", caso de las formas de presión social que implican la circulación de rumores en la comunidad y los acuerdos tácitos previos. Teniendo en cuenta que todos en la comunidad se conocen y saben qué cargos ha ejercido cada uno en el *wachu* de la autoridad, situación cotidianamente recordada en el espacio que cada runa ocupa, resulta habitual que cuando alguien "está en su *wachu*", es decir, en su turno de edad para pasar el cargo, la elección se haga efectiva utilizando indistintamente uno de los siguientes procedimientos:

a) El cargo en funciones se presenta en la casa del candidato con el trago y la coca para lograr el compromiso según la fórmula tradicional. Este compromiso es posteriormente ratificado por las autoridades de la Junta en asamblea.
b) Las propias autoridades de la Junta Directiva, que en su condición de runas están obligados a mantener y participar del *wachu* de la autoridad, previa consulta a los *kuraq* de la comunidad, llevan a la casa del candidato el *munay* anunciando al candidato que está en su momento de pasar el cargo y que será elegido en asamblea.

En ambos casos la ratificación colectiva de la comunidad mediante su participación en el *tiyarikuy* posterior, es ineludible.

La existencia de la elección democrática como mecanismo para desempeñar el cargo, bajo las condiciones que provee este ejemplo, puede ser interpretada en vez de cómo un signo de descomposición del sistema como una estrategia de adaptación frente a las cambiantes condiciones del contexto político y económico en el que se insertan estas comunidades siempre de forma subalterna. Así, durante el siglo XIX, el encargado de ratificar los cargos indígenas era el intendente, más tarde esa función fue ocupada por el hacendado y el gobernador del municipio respectivamente, mientras que en la actualidad dicha legitimación proviene de la Junta Directiva, compuesta por runas que simultáneamente pasan su cargo en el *wachu* de la autoridad. Y es que, como afirma una de las hipótesis principal que guía esta investigación, la coexistencia estructural en estas comunidades de dos sistemas de ordenamiento normativo (uno moderno frente a otro tradicional, uno democrático frente a otro jerárquico) considerados habitualmente antitéticos y mutuamente excluyentes resulta, por el contrario, ser la tónica dominante.

Wifala capitán y sargentos

Conocido en otras zonas como *p'asña* capitán (Casaverde et al 1966), este cargo comienza el primer día del año con la juramentación del nuevo alcalde y termina el Miércoles de Carnaval. Ese tiempo se corresponde con la estación de lluvias, en la cual se concentran todos los rituales de renovación de las autoridades del *wachu* y del territorio. Por ello, el significado de este cargo está intrínsecamente relacionado al de las autoridades del *wachu* mayor –alcaldes, veladas y mayordomos– y también a las mujeres y al territorio (ver, en el capítulo IV, "Rituales de renovación del territorio comunal").

Se trata de un cargo eminentemente festivo que exige juventud y un buen estado físico, ya que durante las semanas que abarca el Carnaval no pararán de beber, bailar y caminar apresuradamente. La indumentaria del capitán y la de sus sargentos se asemeja a las *wallatas*, un tipo de pájaro autóctono que vive cerca de las lagunas situadas en la puna, y consiste en un calzón de bayeta negra que imita las patas del animal, una camisa blanca a la que cosen largas telas de lino blanco a modo de alas, un *wakarniyoq* o penacho de plumas elaborado con el cuerpo disecado de uno de estos pájaros del que cuelgan cintas multicolores, zapatillas cómodas para caminar –generalmente botas de fútbol– y, simulando los grandes ojos negros del pájaro, gafas de sol. Igual que las *wallatas*, estos cargos caminan siempre en parejas y emiten sonidos a modo de graznidos a los que acompaña una pequeña, aunque estruendosa, "banda de guerra" compuesta por dos o tres músicos que tocan la *tinya* (un tambor) y la *lawita* (flauta de un solo caño).

Pájaros, agua, mujeres, música, territorio y autoridades del *wachu* mayor recién nombradas son elementos del lenguaje ritual de estas comunidades que evoca sentidos de fertilidad y de renovación de los elementos de la naturaleza asociados a los *wifalas*. El testimonio de algunos cronistas sobre la iconografía de los señores étnicos precolombinos proporciona valiosa información para interpretar en su conjunto significante la identidad que adoptan estos cargos del *wachu*. Pedro Pizarro se refiere a las plumas como uno de los atributos simbólicos que ostentaban las autoridades indígenas: "Estas plumas que digo con que les juraba llamavan ellos tocto, eran de unos paxaros que se criavan en los despoblados fríos. Llamávanse estos paxaros yuco y por otro nombre guallatas" (1978: 242). Garcilaso de la Vega, en su narración sobre el calendario incaico, se detiene a describir una de las fiestas principales en Cuzco, el Inti Raymi o fiesta del sol. Según Garcilaso, los curacas de las etnias sometidas que acudían a la fiesta en calidad de representantes de sus grupos tomaban como signo distintivo de su etnia los atributos de un animal. Las aves, los penachos de plumas y las alas eran parte muy frecuente de esos atributos: "Los Curacas venían con todas sus mayores galas e invenciones que podía haber; unos traían los vestidos chapados de oro y plata y guirnaldas de lo mismo en la cabeza, sobre sus tocados. Otros venían, ni más ni menos que pintan a Hércules, vestido la piel de león y la cabeza encajada en la del indio, porque se precian los tales de descender de un león [...]. Otros venían de la manera que pintan los ángeles, con grandes alas de un ave que llaman *cuntur*, porque se jactan de descender y haber sido su origen un *cuntur*" (1991: 370). Una primera aproximación a la identidad de los *wifalas*, los únicos cargos del *wachu* que utilizan una indumentaria que evoca el mundo animal, apuntaría pues a las autoridades étnicas del pasado ataviados con plumas y alas que lucían en ocasiones especiales, caso de desfiles militares, rituales de investidura y encuentros bélicos. Por un lado, el léxico castrense del que deriva el nombre de estos cargos (capitán y sargentos) y, por otro, el papel que actualmente desempeñan en los rituales de juramentación de los alcaldes (ver, en el capítulo IV, "La juramentación"), confirman esta hipótesis.

Al igual que en el caso de los demás cargos, la contraparte femenina del mismo, en este caso la capitanaza, es quien compromete al ejército de sargentos –entre seis y diez parejas por cada uno de los sectores en los que se divide la comunidad–, siguiendo uno de los procedimientos señalados: mediante el "cariño" que le hace llegar bien el cargo saliente o bien la Junta Directiva. En ambos casos, el cargo es posteriormente ratificado en asamblea comunal. El "derecho" de este cargo consiste en atender la manutención de los bailarines y de los músicos durante los días que dura el cargo –aproximadamente quince– y una retribución en especie como pago a los segundos. La cantidad de platos cocinada sirve para hacer un cálculo aproximado de los gastos que conlleva este cargo. En 1996, los gastos del capitán del sector de Uyucati en la comunidad de Chahuaytiri fueron los siguientes:

- una oveja en pago a cada uno de los músicos (generalmente tres)
- un plato de "merienda" para cada uno de los bailarines y de los músicos (en total unas 30 personas) los días de Año Nuevo y el Jueves de Compadres, respectivamente
- el *yanantin* de trago (dos botellas) para sus bailarines durante cuatro a cinco domingos.

Por su parte, el "derecho" de los sargentos o bailarines consiste en una cuota o *millunqa*[3], cuya aportación por persona y día, en ese mismo año, oscila entre medio y un nuevo sol cantidad destinada a la compra de alcohol.

Wachu capitanes: *cañari, collana, caiwa, wachu capitán* y primer capitán

Este cargo es desempeñado por hombres jóvenes, de entre veinticinco y treinta años aproximadamente, y por sus respectivas parejas. Su nombre deriva de la función que ocupan. Estos cargos son los encargados de organizar el trabajo agrícola comunal en los *wachus* o surcos de la siembra. Sus funciones abarcan todo el año, pero principalmente se concentran durante las cuatro faenas comunales que marcan el ritmo del calendario agrícola en estas comunidades: *yapuy* (labranza), *tarpuy* (siembra), *hallmay* (primer aporque) y *haray* (segundo aporque). Existe una cuadrilla de *wachu* capitanes por cada sector en que se divide la comunidad. Situados en el primer surco, los capitanes son los primeros en iniciar el trabajo, seguidos por el resto de los comuneros ordenados en *wachu*, es decir, en una sola fila de acuerdo con los cargos que cada uno ha desempeñado.

---

[3] En las épocas de fuerte inflación en el Perú las monedas eran de mil soles, de donde procede la raíz etimológica de esta palabra.

Por su relación con el trabajo en la chacra, en tiempos de la hacienda estos cargos eran directamente promovidos por los hacendados y sus mayordomos para organizar el servicio de la "condición", el sistema de prestaciones personales obligatorias revisado en el capítulo I. Liquidado el sistema de haciendas, la secuencia jerárquica que ordena este cargo fue desapareciendo, de tal modo que actualmente sólo se distinguen nítidamente las funciones del primer capitán y de sus asistentes en el cargo, conocidos genéricamente como *wachu* capitanes.

Mediante el procedimiento ritual habitual (el "cariño") el primer capitán compromete a los demás capitanes, cargos que más tarde serán ratificados por la Junta Directiva en el transcurso de la primera faena del año o *mosoq* faena. Por su parte, el "derecho" de este cargo consiste en el *yanantin* de trago que aporta durante las cuatro faenas mencionadas, con motivo del recorrido anual de los linderos de la comunidad en Carnavales, y también en la fiesta del Cruz Velakuy, en mayo.

Segunda

Es uno de los cargos de vara de la comunidad, aunque lo que porta en sus manos no es considerado por los runas estrictamente una vara o *taytacha,* sino simplemente un carrizo al que no reconocen ningún poder. Es un cargo desempeñado por personas jóvenes de la comunidad con esposa o pareja. El segunda es el directo asistente del alcalde en sus funciones y entre las tareas que debe desempeñar, una de singular importancia consiste en hacerse cargo del *taytacha* o vara del alcalde a comienzos del año, cuando éste recibe simbólicamente su cargo de manos del gobernador municipal (ver, en capítulo IV, "Rituales de renovación de las autoridades de vara"). Su indumentaria, al igual que la del alcalde y la del regidor, consta de elementos procedentes de diferentes regiones: un poncho de *pallae,* generalmente tejido a mano por ellos mismos, calzones de tergal negro, ojotas, un chullo multicolor de lana que cubre su cabeza y el bastón de mando hecho de caña o carrizo conocido como *kur-kur*. Este bastón suele ser alquilado por dinero a otra persona que ya ha terminado su cargo, transacción que es posteriormente re-significada mediante el tratamiento ritual que le dispensa el segunda.

El procedimiento para la elección de este cargo es el mismo que en los casos anteriores. La alcaldesa, a cuyo esposo o compañero asistirá el segunda, acude con su "cariño" a la casa del elegido quien, también junto a su esposa, acepta el compromiso compartiendo la *unkuña* de coca y el *yanantin* botella de trago con el alcalde. Su cargo será ratificado formalmente en asamblea comunal junto a los demás del *wachu* por las autoridades de la Junta Directiva. Sólo si el alcalde no encuentra candidato, algún miembro de la Junta –generalmente el presidente– tiene la obligación de ir él mismo a "querer" al candidato según el procedimiento ritual mencionado: previa consulta a los *kuraq* de la comunidad para, posteriormente, informarle que será elegido formalmente en asamblea.

Las funciones principales de este cargo, como las del alcalde al que asiste, duran todo el año, pero el período álgido se extiende desde el primer día del año (juramentación del cargo) hasta el Domingo de Pascua, día en que el segunda toma el relevo del regidor. Por su parte, el "derecho" o costo que debe aportar el segunda para la realización de sus funciones es comparativamente menor que cualquiera de los restantes cargos. De él se espera que distribuya el *yanantin* de trago tres días al año: Año Nuevo, Jueves de Compadres y Jueves de Comadres[4].

Velada

Cargo desempeñado por varones adultos y con pareja cuyas atribuciones principales tienen que ver con la celebración de una misa, una o dos veces al año, en nombre de la comunidad (en Chahuaytiri el Martes de Carnaval y el 14 de septiembre con motivo de la festividad del Señor de Huanca).

Con el velada se inician los cargos del *wachu* mayor (velada, alcalde y mayordomo mayor) considerados la recta final de la secuencia que conduce a alcanzar el estatus de *kuraq* o persona de respeto en la

---

[4] Hasta hace unos pocos años, cuando los segundas acudían los domingos a Pisac junto a sus alcaldes, también aportaban una pequeña cuota en dinero o *millunqa* para comprar panes y Portola (marca comercial de sardinas en conserva), que era consumida allí mismo. Sin embargo, en la actualidad es el municipio del pueblo de Pisac o bien los propios turistas los que se encargan, mediante sus propinas, de pagar su almuerzo.

comunidad. Sin embargo, la mayor responsabilidad que implica estos cargos no se traduce necesariamente en un mayor "derecho" o desembolso económico, sino más bien en unos requerimientos específicos que deben reunir las personas que llegan a ese punto del *wachu*, tales como honestidad, responsabilidad, ecuanimidad, y sabiduría. En su calidad de reactualizadores del orden, estos cargos deben ser *yachacheq*, es decir, conocedores de los usos y costumbres de la comunidad. Concretamente, su "derecho" consiste en el pago de la misa los días señalados y aportar una cantidad de productos (comida y trago) en el *tiyarikuy* que se celebra en la casa del alcalde los días centrales del Carnaval.

Alcalde o *varayoq*

> Ellos hacen uso, hacen las órdenes del pueblo, y hacen uso desde antes, desde el tiempo de los Incas que tenían esas varas. Esos usos siguen hasta ahora y ellos no ordenan, los que ordenan son los de la Junta: el presidente, el teniente. Ellos no. Ellos son los que hacen el orden (Don Miguel Ccoyo, músico de Chahuaytiri, abril de 1996).

El alcalde es en gran medida la figura sobre la que reposa el sentido del *wachu* en estas comunidades. Este cargo es desempeñado por varones adultos, entre treinta y cuarenta años, y por su esposa que recibe el tratamiento de "alcaldesa" o "inca alcaldesa". Su indumentaria incluye los mismos elementos que en el caso de los regidores y el segunda: montera, poncho de *pallae*, calzones de bayeta y una vara que, a diferencia de la de sus asistentes en el cargo, es considerada un *taytacha* (ver, en el capitulo III, "Símbolos de autoridad").

El alcalde es el representante de la comunidad en los eventos y fiestas que se celebran tanto dentro como fuera de ella. Es la máxima autoridad del *wachu* mayor. Como sugiere Don Miguel en la cita traída a colación, sus atribuciones como autoridad no consisten en dar órdenes ("ellos no ordenan"), no al menos del modo convencional en el que lo hacen las autoridades de la Junta Directiva. Sus órdenes no competen a la administración de los asuntos burocráticos de la comunidad ni tampoco precisan del respaldo democrático de los comuneros. El alcalde en funciones junto a los cargo-pasados o *kuraq* ordena la forma en cómo hacer las cosas de acuerdo a la costumbre y bajo el lenguaje ritual del cariño. El objetivo que se persigue es conseguir el "respeto" en la comunidad, esto es, diferenciar a cada persona según su sexo, edad y estatus. Multitud de comentarios ilustran la naturaleza de la autoridad que ejercen los alcaldes:

> Respeto es desde el momento en que nosotros recibimos la vara, y ahí se ve quién es mayor o menor, y si no diferenciáramos quién es mayor o menor no habría respeto. Para que no haya miramientos siempre hay esa diferencia entre mayor y menor, ya sea entre regidores, ya entre nosotros (los alcaldes)" (D. Pío Pérez, alcalde de Chahuaytiri, octubre de 1997).

Sobre la base del respeto a la diferencia entre mayores y menores, entre hombres y mujeres, entre personas que han pasado unos pocos cargos y aquellas que están culminando su *wachu*, reposa el pacto de reciprocidad que sustenta cualquier forma de interacción social entre estos runas. Dicho de otro modo, reafirmar el estatus individual en la comunidad es el elemento indispensable para reproducir la costumbre que, a su vez, dota de identidad al grupo y garantiza la participación en el tejido social de la comunidad. Y es que, la comunidad de Chahuaytiri es mucho más que la simple suma de sus individuos con derecho a voto por separado. Se trata de una forma peculiar de organización basada en el servicio a los demás quienes, en reciprocidad, consensúan y aceptan participar en ese entramado social. Quizá por ello, el alcalde es reconocido como runa *kateq*, literalmente "pastor de seres humanos", ya que bajo su responsabilidad se encuentran simbólicamente todos los runas de la comunidad.

La elección del alcalde se conoce desde un año antes, ya que el candidato que desempeñará ese cargo, llamado *mosoq* o nuevo alcalde, acompaña al cargo en funciones desde el día de San Juan (24 de junio):

> El alcalde saliente te llama de hecho y es como si hicieras por dos años la alcaldía. Desde San Juan caminan juntos el *mosoq* (nuevo) y el *mauka* (antiguo). Y el alcalde te quiere con sus *yanantin* y de hecho entramos, y de igual manera retribuimos con los *yanantin*. Eso significa que acepto y sigo no más ya. Al *mauka* acompañas siempre con tus *yanantin*, y tras de él tienes que poner igualito tus botellas (Don Martín Illa, diciembre de 1995).

Como señala Don Martín, el procedimiento de elección, tanto del *mauka* como del *mosoq* alcalde, es idéntico al de los demás cargos e incluye el *yanantin* botella y la *unkuña* de coca. Pero además, como corresponde a los cargos del *wachu* mayor, en el caso del alcalde se explicita que sea una persona que reúna determinadas cualidades personales. Si por cualquier motivo, uno de los candidatos potencialmente elegibles comete una falta entendida como tal por la comunidad es descartado por los *kuraq*, en quienes descansa la elección previa de los candidatos. Este hecho se puso de manifiesto en Chahuaytiri cuando uno de los posibles candidatos a alcalde de aquel año, trató de robar el portón de la escuela:

> [...] No pueden dejar que sea un hombre que comete ese tipo de mañoserías.¡ Y qué diciendo nos podría ordenar a nosotros!. De este modo no queremos a esa persona. Nosotros, los *kuraq*, nos hemos fijado el otro día en él durante la faena para que sea el próximo alcalde, pero ya no es posible (Don Gerardo Pérez, diciembre de 1995).

La mayor responsabilidad que implica este cargo se refleja en el "derecho" que debe aportar a la comunidad. Se trata del más costoso de todos los cargos y, como tal, el único que requiere de una acumulación previa que supone de uno a dos años de ahorro, según los candidatos. Por ello, tan pronto como el candidato es comprometido para ser *mosoq* (alcalde del siguiente año), él y su esposa comenzarán a alistar sus ropas y a producir más de lo habitual. Por su parte, la comunidad y concretamente la Junta Directiva serán "comprensivos" con este esfuerzo, eximiéndoles de la obligación de asistir a las faenas y otros trabajos comunales durante ese tiempo.

Concretamente, el derecho del alcalde consiste en invitar a la comunidad a un plato de comida en diferentes ocasiones a lo largo del apretado calendario festivo que tiene esta comunidad, caso de varios días durante el período de Carnaval, en la fiesta patronal de la comunidad, el día de Navidad y durante la renovación de la vara (ver, en el capítulo III, "El calendario ritual"). Y en casi todas ellas es ayudado en los gastos por sus correspondientes asistentes (segunda, regidores) o los restantes cargos del *wachu* mayor (velada, mayordomo). En otras, el alcalde además debe contribuir con su *yanantin* de trago y con el pago en dinero de parte de los servicios dispensados. Según los cálculos realizados en el año 1996 en esta comunidad, la recuperación económica puede durar hasta cinco años (ver Fig. 14).

Mayordomo mayor

Con este cargo culmina el *wachu*. No lleva ninguna indumentaria especial. Es el encargado de custodiar durante todo el año las llaves del templo y todo lo que éste contiene: los santos, sus ropas, las cruces, etcétera. Por su cercanía a las velas recibe también el nombre de *kimichu*, uno de los especialistas rituales andinos que tiene el poder de predecir el futuro mediante la cera. A diferencia de otras mayordomías menores que eventualmente celebran misa en la comunidad, éste es el único mayordomo que tiene en su poder las llaves del templo durante todo el año.

En cuanto a las responsabilidades económicas que genera su "derecho", todas ellas son compartidas con el alcalde y consisten básicamente en atender la manutención y los gastos del sacerdote y sus acompañantes los días en que se celebra una misa en la comunidad, esto es, Mamacha Asunta y Navidad. Estos gastos incluyen: el costo de la misa y el pago por el alquiler del vehículo que le transporta. Al igual que los restantes cargos del *wachu*, contribuirá además con sus *yanantin* de trago en Carnavales y durante la primera faena. La forma de elección sigue el procedimiento ritual acostumbrado: el mayordomo saliente compromete con el "cariño" a un candidato previamente elegido por los *kuraq* de la comunidad.

En la figura 14 se sintetizan las obligaciones y derechos que conllevan los cargos del *wachu* en Chahuaytiri.

Como se desprende de lo señalado, a excepción del trago y la coca que necesariamente tienen que ser adquiridos en el pueblo o en una de las tiendas de abarrotes de la comunidad, y el pago de las misas al cura local (gasto que es compartido entre los *misayoq*, el alcalde y el mayordomo), ninguno de los "derechos" o gastos que implica cualquiera de los cargos del *wachu* precisa de un desembolso en dinero. Varias arrobas de papas y otros tubérculos nativos, maíz, carne de oveja y, ocasionalmente, de cerdo o cuy (conejo de indias) que poseen las familias, suelen ser suficientes. De lo que se deriva que pasar los cargos en el *wachu* en esta comunidad, si bien requiere un esfuerzo

FIGURA 14
Tareas y gastos de los cargos del *wachu* en Chahuaytiri

CARGOS	OBLIGACIÓN	DERECHO	TIEMPO
ALFÉREZ	Celebra misa y hace el *tiyarikuy*	Pago compartido de la misa y preparación de unos 20 platos de merienda	Mamacha Asunta y día de Navidad
REGIDOR (Regidor mayor, *chawpi* regidor...)	Asiste al alcalde y *tiyarikuy*	Preparación de entre 20 y 30 platos de papas *uchu; yanantin* botella	Año nuevo y primera faena
***WIFALA* CAPITÁN (sargentos y primer capitán)**	Visita y acompaña con música y baile a las autoridades del *wachu* recién nombradas. Hace *tiyarikuy* para los danzarines y los músicos	Prepara 40 platos de merienda; una oveja para cada músico (3)	Carnavales
		Yanantin botella en la casa de las autoridades con *millunqa*	Domingos previos a Carnaval
***WACHU* CAPITAN**	Organiza la competencia entre los sectores durante el trabajo agrícola de las faenas	*Yanantin* botella	Cuatro faenas en tierras comunales
		Yanantin botella con *millunqa*	Cruz Velakuy
SEGUNDA	Asiste al alcalde	*Yanantin* botella	Carnavales

FIGURA 14 (Cont.)

CARGOS	OBLIGACIÓN	DERECHO	TIEMPO
VELADA	Hace celebrar misa y hace *tiyarikuy*	Pago de la misa 30 a 40 platos de *t'impu* *Yanantin* botella	Carnavales
ALCALDE O *VARAYOQ*	Representa a la comunidad como autoridad. Es el *qateq* ("el que arrea"). Invita a *tiyarikuy* y hace celebrar misa junto con el mayordomo y los *misayoq*	*Yanantin* botella y prepara de 50 a 60 platos de merienda	Carnavales
		Yanantin botella	Domingos previos a Carnaval y primera faena
		Prepara de 15 a 20 platos de papas *uchu* y *yanantin* con *millunka*	Renovación de varas
		Comparte gastos de misa y *yanantin* botella	Navidad y Mamacha Asunta
MAYORDOMO MAYOR o *KIMICHU*	Vela por el templo y todo lo que contiene (es el que "agarra" las llaves). Hace celebrar misa junto con el alcalde y los *misayoq* y se encarga de atender al párroco y sus acompañantes	Paga el costo de misa y prepara comida para el párroco y los *misayoq*	Navidad y Mamacha Asunta
		Yanantin botella	Carnavales y primera faena

Fuente: Entrevistas en la comunidad de Chahuaytiri. Trabajo de campo 1996-1997.

económico, éste es asequible para la mayoría de las economías familiares, tanto si son *kaqniyoq* (poseedores de pertenencias materiales) como *mana kaqniyoq* (pobres en recursos materiales).

A diferencia de aquellos autores que explican el sentido del sistema de cargos haciendo hincapié en sus funciones económicas (como nivelador de riquezas o como estrategia para perpetuar las desigualdades), la descripción de los derechos de los cargos que constituyen el *wachu* pone de manifiesto que, al menos en esta comunidad, este sistema no actúa ni única ni principalmente como un redistribuidor del capital (sea en forma de bienes productivos o no productivos), puesto que la cantidad de bienes invertidos en los cargos no supone, con la excepción del alcalde, un desembolso sustancial. En Chahuaytiri, el criterio de riqueza material sólo es determinante para saber a qué tipo de cargos se puede acceder y cuánto tiempo debe transcurrir hasta asumir el siguiente. De lo que se infiere que el estatus individual adquirido por el desempeño de los cargos no produce ni deriva de la riqueza material, sino que por un lado valida la posición del individuo en la comunidad dotándolo de identidad individual, al tiempo que distingue a ésta respecto de otras vecinas, reafirmando su identidad colectiva. Otros datos referentes a los recursos humanos que moviliza actualmente el *wachu* de la autoridad en Chahuaytiri y quiénes son sus participantes avalan la hipótesis que afirma que este sistema es algo más que un modo de generar, mantener o distribuir riqueza.

La participación

Según datos extraídos del padrón electoral de 1996, la comunidad de Chahuaytiri está constituida por un total de 496 habitantes repartidos en unas 110 unidades domésticas. De ellos, el 61% es menor de 18 años, mientras que casi el 40% restante está compuesto por jóvenes y adultos mayores de 18 años entre los que se resuelve la mayor parte de los cargos del *wachu* de la autoridad (con la excepción de alférez y regidor que son desempeñados por niños de entre 7 y 15 años, aproximadamente). De ese 40%, algo menos del 8%, en total 34 personas, superan los 50 años de edad y son los *kuraq* de la comunidad, aquellos que han terminado todos sus cargos. Sus nombres figuran siempre al comienzo del padrón[5]. Sobre la base de estas cifras, observemos el número de participantes que registra anualmente el *wachu* en cada uno de los dos sectores en que se divide esta comunidad.

FIGURA 15
Cargos del *wachu* y número de participantes

CARGOS	NÚMERO DE PERSONAS
Mayordomos	2
Alcaldes	2
Segundas	2
Regidores	4
Wachu capitanes	5
Primeros capitanes	2
Wifala capitanes	2
Sargentos de danza	22
Veladas	2
Alférez	2
TOTAL	**45**

Fuente: Padrón electoral de la comunidad de Chahuaytiri, 1996.

Teniendo el cuenta que el número de capitanías –*wachu* y *wifala* capitanes, respectivamente– oscila según los años, la evidencia empírica demuestra que casi medio centenar de varones estaban "en su *wachu*" durante el período analizado, es decir desempeñando la función pública de estos cargos. Si a ello añadimos que todos los cargos son siempre ejercidos *warmi-qari* (mujer-varón), esta cantidad se dupli-

[5] Cada año terminan el *wachu* de los cargos dos personas –uno por cada sector–, tras lo cual, tanto ellos como sus esposas, son reconocidos *kuraq* por el resto de la comunidad. Si tenemos en cuenta que durante la época de la hacienda el territorio no estaba dividido en sectores y que por tanto existía un sólo *wachu*, esto significa que hasta mediados de los años setenta sólo una persona terminaba sus cargos cada año. Este hecho explicaría que en lugar de 25 *kuraq* (uno por cada año), Chahuaytiri cuente en la actualidad con 34 *kuraq* vivos, a los que habría que sumar las personas que han ido falleciendo en los últimos años.

ca y supone que aproximadamente noventa personas estaban pasando uno de los cargos del *wachu* de la autoridad en 1996, es decir, casi el 45% de la población adulta de la comunidad. Estas cifras merecen algunos comentarios acerca de cómo se organiza dicha participación.

Parece innegable afirmar que no todos en estas comunidades están de acuerdo sobre las ventajas sociales e individuales de pasar un cargo en el *wachu* de la autoridad, ni tampoco sobre las razones que obligan a ello. La alta permeabilidad que caracteriza esta forma de organización y la ausencia de patrones fijos de cambio no implica negar la ausencia de fisuras o conflictos en su interior. El conflicto, presente en todos los niveles de organización (familia, comunidad, grupo étnico) como una forma de interacción social básica, también está vigente en el *wachu* de la autoridad. De hecho, cada runa, con su opinión y su participación en ese espacio social, define y redefine continuamente el sistema sin que necesariamente éste se liquide por ello. Se trata más bien de un proceso de negociación permanente, ni lineal ni armónico, al que los runas de estas comunidades han respondido, hasta el momento, con soluciones creativas.

> Si no haces el cargo eres botado atrás. Y como no has hecho el cargo ya no te respetan. Y la gente dice: "*Alqo hina, mana cargo ruwaq*" [como el perro, que no hace cargos] (....). Claro que hay gente que se ha negado a hacer el cargo, entonces por la fuerza y en la noche, rápido se van... Varios se han ido de aquí, sobre todo en el tiempo de la hacienda: Don Antonio Jara, José Illa... Después no han vuelto, bueno una o dos personas, y por la fuerza al volver hicieron los cargos en condición de viejos. Evaristo Illa hizo solamente hasta velada, Don Roberto Illa tampoco ha hecho nada, más aun, se salió de los trabajos de la comunidad ya de viejo... Ése es un hombre viejo que camina como un niño y eso es feo, muy feo... (Don Esteban Guamán, *kuraq* de Chahuaytiri, julio de 1997).

Como se desprende de las palabras de Don Esteban, el grado de consenso necesario para garantizar la continuidad del *wachu* de la autoridad en esta comunidad, no deriva de la imposición directa de mecanismos formales tales como multas y otros castigos, sino de otros más tácitos pero igualmente eficaces y con el mismo o mayor efecto coactivo. La situación de coacción social que se crea en la comunidad alrededor del incumplidor, traducida en un trato despectivo y animalizante ("como el perro que no hace cargos") y en su exclusión de los derechos comunales como el acceso a tierras y a sistemas de trabajo basados en la reciprocidad, puede resultar sencillamente dramática. Por ello, los casos en los que hubo personas que se negaron a pasar los cargos del *wachu* de la autoridad, bastante frecuentes en época de la hacienda, acabaron en el ostracismo social, en la migración forzosa e, incluso, en la enajenación mental[6].

En las circunstancias actuales, si un runa no cumple con sus obligaciones la reacción suele ser bastante parecida. Pero, a diferencia de la época de la hacienda, lo más posible es que éste ya no regrese nunca. Sus "runa-*masi*" (gente igual a ego) murmurarían sobre ellos y en las festividades, las faenas y las asambleas, serían ignorados, nadie les escucharía en el caso de alzar su voz. De igual modo, el lenguaje del espacio sería implacable para los incumplidores: tendrían que sentarse con los más jóvenes, con los niños, aquellos que aún no son considerados individuos sociales en la comunidad por no haber establecido ningún tipo de reciprocidad mediante el servicio de cargos:

> La gente habla pues: "Solamente va a tener boca: ¿por qué no hace [cargos]?", y por lo que habla la gente hasta algunos se han perdido para no hacer los cargos. Roberto Illa ahora último incluso se ha llegado a volver loco cuando la vez pasada le dijeron que haga alcalde y ahora es ya un hombre viejo y los *qepas* (los jóvenes) le están ganando (Doña Carmina Córdoba, *kuraq* de Chahuaytiri, septiembre de 1997).

Frente a estos mecanismos de coacción social, las modernas formas de presión de las que se sirve la Junta Directiva de la comunidad (generalmente multas en dinero o especie), acordadas y aceptadas democráticamente en las asambleas, son referidas por los runas con expresiones como: "a la fuerza con voto", "ni qué hacer", "me obligaron" [...], muy diferentes al "cariño" con el que se compromete a la persona

[6] En época de la hacienda algunos de los cargos (concretamente las mayordomías) se hacían obligatoriamente durante tres años consecutivos, bajo la estricta mirada de los empleados del hacendado. Parte de las obligaciones del cargo que cumplían los runas incluían aportaciones de: corderos, leche, etcétera. Éste era motivo suficiente para que, ante la presión de no poder responder frente a la autoridad de la hacienda, muchos huyeran hacia el valle para evitar el castigo de los primeros y el bochorno cotidiano al que les someterían los demás runas.

elegida para pasar el cargo y cuya negación resulta prácticamente impensable.

Si, como tratamos de ilustrar, la composición y la continuidad de este sistema de autoridad en la actualidad es resultado, entre otros factores, del desarrollo histórico concreto de cada comunidad y de la respuesta de los runas para organizarse frente a los cambios del contexto y si, dependiendo de como hayan sido estas respuestas, encontramos desde comunidades donde el *wachu* tiene plena vigencia hasta otras en las que ha desaparecido por completo, parece acertado pensar que una lectura etnocéntrica del concepto de autoridad restringida a las funciones burocráticas y administrativas de los asuntos de la comunidad, ha provocado no pocas "actas de defunción" precipitadas en diversas etnografías que interpretan este sistema[7]. Y es que para tratarse de "poco más que una reliquia ceremonial del pasado", como el sistema de cargos ha sido caracterizado por varios autores, parece un número demasiado elevado de personas perdiendo el tiempo en cuestiones folclóricas. Matizaremos esta afirmación en los siguientes apartados en los que se revisa la participación de las mujeres y de los evangélicos en el *wachu* de la autoridad de esta comunidad, dos grupos tradicionalmente excluidos en los estudios sobre este sistema.

La mujer y el *wachu*

> No, no puede hacer el cargo sin mujer. Siempre tiene que estar con esposa. Él puede hacer el cargo siempre y cuando

[7] En su libro *Pilgrims in the Andes* (1987), Sallnow se refiere al sistema de mayordomías en la comunidad vecina de Ccamahuara (distrito de San Salvador), como eje articulador de las peregrinaciones que los runas hacen a los santuarios del sur andino peruano. Sin embargo, preocupado por integrar este sistema en el desarrollo histórico de la economía política del distrito, el autor soslaya el significado simbólico-religioso que los cargos pudieran tener para estas personas. Así, mientras que al describir la historia de la organización política de la comunidad encuentra que el "sistema de alcaldes-vara" no tiene ninguna relevancia desde la reforma agraria con la que: "se liquidan las escasas funciones políticas que cumplía" (1987: 121). Por otro lado, en cada una de las procesiones que analiza, da cuenta de lo contrario. Una y otra vez señala la presencia y la participación constante de alcaldes, *misayoq*, segundas, regidores, *wifalas*, y mayordomos como organizadores, portadores y reactualizadores del valor de las imágenes sagradas.

> esté con mujer porque para esos cargos se necesitan muchas cosas. Siempre las mujeres somos las que empujamos para que lo puedan hacer (Doña Carmina Córdoba, *kuraq* de Chahuaytiri, septiembre de 1997).

En las sociedades campesinas la división de roles según género viene determinada en gran medida por el trabajo de la tierra. Puesto que el varón es quien desempeña un papel protagonista en este ámbito, las mujeres y los niños realizan tareas socialmente consideradas "complementarias" en la organización económica de la unidad doméstica y en la toma de decisiones que le afectan. Para ajustar esta afirmación ha sido necesario visibilizar el papel que vienen desempeñando desde antiguo las mujeres en los Andes, hecho que ha comenzado ha reflejarse en la literatura etnográfica sobre las comunidades sólo desde fines de los ochenta (Allen 1988; Speeding 1989).

En Chahuaytiri, las mujeres tienen asignadas las tareas confinadas al ámbito doméstico de forma habitual, aunque no exclusivamente. El cuidado de los hijos, la preparación de alimentos y el mantenimiento general del hogar son trabajos desempeñados por las mujeres, quienes además participan activamente en el trabajo de la chacra y del ganado, y contribuyen a la generación de ingresos complementarios mediante la venta directa del producto excedente en el mercado de Pisac. Como resultado de ese triple rol combinado, las mujeres de Chahuaytiri suelen tener una jornada de trabajo de tres a cinco horas más larga que la de sus compañeros. Aunque en la práctica existen "trabajos de hombres" que no se reducen al ámbito productivo, y "trabajos de mujeres" que trascienden la esfera reproductiva, la complementariedad de roles resulta por lo general bastante más evidente y frecuente que la que se espera y se practica cotidianamente en el mundo mestizo y citadino[8]. Las formas que adquiere la participación femenina en el *wachu* de la autoridad constituyen un ejemplo más de dicha complementariedad.

---

[8] De hecho, cuando excepcionalmente el varón desempeña alguna de las actividades que podría ser caracterizada en una primera aproximación como "femenina", ello no es asumido como una transgresión: no existe actitud de rechazo o burla ante un hombre que cocina, teje, cuida de los niños o participa activamente en el alumbramiento de un nuevo miembro de la familia.

Las primeras indagaciones sobre el papel que desempeñan las mujeres en el *wachu* de la autoridad en estas comunidades remitían al de "socias económicas" de sus contrapartes masculinas. Así, mientras que las respuestas de los varones sobre el desembolso de recursos que implicaba el cargo se reducían a vagas aproximaciones, las respuestas más precisas provenían de sus compañeras y esposas quienes especificaban cantidades y medidas sin dificultad alguna. Si bien el apoyo material en la preparación del cargo es fundamental, sin embargo no es ni el único ámbito de participación ni cualitativamente el más importante. Simultáneamente, como ha sido señalado en la descripción de los cargos, las mujeres son las encargadas de establecer el compromiso ritual que garantiza la continuidad del sistema:

> Ella es la que *t'inka* a otras personas con su coquita y su licor. En cada cargo ella es la que hace todo, y nosotros somos los que nos sentamos a la mesa, ella es la que cocina, ella es la que ordena lo que debemos hacer (Don Martín Illa, diciembre, 1995).

Por ello, a las mujeres que alcanzan el estatus de *kuraq* se les dispensa el mismo tratamiento que a sus homónimos masculinos: inca alcaldesa, maestra o mayordoma, y también el mismo reconocimiento expresado en el lugar que los demás runas les reservan en el espacio formando su propio *wachu* separado del de los varones pero, igual que aquél, cerrando las filas como signo de su autoridad[9]. Del mismo modo, la aceptación de los cargos es indefectiblemente el resultado de una toma de decisión consensuada *warmi-qari*:

> No puede aceptar él solo, siempre se hace preguntando a la esposa. También en las asambleas y entre varones se ponen [se eligen], en las faenas también, pero siempre tiene que conversar con su esposa, el varón solo no podría decidir (Doña Carmina Córdoba, *kuraq* de Chahuaytiri, septiembre de 1997).

En lo que concierne a la esfera de lo público, los roles que se adscriben a cada uno de los miembros de la familia, en función de su sexo y de

---

[9] Esta complementariedad masculino-femenino alcanza posiblemente su expresión más condensada al analizar el universo simbólico que comparten estos runas, tarea que se aborda en los capítulos tres y cuatro de este texto.

su edad se reflejan en una estructura de marcado talante patriarcal que atribuye al varón el papel de nexo de unión de la unidad doméstica con el exterior. Como representante de la familia, debe asistir y participar en la asamblea comunal, el ámbito político legalmente reconocido para la toma de decisiones, aunque no el único existente. Si observamos detenidamente el funcionamiento de una cualquiera de esas asambleas, nos percataremos de que ni las mujeres que pasan un cargo en el *wachu* ni los *kuraq* que ya terminaron los suyos, se expresan en ese escenario. Su autoridad no está ligada al discurso hablado o escrito, hecho observado por otros autores (Speeding 1989: 217), sino más bien a la acción expresada en el lenguaje ritual del espacio. Tal y como lo expresan los runas de esta comunidad, las autoridades no son aquellos que "tienen boca", es decir, los que hablan en público, sino aquellos que hacen hablar a otros. Por tanto, con la excepción de aquellas mujeres que desempeñen algún cargo en la Junta Directiva o en los comités de la comunidad, generalmente *ñawiyoq*, las demás estarán presentes para evitar la multa que acarrea la inasistencia y aprovecharán para hacer circular rumores, peinarse, pelar papas, amamantar a sus hijos o, simplemente, descansar, pero no expresarán sus opiniones públicamente.

Desde esa perspectiva se ubica mejor el doble papel que ejercen las mujeres en el *wachu* de la autoridad. Por un lado, en tanto que socias económicas de sus compañeros se encargan de tener a punto todo lo necesario para el buen desempeño del cargo (criar animales, cocinar, alistar las ropas, acompañarle al pueblo, etcétera) y, por otro, en tanto que parte activa en la toma de decisiones que afectan a la comunidad y a la continuidad del sistema de autoridades tradicionales en escenarios restringidos y bajo el lenguaje ritual del *wachu*. Pero, este papel, ni se asocia al discurso ni se concibe de forma independiente al del varón.

Los "hermanos"

Aunque la presencia de evangélicos en los Andes, en su mayoría europeos o norteamericanos, se remonta hasta los años sesenta (Kapsoli 1994), su incidencia en ésta y otras comunidades del distrito como fenómeno social y económico de cierta magnitud data de mediados de los años ochenta (Padilla 1991, Paerregaard 1994). La ubicación geográfica de la provincia de Calca en un punto estratégico a medio camino entre los Andes y el valle, resulta decisiva para explicar la expansión de esta Iglesia en Pisac. Las duras condiciones de trabajo en los lugares del valle a los que migran temporalmente los campesinos para trabajar en la cosecha de coca, café o cacao, donde viven hacinados en campamentos o barracones durante tres a cuatro meses, son idóneas para que los misioneros prediquen a sus fieles una lógica de acumulación y ahorro "moderna" en la que el culto a los santos, las fiestas y el consumo de alcohol, parte sustancial del lenguaje ritual en el que se expresa el *wachu* de la autoridad, son considerados "idolátricos", "anti-económicos" y hasta "salvajes", y en esa medida expresamente prohibidos.

En estas comunidades la vía de penetración y aceptación del Evangelio en las familias campesinas ha sido frecuentemente impulsada por las mujeres, quienes padecen el resultado de los excesos causados por las borracheras de sus compañeros, padres y hermanos. Doña Gregoria, una de las primeras mujeres evangélicas de Chahuaytiri, interrumpe nuestra entrevista con su esposo acerca de las razones que le llevaron a ser practicante del Evangelio y dice:

> ¡No seas mentiroso!, ¡avísale la verdad!, di: [que] "Yo me he volteado porque mucho pegaba a mi mujer, ¡por ser cochino!, ¡de lo que tomaba!... y todos mis pecados ahora los he desterrado y desde entonces es que soy así y estoy caminando bien, tranquilo, con mi esposa y mis hijos" (Doña Gregoria Guamán, Chahuaytiri, julio de 1997).

En Chahuaytiri, como en otras comunidades vecinas (Cuyo Grande y Cuyo Chico especialmente), el grupo de los convertidos al Evangelio constituye entre un tercio y la mitad de la población total con creciente influencia en la organización de las comunidades[10]. En su condición de *ñawiyoq* (instruidos), generalmente bilingües (quechua-castellano) y *kaqniyoq* (poseedores de bienes materiales: ropas, zapatos, radios, vehículos, etcétera), se han convertido en los últimos años en los modernos líderes de estas comunidades organizando sus propias acti-

[10] En Chahuaytiri en 1996 constituían concretamente el 23% y la proporción desde entonces ha seguido en aumento.

vidades paralelas al grupo de los católicos. Estas actividades abarcan no sólo la esfera religiosa (lecturas de la Biblia, encuentros diversos), sino también las de ocio y deporte (con una liga propia), social (celebraciones, bodas y otros ritos de paso), y política (presentando su propia terna de candidatos en las últimas elecciones de la comunidad). A diferencia de los católicos que precisan de la presencia de un especialista ritual para poder celebrar la eucaristía, los evangélicos sólo tienen que conectar la radio o la televisión para escuchar la voz de un predicador, generalmente extranjero, que desde Cuzco, Lima, Arequipa o La Paz, recuerda las obligaciones que dicta el Evangelio. Pero, además de estas actividades que cohesionan y refuerzan su identidad como grupo, los evangélicos, en su calidad de runas, también participan en las actividades que articulan la vida social, política y económica de la comunidad como son las asambleas, faenas, encuentros deportivos, ferias y, cómo no, en el *wachu* de la autoridad. En esos términos se expresa Don Pío:

> De esta forma yo hablé a la comunidad, como un solo hijo, ellos (los evangélicos) consumen el terreno, tal igual como nosotros lo hacemos, así que de la misma forma tienen que hacer nuestras costumbres (Don Pío Pérez, ex-presidente de Chahuaytiri y alcalde, octubre de 1997).

Evangélicos y católicos, integrantes de la Junta Directiva y del *wachu* de la autoridad, todos son hijos de la tierra (material y espiritualmente) y, como tales, deben establecer el intercambio recíproco que garantiza el funcionamiento del cosmos. La Pacha Mama les alimenta con sus productos y, en retribución, los runas deben "alimentarla" simbólicamente, no sólo mediante ofrendas sino con el servicio de los cargos del *wachu*. ¿Cómo resuelven entonces la prohibición expresa de su Iglesia respecto al sistema de cargos?

Una perspectiva reflexiva y praxeológica de la acción social en la que el individuo aparece como un agente que no sólo replica las estructuras "estructurantes" sino que negocia con ellas y las transforma en estructuras "estructuradas" (Bourdieu 1991), permite resolver la disyuntiva entre la prohibición expresa de la Iglesia evangélica peruana de participar en fiestas, bailar, beber alcohol y pasar los cargos por un lado y, por otro, la presión por parte de sus runa-*masi* para participar en el ordenamiento y la reproducción de la comunidad a través de los cargos del *wachu*. La discusión de Giddens en torno a los órdenes morales de la interacción social resulta de gran utilidad para acotar una posible respuesta: "Es esencial para cualquier análisis adecuado de la interacción como un producto de las destrezas constituyentes de los actores, el reconocer que su 'índole significativa' es negociada de modo activo y continuado; que no es meramente la comunicación programada de significados establecidos (...). La dependencia del contexto, en las diversas maneras en que este término es capaz de ser interpretado, puede considerarse adecuadamente como elemento integral de la producción de significado en la interacción, no simplemente como un obstáculo para el análisis formal" (1987: 106).

Desde esta perspectiva, podemos señalar que los evangélicos de Chahuaytiri tienen un cierto "espacio libre" para negociar su participación en el *wachu* de la autoridad con los otros runas y, simultáneamente, con las imposiciones de su Iglesia. Por un lado, en tanto que runas, pasarán sólo aquellos cargos cuyas connotaciones no estén relacionadas de forma explícita con el culto a los santos y la cruz, esto es, básicamente las capitanías (*wachu* capitán, primer *wachu*, *wifala* capitán y sargentos). Mientras, por otro, la definición que hacen de estos cargos sus guías espirituales también se ajusta para dejar ese cierto espacio a la negociación, de modo que no constituyan abiertamente idolatrías sino simplemente "costumbres" o "usos". Una de las iniciadoras del Evangelio en el pueblo de Pisac así lo señala:

> Bueno mire, eso son costumbres de las comunidades. Como incaicos es que ellos hacen sus cargos, sus varas, y en Carnaval hacen rodeo de su comunidad. Esa parte más bien no es idolatría. Idolatría es cuando hacen a la Virgen, a la Mamacha, el Cruz Velakuy, esos cargos que hacen fiestitas con sus danzas, eso sí es idolatría. Dios no les acepta eso. Lo otro no es idolatría, eso es un deber como un ciudadano, un comunero, un peruano, es que están cumpliendo con su obligación, y en Carnaval con sus *wifalas* salen a rodear sus linderos. Solamente ahí pues cometerán el error de tomar alcohol, después de emborracharse se pelean, hacen cosas, pero nada más, eso no es idolatría..." (Florencia Molina de Kallasi, Pisac, agosto de 1997).

De modo que ante una situación práctica como es la que supone el creciente número de evangélicos, la imposición formal de la comunidad se relaja, pero también lo hacen los requerimientos morales de su

Iglesia, consiguiéndose de este modo el ajuste necesario que permite a estos runas no quedar excluidos de la dinámica que articula la vida en la comunidad cotidianamente. Lejos de ser contradictoria, la aparente ambigüedad que se desprende de este criterio resulta una condición imprescindible para garantizar la continuidad del sistema. La única autoridad aceptada por los evangélicos es la de la Biblia, donde, tal y como ellos mismos señalan, parece especificarse que sólo los cargos que tienen que ver directamente con la celebración de santos o misas en la comunidad o en la capital del distrito son idolatrías, mientras que el resto, son tan sólo "costumbres" o "incaicos". Del mismo modo, en su condición de runas, los evangélicos son usufructuarios y co-partícipes del lenguaje de respeto marcado en cada momento en la ubicación espacial que les corresponde por el estatus adquirido mediante el servicio de los cargos. Aquellos que antes de convertirse en seguidores del Evangelio han llegado a cumplir hasta el cargo de alcalde o incluso han culminado su *wachu*, cuando tomen asiento en las asambleas comunales o en las faenas lo harán en el lugar que el estatus adquirido por el desempeño de estos cargos les asigna, nunca junto a otros miembros de su Iglesia que no gozan de esa consideración social.

Una circunstancia más actúa para favorecer la actitud "relajada" de la comunidad ante una posible negativa a pasar determinados cargos, y es la que se refiere a la continua retroalimentación que se establece entre los dos sistemas de autoridad que coexisten en esta comunidad. En los últimos años, varios han sido los evangélicos de Chahuaytiri que han resultado elegidos como autoridades de la Junta Directiva. De ellos, la comunidad no sólo espera que pasen determinados cargos del *wachu* considerados abiertamente no idolátricos, sino que, en calidad de autoridades de la Junta, deben igualmente hacer uso de los mecanismos democráticos (votación en asamblea) para mantener y ratificar el funcionamiento del *wachu* de la autoridad. Un episodio concreto ilustra el alcance de la complementariedad de ambos sistemas de autoridad.

Como una de las tareas prioritarias de su gestión, E. G., segundo presidente evangélico de esta comunidad (1997-1998), se encargó de poner "en orden" el padrón comunal, la lista que contiene el nombre de todos los comuneros y comuneras mayores de 18 años. Un vistazo a esta lista es suficiente para darse cuenta de que el orden referido no es ni más ni menos que el que corresponde al servicio de los cargos del *wachu*, según el cual, el nombre de los 34 *kuraq* y de sus correspondientes parejas femeninas figura en primer lugar; tras éstos, E. G. situó los nombres de las autoridades del *wachu* en funciones, es decir, los de los alcaldes, sus segundas y sus parejas (los regidores no figuran en este padrón por ser menores de edad) y, por último, colocó los nombres de los *qasi* runas, las personas que no están desempeñando ningún cargo, entre los que figura el suyo propio:

> Este año parece que la gente ya no conocía cuál era su sitio. Ya no había respeto. Desde que he entrado a mi período a todos los he puesto en su sitio y donde se deben sentar, y en la lista que tengo están de *kuraq* runas a *qasi* runas, y esto es para que se respeten, y es que en la Biblia se habla bastante de lo que es el respeto. Solamente es que a nosotros no nos gusta hacer cargo. Hacer la Junta y hasta los capitanes podemos hacer (Don Edgar Guamán, agosto de 1997).

Así pues, por el momento los runas de esta comunidad han conseguido negociar y resolver mediante distintas estrategias como las revisadas hasta este punto, las evidentes tensiones que genera en la organización del tejido social la coexistencia de dos religiones con grupos claramente diferenciados.

Para concluir este capítulo analizamos las transformaciones experimentadas en las tres últimas décadas por el sistema de cargos en el pueblo de Pisac, donde el *wachu* de la autoridad ha desaparecido para dar paso a un complejo sistema de mayordomías que continúa reafirmando las identidades –ahora mestizas– de los vecinos del pueblo frente a los runas de las alturas.

Los cargos en el pueblo de Pisac

La resemantización continua experimentada por el sistema de cargos aparece como uno de los símbolos más ambivalentes en el proceso de forja de las identidades en este área. Si bien es cierto que el paisaje étnico de este distrito en la actualidad es bastante más complejo que una mera división en dos grupos de pobladores (indios *versus* mestizos) cuya evolución dista mucho de ser lineal, es posible distinguir tres grandes momentos en ese proceso de construcción de la diferencia que tiene su correlato en la estructura que observa el sistema de cargos:

– Un primer período que abarcaría *grosso modo* toda la época colonial. Durante este tiempo la adscripción a diferentes devociones impuestas por los españoles sirvió para distinguir y organizar a los dos tipos pobladores que cohabitaban en Pisac: por un lado "indios" y por otro "españoles".

– El segundo punto de inflexión se situaría hacia fines del siglo XIX con la constitución de una nueva clase terrateniente, los *llactataytas* mencionados o simplemente *mistis*, autoridades de hecho del pueblo y dueños de las haciendas de extracción criolla o mestiza que ejercerán el poder político y económico en la sierra hasta los años sesenta del pasado siglo. Frente a éstos, seguimos encontrando a los indígenas que viven tanto en el pueblo (runa-*llaqtayoq*) como en los ayllus (ayllu-runas). Nuevamente, la distinción étnica entre ambos tipos de pobladores tiene su correlato en la organización de las devociones religiosas. De un lado se sitúan *misti*-cargos, que alude al conjunto de mayordomías patrocinadas por los *llactataytas*, y por otro los runas-cargos, que comparten tanto los runas del pueblo como los de los ayllus, cuya estructura respondería a la del *wachu* de la autoridad analizada en páginas anteriores.

– El tercer período abarcaría las últimas tres a cuatro últimas décadas. Los cambios experimentados en el agro peruano y en la estructura de poder resultado de la introducción de nuevas vías de promoción social, terminan por ajustar una nueva diferenciación étnica entre los pobladores de Pisac y sus vecinos de las alturas. Por un lado, encontramos a los descendientes de los antiguos runas que viven en el pueblo, los antiguos runa-*llactayoq*, hoy mestizos dedicados al comercio de la artesanía que constituyen la mayoría de la población piseña y los cuales ya no pasan los cargos del *wachu* de la autoridad, sino alguna de las mayordomías que en su día estuvieron reservadas a los *mistis*, caso de la Virgen del Carmen. Frente a ellos se sitúan los runas de las comunidades, hoy simplemente "runas", que pasan los cargos del *wachu* de la autoridad. Tanto unos como otros se siguen sirviendo del sistema de cargos como modo de adquirir y reafirmar la identidad étnica y cultural de su grupo.

A partir de la documentación hallada en el municipio de Pisac y los testimonios de los antiguos runa-*llactayoq* acerca de las transformaciones experimentadas por el sistema de cargos, hemos reconstruido el proceso de construcción étnica y societaria de sus vecinos en los dos últimos períodos reseñados.

"Aquí éramos todos indios señorita..."

> Los alcaldes, los regidores, los segundas, todos han muerto ya señorita. Ellos han sido indios. Aquí éramos todos indios señorita [...]. Todos eran *maqtas*, no eran *mistis*. Ahora ya se han refinado, algunos han cambiado hasta su ropa. Casi en aquí no quedan *maqtas*" (Doña Albina Quillo, pueblo de Pisac, abril de 1996).

La Sra. Albina, *ñawpa wiñay* de Pisac, confirma la unidad socio-cultural que los runas del pueblo y los de las comunidades constituían al menos hasta mediados de los años cincuenta. Mientras los indígenas que vivían en el pueblo se consideraban a sí mismos como runa-*llactayoq*, sus homónimos en las comunidades eran o bien "hacienda-runas" (si estaban en el territorio de una hacienda, caso de Chahuaytiri) o "ayllu-runas" (caso de las comunidades libres). Ambos grupos se diferenciaban de la minoría de *llactataytas*, dueños de las haciendas y autoridades del pueblo, quienes se consideraban étnicamente *mistis*. Los primeros, los runas (del pueblo y de las alturas) compartían una organización común de la autoridad y de las devociones religiosas, es decir un *wachu* de la autoridad como reflejo de una cosmovisión particular. Éste era diferente al de los *mistis*, quienes también tenían su propio *wachu* orientado a las mayordomías de otros santos y señores milagrosos.

La figura 16 refleja la composición del *wachu* de los cargos en el pueblo de Pisac hacia 1950.

Las diferencias básicas que presentaba el *wachu* de la autoridad en el pueblo hasta los años cincuenta respecto al analizado en las comunidades, se deben a dos factores interrelacionados. Por un lado, la coexistencia en este espacio desde su misma fundación de dos tipos de población (españoles e indios), condición que no se encuentra en las comunidades y, por otro, la intensificación del proceso de modernización socio-política y económica que desde esos años afecta de modo más intenso a la capital del distrito. El declive paulatino del sistema tradicional de tenencia de la tierra (las haciendas) y la aparición de

FIGURA 16
Cargos del *wachu* del pueblo de Pisac hacia 1950

<table>
<tr><th rowspan="2">MISTI CARGOS</th><th colspan="2">RUNA CARGOS</th></tr>
<tr><th>WACHU-CARGOS</th><th>DEVOCIÓN</th></tr>
<tr><td rowspan="2">Albazo
Velada
Virgen del Carmen
Niño mayordomo</td><td>Cañari
Regidor
Caiwa
Collana
Wachu capitán</td><td>San Pedro
Alférez
Mayordomo mayor (Asunta)</td></tr>
<tr><td colspan="2">Segunda
Alcalde</td></tr>
</table>

Fuente: Entrevistas de trabajo de campo, 1994-1997.

nuevas fuentes de recursos como la artesanía, se traducen en el paulatino debilitamiento y, en algunos casos, la desaparición, de los antiguos *mistis*. La apertura de nuevas vías de comunicación y la generalización de otros canales de movilidad social como la educación a la que comienzan a acceder todos los piseños, transforma poco a poco a los descendientes de los antiguos runas en una incipiente burguesía de carácter mercantil dedicada al negocio de la artesanía. Estos nuevos *mistis*, para diferenciarse de los runas como sus padres y abuelos, y sobre todo de los runas de las comunidades, van construyéndose a nivel étnico una identidad mestiza.

Un primer signo de este proceso de diferenciación es el cambio de devociones que protagonizan los runa-*llactayoq* hacia el culto a santos de connotaciones eminentemente mestizas, como denota el destino seguido por los antiguos patrones del pueblo: San Pedro de Pisac y la Virgen de la Asunción, respectivamente, de los que en la actualidad se conservan las tallas en el templo y poco más[11]. En su lugar, la Virgen

[11] El templo moderno fue construido en el frontis del antiguo templo colonial de San Pedro de Pisac, prácticamente arrasado por el terremoto que asoló Cuzco en 1950. Tan sólo su nombre, el mismo que recibiera el pueblo reducido, recuerda la devoción a este santo antiguo patrón del pueblo.

del Carmen considerada hasta hace cuatro décadas en el grupo de los *misti*-cargos (Fig. nº 16), ocupa actualmente el liderazgo de las devociones en Pisac. En torno a su celebración, de la que quedan excluidos los runas de las comunidades, se moviliza una enorme cantidad de recursos humanos y económicos y se articulan en la actualidad las solidaridades locales[12].

La Virgen del Carmen

A mediados de julio y durante cuatro días, el pueblo de Pisac se paraliza y la algarabía es incesante. La consigna es sencilla, aunque onerosa: "ningún invitado a la casa de uno de los *carguyoq* debe salir insatisfecho". Para conseguirlo, éstos y sus familias se emplean a fondo distribuyendo una abundante cantidad de alcohol, comida y música entre los asistentes.

Se trata de la fiesta mayor del pueblo de Pisac, para la que virtualmente todo el pueblo se ha preparado en el transcurso del año confeccionando los trajes, preparando comida y bebida, encargando la *h'urka* con la que se compromete a los vecinos[13] y ensayando las coreografías de las danzas. Participar en su celebración constituye uno de los medios de ostentación social más eficaces en la actualidad para los

---

[12] Las comunidades de Amphay y Amaru (centro poblado de Qello-Qello) participan en la festividad de la Virgen del Carmen con las danzas de *siqlla* y *qolla* respectivamente. Sin embargo hay que señalar que se trata de una participación muy marginal que suele pasar prácticamente desapercibida por el resto de la población. Ni su indumentaria ni su coreografía, ni tampoco sus invitaciones a bebida y comida son equiparables a las que realizan los vecinos del pueblo.

[13] La *hurk'a* es el nombre que recibe el compromiso para contribuir económicamente a pasar el cargo. Es pues el equivalente mestizo del "cariño" de los runas. En Pisac, la *hurk'a* comienza a prepararse desde meses antes y consiste en panes de diferentes tamaños y bebida (generalmente cerveza, refrescos o vino dulce), con los que el *carguyoq* visitará a sus parientes y amigos. El consumo compartido de los panes y de la bebida implica la aceptación del compromiso, generalmente en especie, en los gastos del *carguyoq*. Existen ciertas suspicacias entre la población sobre la cantidad de personas *hurk'adas* (traducida en la cantidad de quintales de harina amasada), ya que cuanto mayor sea el número, mayor es la posibilidad de acumular excedentes una vez terminado el cargo.

vecinos del pueblo. Cuanto mayor sea el derroche de riquezas y recursos, mayor será el prestigio conseguido, quizá por eso existen listas de espera de varios años.

La figura 17 muestra los gastos aproximados realizados por los cargos principales que dan significado a esta celebración (mayordomo mayor, albazo y los *carguyoq* de dos de las danzas: *khapaq* negro[14] y *wailillas*), correspondientes a la festividad del año 1996.

FIGURA 17
Gastos de los cargos mayores en la Virgen del Carmen, Pisac

CARGOS MAYORES	DANZAS
ALBAZO Gasto total aprox.: 5.000 $ USA. - **Comida**: 4 toros (1 suyo); 19 chanchos; 250 cuyes. - **Bebida**: 350 cajas de cerveza; licor; chicha. - **Música:** Banda de ejercito; conjunto musical; danza de filigranas. - ***Hurk'a*:** 8 o 10 quintales de harina (en tres ocasiones).	*KHAPAQ* NEGRO Gasto total aprox.: 5.000 $ USA. - **Comida**: 2 chanchos grandes y dos pequeños (300 kg de carne); 80 cuyes; 30 gallinas; 1 toro; 4-5 corderos y 10 quesos), y la propina a los cocineros. - **Bebidas:** 100 cajas de cervezas (pequeñas), 1 caja de licores (pisco, vino, ron...); 5 cajas de gaseosas; chicha y frutillada (unos 100 litros). - **Música** (orquesta, ocho integrantes) y acompañantes de la danza.
MAYORDOMÍA GENERAL Gastos totales. 3.000 $ USA. - **Comida**: 1 torete (2 brazos y una pierna, para unos 50 kg. de carne); 5 chanchos; 30 cuyes; 15 gallinas. - **Bebida**: 100 cajas de cerveza de litro; 15 arrobas de maíz para chicha; 2 bidones de alcohol de cañazo; licores y champán. - **Música** (banda): 1.600 soles (14 integrantes durante 4 días). - ***Hurk'a***: 4 quintales de harina. - **Misas a la Virgen**. - **Castillo de fuegos**.	*WAILILLAS*/MESTIZA *QOLLACHA* Gasto total aprox.: 3.000 $ USA. - **Comida**: 5 chanchos; 30 pollos; 20 cuyes; 1 toro. - **Bebida**: cerveza (60 cajas de 12); refrescos (10 cajas); 4 arrobas de maíz para chicha. - **Música**: conjunto electrónico (6 personas). - ***Hurk'a***: 1 quintal de harina.

[14] El *carguyoq* de la danza *khapaq* negro no realiza *hurk'a*, por lo que está considerado como uno de los más costosos.

A pesar de lo que pueda parecer a primera vista en la confusión de la fiesta, una de las primeras características de la misma se refiere al talante altamente selectivo de la distribución de comida y bebida que sucede en la casa de los cargos. Ni cualquier persona acude para ser invitada ni tampoco los cargos hacen extensiva su invitación a todo el mundo. Los códigos de comportamiento de "buena vecindad" prescriben que sólo los que están dentro de uno de los siguientes grupos tienen derecho a beneficiarse de la invitación de los cargos:

a) gente del pueblo que ha sido *hurk'ada*
b) participantes en las danzas
c) otros *carguyoq*
d) visitantes foráneos que no conocen las costumbres

Un segundo rasgo a contemplar para entender la desigual participación de los vecinos en las invitaciones es la procedencia del *carguyoq*, según la cual las mencionadas normas de la buena vecindad se alteran. Así, se distinguen los *carguyoq* foráneos (nacidos o no en el pueblo pero sin residencia permanente) y los piseños (residentes en el pueblo, sean naturales o no de Pisac). Si comparamos el número aproximado de visitantes que recibe un *carguyoq* residente en el pueblo, observamos que es sensiblemente inferior al del *carguyoq* considerado foráneo. La razón es sencilla: los últimos no suelen estar incluidos en las redes de reciprocidad y parentesco a partir de las cuales se organizan cotidianamente las relaciones en el pueblo. Son por tanto los más visitados, tanto por gente de fuera como por los propios vecinos, ya que como señalaban algunos vecinos: "Con los de fuera, no es necesario ser comprensivo". Mientras que, sólo en caso de que se pertenezca a uno de los cuatro grupos anteriormente mencionados (*hurk'ados*, bailarines de otras danzas, otros *carguyoq* o extranjeros) se acudirá a la casa de un cargo residente.

La exitosa acogida de esta fiesta en los últimos quince años ha motivado la formación de la Cofradía Virgen del Carmen, constituida por los cargo-pasados y un representante de cada una de las doce danzas que participan. En la actualidad son las siguientes: contradanza, *qollacha*, mestiza *qollacha* o *wailillas*, *khapaq* negro, *khapaq ch'uncho*, *qollas*, *chileno*, *saqra*, *china saqra*, *majeño*, *siqlla*, contradanza y *k'acham-*

pa[15]. La coreografía, el vestuario y los temas de cada una de estas danzas son parte del tradicional folclore andino. Sin embargo, de ello no se infiere que en este pueblo su origen sea muy antiguo. Al contrario. La adopción de estas danzas está directamente relacionada con el cambio de devociones que se produce en las tres a cuatro últimas décadas hacia santos de connotaciones mestizas. De hecho, hacia 1984, coincidiendo con un momento de expansión en el mercado de la artesanía para los productores de Pisac, la mayoría de ellas fue trasplantada desde el vecino distrito de Paucartambo en el que la celebración de la Virgen del Carmen tiene una larga tradición histórica. Hasta ese momento, en Pisac sólo había cuatro danzas que festejaban a la Virgen: *qollas*, *k'achampa*, mestiza *qollacha* y *saqra*.

Los bailarines de estas danzas representan personajes que son resultado de la mezcla de arquetipos de cinco siglos de dominación foránea: antiguas autoridades de facto en esta región, una variedad de *mistis* entre hacendados, caporales de las minas, jueces, doctores, tinterillos (*chileno*, *khapaq* negro), y de otros procedentes de su propio medio, bien de otras regiones como los nativos de la selva (*ch'unchos*) o los comerciantes del altiplano boliviano (*qollas*), además de seres fantásticos y monstruosos como los varios tipos de *saqras* (*china saqra*, *k'achampa*). La confección del vestuario que requiere cada danza, oscila entre 250 y 600 dólares estadounidenses. Los estatutos de algunas de ellas prescriben que la indumentaria debe, además, ser renovada anualmente. Cada una de estas agrupaciones funciona como una asociación (en ciertos casos vinculada desde su nacimiento a una familia). Se trata de organizaciones constituidas legalmente con estatutos y una Junta Directiva que convoca a los socios no sólo con ocasión de la fiesta sino durante todo el año para participar en actividades de la vida cultural y religiosa del pueblo. De ese modo, se intensifica para sus miembros el sentimiento de pertenencia al grupo.

Sin embargo, estas asociaciones no sólo fomentan solidaridades colectivas (grupales) entre los vecinos de Pisac, identificados cada uno con su cofradía o su danza frente al resto con las cuales compi-

[15] Cada una de ellas agrupa una media de 20 danzarines, entre jóvenes y niños, lo que significa que sólo en las danzas participan alrededor de 250 personas, excluyendo a los músicos y a los otros *carguyoq* que también intervienen.

ten en belleza, destreza y derroche. Simultáneamente pueden ejercer el efecto contrario, esto es, fomentar la exclusión y la alienación individual. Si observamos las listas de las personas que han pasado los cargos mayores de esta festividad recientemente entenderemos por qué. Los cargos más costosos (cargos mayores, contradanza y *khapaq* negro) han sido desempeñados por *carguyoq* foráneos procedentes de Cuzco, Lima o incluso nacidos en Pisac pero residentes en Barcelona o Madrid. En otros casos, los cargos han sido asumidos por personas residentes en el pueblo pero consideradas por el resto como un tipo de *outsiders*. Para éstos, el prestigio adquirido tras pasar el cargo no suele traducirse en una mayor aceptación por parte de la gente del pueblo. En casos como éste, en los que el pacto de reciprocidad (entre el cargo y el resto de vecinos) sobre el que descansa la estructura del sistema de cargos se rompe, la participación se justifica modificando *ad hoc* la contraparte. No son ya los vecinos del pueblo, de los que no esperan nada, sino la propia Virgen la que satisfará ese pacto de reciprocidad otorgándoles suerte en los negocios, salud, dinero, etcétera:

> Yo siempre he sido de izquierdas y no creía, pero estando muy grave una noche recibí la visita de una señora. No sé si estaría soñando pero ahí estaba y me frotó la cara con un paño y me dijo que "están quemándote las medicinas que te ha recetado el médico", y me avisó para que me bañara en malva y rosas. Mi mamá, con otras señoras, me miraron en mi orina. Parece que lo que tenía era fiebre intestinal, y con eso me sané. De ahí es que me comprometí con la Virgen. Hice mayordomo en 1984 y viendo eso, todos los demás empezaron a querer hacer (M. M., artesano de Pisac, julio de 1997).

La participación restringida, el elevado costo de los cargos y el sentido individualista que parece motivarlos, son las características dominantes de esta mayordomía en la que participan masivamente los vecinos de Pisac. A diferencia del *wachu* de la autoridad en las comunidades, este sistema actuaría como un mecanismo con efectos jerarquizantes entre sus participantes, discriminando en función de la riqueza material quienes pueden acceder a él y quienes no. Para concluir este capítulo retomaremos el debate teórico acerca de la estructura del sistema de cargos en las comunidades de este distrito.

REPRESENTANDO LA ESTRUCTURA DEL *WACHU*

El origen híbrido del *wachu* de la autoridad, mezcla de tradición colonial y reapropiación indígena, se manifiesta al tratar de obtener una imagen gráfica que lo represente. Buena parte de los estudios sobre sistema de cargos lo conceptualizan como una estrategia para alcanzar estatus social en la comunidad (ver "Horizonte teórico de esta investigación", en "Introducción"). Así entendido, la combinación de dos criterios suele ser suficiente para ilustrar la estructura de este sistema: el tipo de funciones (civiles o religiosas) que desempeñan cada uno de los cargos por un lado, y la edad de los participantes por otro.

Según el modelo aplicado por Carrasco en Mesoamérica (1979), la estructura del sistema de cargos se asemejaría a una imaginaria escalera en la que cada peldaño equivale a un cargo civil por el que se asciende al siguiente de competencias religiosas, y así sucesivamente hasta alcanzar el rango de "principales".

FIGURA 18
Sistema de cargos según imagen de "escalera" (Carrasco 1979)

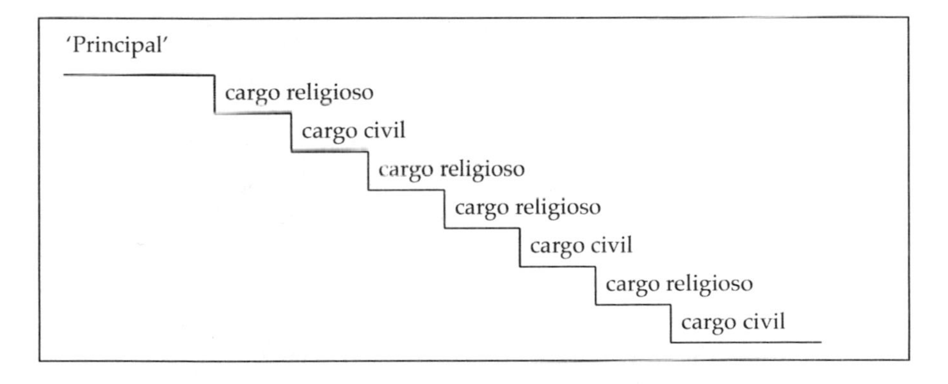

La variante andina de este modelo es la imagen de un espejo de dos caras, en una de las cuales se sitúan los cargos de funciones principalmente religiosas a los que se corresponden, geométricamente, otros cargos de funciones civiles. Dos líneas paralelas y ascendentes que se completan en zigzag. De este modo, a medida que un individuo pasa los cargos y alcanza prestigio en la comunidad, redistribuye sus riquezas. La aparición de otras formas de promoción y ascenso social (educación, migración) intensificadas con la reforma agraria, desembocaría, según estos autores, en la desintegración paulatina del sistema y su consiguiente desaparición (Fuenzalida 1976; Sallnow 1987; Seligmann 1995).

FIGURA 19
Sistema de cargos según imagen de "espejo" (Fuenzalida 1976)

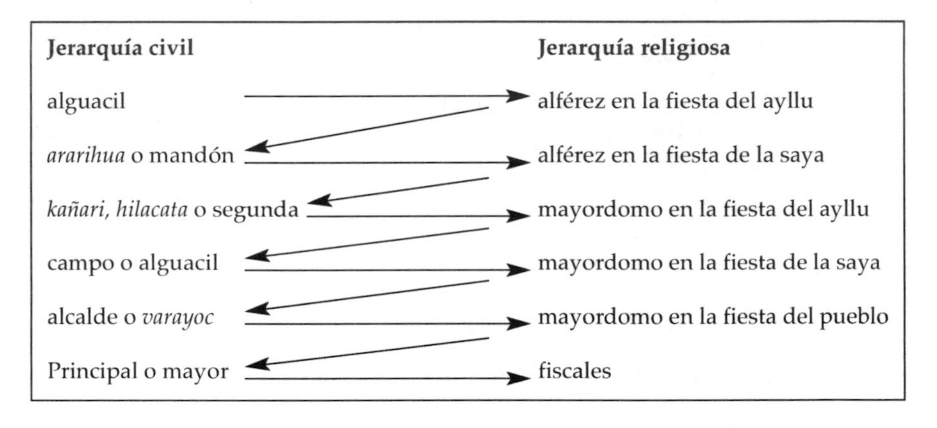

Una tercera perspectiva concibe el sistema de cargos como una estrategia mediante la cual se reactualizan una serie de principios estructuradores sobre la identidad del grupo. La imagen gráfica que correspondería en este caso sería una de tipo estratigráfico que podemos ejemplificar en una imaginaria cebolla (Figura 20). Según esta interpretación, las capas más cercanas al "corazón" de esta cebolla estarían constituidas por los cargos que han experimentado una mayor resignificación en el contexto cultural andino. El nucleo indígena del sistema de autoridades habría sobrevivido a los embates de la modernización económica y social, gracias a diferentes estrategias de resistencia: bien reacomodando su estructura a las demandas foráneas (Spalding 1974 y 1981), bien mediante la rebelión activa (Stern 1990).

El segundo criterio que comparten todos estos modelos es la edad de los participantes. Para estos autores, el *wachu* de la autoridad actuaría en conjunto como un modo de socialización del individuo en la comunidad y, como tal, aparece entretejido a su ciclo vital y a las prin-

FIGURA 20
Sistema de cargos según imagen de "cebolla" (Spalding 1981)

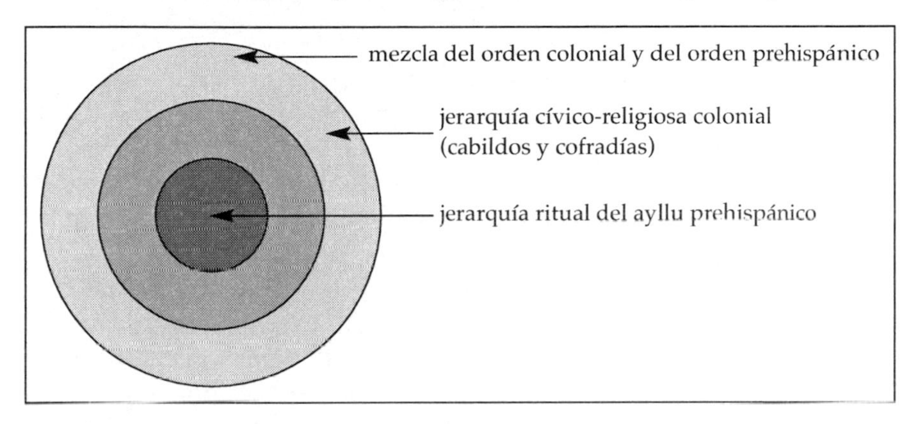

cipales crisis personales asociadas. Si aplicamos este modelo al *wachu* de las comunidades de Pisac, obtendríamos una estructura ideal similar a la que aparece en la figura 21.

FIGURA 21
Estructura del *wachu* de la autoridad en las comunidades de Pisac, según función y edad

***WACHU*-CARGOS** **(cargos relacionados con la organización de tareas agrícolas)**	***WACHU* RELIGIOSO** **(sistema de mayordomías)**	***WACHU* MAYOR** **(cargos civiles)**
Cañari *Collana* *Caiwa* 1 (de 6 a 16-17 años)	Alférez o *misayoq*	Regidor
Wachu capitán 2 (de 18 a 25-30 años)	Velada Fundadores o *tusuy* cargos	Segunda
Primer capitán 3 (de 30 a 40-45 años)	Mayordomo mayor	Alcalde o *varayoq*

Según el criterio de función que cumplen los *carguyoq* en las comunidades de Pisac, se diferenciarían tres tipos de cargos (lectura vertical por columnas):

a) Aquellos cuyas competencias se circunscriben en el ámbito de lo civil, derivados del cabildo de indios: regidor, segunda y alcalde.
b) Otros cuyas competencias tienen que ver con el patrocinio de festividades en el calendario litúrgico cristiano y por tanto derivados de la reapropiación de las cofradías coloniales: mayordomo mayor, velada, alférez y fundadores o *tusuy* cargos[16].
c) Cargos relativos a la organización del trabajo comunal que durante el tiempo de la hacienda estuvieron directamente a las órdenes del hacendado. Se trataría básicamente de: *cañari, collana, caiwa, wachu* capitán y primer capitán, referidos bajo el nombre genérico de *wachu*-cargos por ocuparse de la organización del trabajo agrícola comunal en los *wachus* o surcos de la tierra (Cevallos 1974).

Siguiendo el criterio de la edad de los *carguyoq* la clasificación sería la sigiente (lectura horizontal por filas):

1. *Wachu kallari* o inicio del *wachu*: desempeñado por niños (entre 6 y 15 años aprox.) que se inician de este modo como miembros de pleno derecho en la comunidad. Se trata básicamente de los cargos de regidor, alférez, *cañari, collana* y *caiwa*.
2. *Chawpi wachu* o *wachu* intermedio: desempeñado por jóvenes (entre 18 y 25-30 años). Son los cargos más directamente relacionados con el trabajo agrícola y con las fiestas de Carnaval, lo que exige que sus participantes sean jóvenes vigorosos. A menudo, durante el servicio de uno de estos cargos los jóvenes consiguen sus parejas femeninas. Nos referimos a *wachu* capitán, *tusuy* cargos, velada y segunda, principalmente.
3. *Hatun wachu* o *wachu* mayor: desempeñado por las personas adultas de la comunidad (entre 30 y 45 años). Estas personas partici-

---

[16] Los *tusuy* cargos alude a un tipo de cargos voluntarios en los que el *carguyoq* debe costear todos los gastos de una comparsa de danza que acude a una de las procesiones que componen el calendario litúrgico de estas comunidades (ver, en el capítulo III, el apartado "Calendario ritual").

pan activamente en todos y cada uno de los rituales del calendario litúrgico-festivo de esta comunidad y, por tanto, realizan una inversión económica mayor. Por este motivo, la comunidad les exige que sean honestos, diligentes y responsables. Pero, sobre todo, conocedores de las costumbres. Básicamente los cargos incluidos en esta franja serían el alcalde y el mayordomo mayor.

Esta clasificación, cuya limitación principal deriva de la insuficiencia de los criterios de función y edad para contemplar los vaivenes y ajustes que impone el contexto actual, renuncia a explicar numerosas situaciones aparentemente "excepcionales" que suceden en estas comunidades. Como ha sido señalado, en el caso de algunos cargos situados en la franja del *wachu* intermedio no sólo son de ascenso al siguiente cargo sino que también pueden ser de descenso, es decir, existen situaciones en las que la persona que ha terminado su cargo de *wachu* capitán cumple entonces con el cargo de alférez o regidor, de competencias distintas y situadas en un nivel inferior, según los modelos señalados. En otros casos, se da la circunstancia frecuente por la que el mismo cargo puede ser repetido en dos o incluso tres ocasiones si la persona lo desea (caso especialmente común en los cargos de alférez, regidor y segunda). Y también situaciones en las que el *carguyoq* transgrede la supuesta linealidad del sistema (unilineal en el caso del modelo de "escalera" o bilineal en el caso del "espejo"), pasando de un cargo de la jerarquía religiosa (por ejemplo de segunda) a otro de la civil (*wachu* capitán), para regresar en su siguiente cargo a la jerarquía religiosa.

Y es que, el *wachu* en estas comunidades no responde a ninguna jerarquía cerrada sino sumamente flexible, cuyas prerrogativas y funcionamiento son guardadas celosamente por los *kuraq* de la comunidad. Como señala Allen en el caso de la comunidad de Sonqo: "Nadie pasa el sistema 'perfectamente', ya que el número y orden de los cargos está definido muy vagamente. Idealmente un hombre culmina hacia los cincuenta 'habiendo hecho todo'. Pero la definición de 'todo', nunca es clara [...]. La flexibilidad del sistema provee de un mecanismo de nivelación, un potencial talón de Aquiles para todos los Kuraq Tayta. La vejez descansa en el consenso informal de que el hombre ha llevado una buena vida, pero después de todo nadie es perfecto" (1988: 112-124)[17].

---

[17] La traducción es nuestra

Una última situación confirmaba la flexibilidad de este sistema en el caso descrito. La existencia de un *wachu* "a la carta", esto es, un conjunto de cargos definidos de común acuerdo entre las juntas directivas de la comunidad y los *kuraq* para aquellos individuos que no reúnen los requisitos que la costumbre prescribe, caso de los evangélicos. Como hemos señalado, el contenido y las funciones de los cargos de este *wachu*, que coinciden básicamente con aquellos referidos a la organización de la competencia en el trabajo agrícola (*wachu* capitán y primer *wachu*), resultan difícilmente clasificables en una sola de las jerarquías: ni religiosa, idea que cualquiera de estos *carguyoq* habría negado tajantemente, o simplemente civil, como pone de manifiesto su participación activa en rituales en los cuales el consumo de alcohol y el uso de cruces ratifica simbólicamente el valor sagrado que los runas confieren al territorio y a las propias autoridades tradicionales (ver, en el capítulo IV, el apartado "Día de Comadres: mojones y batallas").

El resultado de todo ello es que la representación posible que captara la estructura del *wachu* en estas comunidades se acerca más a la de un complejo sistema de redes de varias dimensiones en el que las jerarquías se superponen y entrecruzan a modo de bucles, algo que resultaría una referencia más adecuada para pensar en la estructura posible de este sistema. Como hemos ilustrado en páginas anteriores, el *wachu* está constituido por una serie de cargos que funcionan a modo de bucles que se autocontienen (cada cargo en sí; la secuencia de cargos en una comunidad; el conjunto de todas las comunidades), se repiten y cambian de orientación según el nivel en el que operen y la posición del observador, en un proceso interminable. Hofstadter (1989) se refiere a este modelo como "jerarquías enredadas"[18]. Según éste, cada una de las variaciones que se producen en el tiempo y en relación con la práctica de los actores no sólo proporcionan significado al modelo, sino que conservan la información básica contenida en el original, hecho que determina la existencia de una estructura. En el caso de las excepciones registradas en el *wachu* de las comunidades de

[18] El modelo de Hofstadter es utilizado para explicar fenómenos de reflexividad y autorreflexividad en un sistema matemático, un canon musical y una obra pictórica simultáneamente.

Pisac, es probable que muchas de ellas obedezcan a factores históricos que, una vez ubicados, ratifiquen la validez de los modelos lineales expuestos. Pero desde una perspectiva antropológica y a partir de la evidencia empírica registrada, también es justificado cuestionar si el empleo de un sistema formal de reglas como el que guía estas clasificaciones es suficiente para dar razón de un universo simbólico distinto del nuestro. En otras palabras: ¿resulta pertinente hablar de una estructura? y, en caso afirmativo, ¿cuál es esa información básica que persiste a pesar de las múltiples excepciones?. Desde nuestro punto de vista la respuesta remite a la naturaleza de los cargos, idea que desarrollamos en los siguientes capítulos analizando el papel que desempeñan estas autoridades durante el calendario ritual.

III
El universo simbólico de la autoridad (I). Autoridades étnicas y territorio

Un breve repaso a los estudios sobre el espacio desde una perspectiva socio-cultural nos sitúa frente a la complejidad que encierra el territorio andino. García (1976) alude a la polisemia que encierra el concepto de espacio, susceptible de ser entendido al menos en dos direcciones complementarias: una, la que resulta de añadir a la noción general de "espacio" el determinante "territorial", y otra que implica un tratamiento sociocultural del "espacio territorial", que supone una elaboración significativa por parte del grupo humano que lo habita. Desde esta perspectiva, la importancia en el estudio de la territorialidad radica en que el territorio es el sustrato espacial necesario de toda relación humana y su problemática estriba en que el ser humano nunca accede a éste directamente, sino a través de una elaboración significativa que en ningún caso está determinada por las supuestas condiciones físicas del territorio (*ibíd*: 13).

En el caso concreto de los Andes, las etnografías que se ocupan de ilustrar la relación entre el territorio y el grupo humano que lo ocupa, lo hacen a través del estudio de la cosmología peculiar de ese grupo. En estos trabajos, el territorio es interpretado como *un medio para* enfatizar la identidad grupal en resistencia frente al contexto político dominante: el Estado-nación (Rasnake 1987; Allen 1988; Radcliffe 1990). En otros, es la huella física del pasado del grupo que lo habita y, como tal, un vehículo de transmisión de la memoria histórica sobre los límites territoriales (Urton 1990; Rapapport 1990 y 1994). En ambos casos, el espacio aparece concebido como un *territorio de memoria*, esto es, un texto o una superficie a partir de la cual se puede interpretar la estructura social, política y económica del grupo (Conerton 1989; Hirsch 1995).

La alternativa al espacio como superficie inscrita es aquella que supone el espacio *como proceso* (Turner y Turner 1978; Sallnow 1987;

Küchler 1993), es decir, en tanto que una de las dimensiones culturales activamente implicada en el trabajo de construcción de dicha memoria. Desde esa perspectiva, interpretamos el territorio andino como un conglomerado de significados a la vez ordenados y ordenadores de la cosmología del grupo. Cosgrove expresa esta idea cuando señala que "más allá de los parámetros específicos por los cuales el paisaje es percibido y experimentado, debemos fijarnos en el paisaje en sí mismo [...] en este sentido, connota no tanto el mundo visto, como un modo de ver el mundo [...] una percepción sintética, holística, conformada por la experiencia particular cultural, y las disposiciones individuales del sujeto" (1984: 13).

Son abundantes los estudios que abordan el modo en el que los pobladores andinos experimentan su paisaje habitado por una variedad de seres supra-terrenales, resultado de la superposición de tradiciones diversas profundamente singularizadas en este contexto. Los cerros, los mojones y los santuarios naturales son algunos de los símbolos inscritos en un territorio que tiene el "poder" de decidir sobre el destino o "suerte" de los runas (Bastien 1978; Harris 1982; Allen 1988; Valderrama y Escalante 1988, Pérez Galán 2002). Temerosos del poder que puede ejercer a veces de forma caprichosa, siempre inapelable, entablan una relación de reciprocidad con un territorio cuyos elementos son profundamente antropomorfizados y jerarquizados a imagen del orden profano que observan los seres humanos (Earls 1969; Bastien 1978). Bien mediante especialistas rituales o, en otros casos, los que aquí nos interesan, mediante las autoridades étnicas en tanto que representantes político-religiosos del grupo, no sólo logran contener su fuerza telúrica sino que la ordenan para hacer de ese territorio un "lugar seguro en el que habitar" (Slade 1992).

La relación entre autoridades étnicas y territorio ha sido ampliamente abordada desde diferentes perspectivas (Zuidema 1995; Rostworowski 1983 y 1993; Martínez 1995). A partir de la información contenida en las crónicas, distintos autores coinciden en afirmar que el desplazamiento por el territorio en determinados momentos del calendario ritual habría constituido para los señores étnicos prehispánicos no sólo una estrategia para establecer un gobierno legítimo, sino además un modo de sacralizar el territorio. Desde esa perspectiva, se señala que las autoridades étnicas fueron relevantes durante todo el período colonial no sólo por el papel que ejercían como intermediarios burocráticos frente al gobierno hispano –recaudando tributo y organizando la mano de obra– sino sobre todo por su función en tanto que intermediarios simbólico-religiosos en la construcción de un orden cosmológico, validado y transmitido al resto del grupo. En su estudio sobre los curacas prehispánicos, Martínez Cereceda afirma que la autoridad era un atributo susceptible de ser poseído no sólo por determinados individuos –caso de los curacas– sino también por las divinidades dado que "ambos expresarían en sí la totalidad de las fuerzas actuantes en el cosmos teniendo un contenido fundamentalmente de intermediación, de conservación del orden" (1995: 199). ¿En qué medida las autoridades actuales del *wachu* siguen cumpliendo esas funciones?

El recorte paulatino de competencias administrativas de las autoridades indígenas desde las reformas borbónicas hasta la actualidad, permite entrever más nítidamente su papel como reactualizadores de un complejo mundo simbólico frente a su grupo étnico. La retroalimentación continua entre ambas atribuciones (político-administrativas y simbólico-religiosas) ha permitido a estas personas a lo largo de la historia obtener la legitimidad y el consenso necesario entre la población para garantizar la cohesión frente al sistema político dominante. Sustentar la continuidad de funciones entre los curacas del pasado y las autoridades étnicas actuales desborda los propósitos de este texto, pero no así revisar la relación que aún hoy, como en el pasado, continúa vigente entre las autoridades étnicas y un orden cosmológico a partir de la constatación etnográfica de un uso similar del espacio. En otras palabras, entender la naturaleza de la autoridad que ejercen las autoridades tradicionales en los Andes pasa, entonces como ahora, por analizar el territorio socialmente construido, valga decir culturalmente sacralizado. Para sustentar este argumento en este capítulo nos acercamos a la estructura del *wachu* de la autoridad, esta vez en tanto que principio ordenador, a través de la forma en que las autoridades de estas comunidades interpretan ese territorio, lo construyen y lo ordenan simbólicamente para el grupo en el contexto ritual.

El calendario ritual

Al analizar las actividades rituales que suceden en el transcurso del año, gran parte de las etnografías sobre el mundo andino coinciden en tomar como criterio de referencia los ritmos de trabajo marcados por el ciclo agrícola y las estaciones del año (Isbell 1978; Bastien 1978; Carter y Mamani 1982; Contreras 1985; Valderrama y Escalante 1988; Allen 1988; Watters 1994; Stobart 1995). En la comunidad de Chahuaytiri los runas diferencian nítidamente cuatro tipos de días excepcionales en el transcurso del año:

- *Fiestas*: días en los que se festeja al patrón de la comunidad y algunas otras fechas de relevancia en el calendario litúrgico cristiano.
- *Guarday*: días en los que se observan determinados tabúes respecto al trabajo en la chacra y/o en los que se realizan rituales de fertilidad con los animales.
- *Devoción*: días en los cuales se acude en peregrinación a alguno de los santuarios milagrosos dispersos en distintos lugares de este área.
- *Uso y costumbre*: período de aproximadamente ocho semanas que coincide de modo amplio con las celebraciones de Carnaval.

Esta división del tiempo está ordenada no sólo en relación a las actividades agrícolas que realizan los runas durante el año, sino sobre todo a la experiencia simbólico-religiosa con la que la población concibe el territorio en cada momento y, en esa medida, se trata de una concepción espacio-temporal íntimamente unida a las autoridades del *wachu* y al desempeño cotidiano de sus funciones. Esta clasificación socio-cultural se sustenta, como mínimo, en cuatro criterios de referencia que operan de forma simultánea:

Primero.–El mencionado ritmo estacional y las tareas del ciclo agrícola que se realizan en: "secas" (tiempo de siembra y cosecha) y "lluvias" (tiempo de maduración de los frutos).

Segundo.–El territorio en el que transcurren: el espacio comunal, el pueblo de Pisac, otras comunidades.

Tercero.–Los cargos que desempeñan el papel protagonista en la organización económica y ritual de la fiesta: *wifalas*, alcaldes, veladas, etcétera.

Cuarto.–La naturaleza foránea o autóctona del elemento festejado: santos, animales (de origen autóctono y foráneo), deidades indígenas como la Pacha Mama, las propias autoridades del *wachu* y/o sus símbolos de autoridad, tales como varas, cruces y láminas, entre otros.

A partir de estos criterios, en las siguientes páginas analizamos qué hacen los runas en cada uno de estos cuatro grupos de días excepcionales. Ello nos facilitará una primera aproximación a la forma de experimentar el territorio que tienen los actores y cuál es el papel que ocupan las autoridades tradicionales que, como veremos, se hayan presentes en la mayor parte de estas celebraciones.

Fiestas

> En esta comunidad hay tres fiestas. En febrero no, no hay ninguna fiesta, marzo no, abril tampoco, mayo recién es donde hay la fiesta de la Santísima Cruz Velakuy, en junio no hay, julio después tampoco, en agosto está la fiesta de la Mamacha Asunta y después, hasta el día del Bautizo del Niño en Navidad, ya no hay otra (Don Plácido Illa, *kuraq* de Chahuaytiri, septiembre de 1997).

Aunque la clasificación que procura Don Plácido, revisando mes a mes el calendario, sea reflejo de la lógica lineal implícita en nuestra forma inevitablemente "occidental" de preguntar, más que de su propia forma de ordenar el tiempo, resulta sin embargo útil para identificar algunas características comunes que reúnen estos días.

Fiestas propiamente dichas en la comunidad de Chahuaytiri, sólo hay tres: la Virgen de la Asunción o Mamacha Asunta, que se celebra el 8 de Agosto en virtud de una antigua disposición del hacendado; después llega la Navidad, alrededor del 25 de diciembre y, por último, el Cruz Velakuy o día de la Santa Cruz que es festejado el 3 de mayo. Se trata de días fijos en el santoral católico en los que se celebra una misa en la comunidad con la que se renueva el valor del símbolo cristiano (sea santo, cruz o Niño Dios) y simultáneamente alguno de los atributos que portan las autoridades del *wachu* y que representan su autoridad, caso de las varas de los alcaldes.

Desde la perspectiva de las personas que pasan el cargo en el *wachu*, estos días guardan una serie de características comunes. Ninguna fiesta implica reciprocidad comunal alguna, caso de los copiosos agasajos de comida y bebida a los comuneros (los *haywarikuys* y *tiyarikuys*). Por este motivo, no son consideradas como un cargo en sí mismo sino sólo como parte de las atribuciones de los cargos de alcalde y mayordomo mayor.

Dada la historia de esta comunidad como hacienda colonial durante más de cuatro siglos y la consiguiente autonomía político-administrativa y religiosa que caracterizaba a estas propiedades, el hacendado de Chahuaytiri gozaba del derecho de celebrar los eventos religiosos sin necesidad de desplazarse al templo de la capital del distrito, situación a la que por el contrario estaban obligados los ayllus vecinos. En la actualidad, y a pesar de la liquidación de la hacienda desde mediados de los años setenta, los runas de Chahuaytiri continúan haciendo uso de esa prerrogativa. Este hecho es relevante ya que, salvo excepciones que se presenten, estas tres fiestas son los únicos días del año en que un representante de la Iglesia se desplaza a la comunidad y establece un contacto directo con los runas en su territorio.

Entre las interpretaciones que estos días excepcionales han recibido, destacan aquellas que hacen hincapié en la relación de subordinación frente al poder dominante que expresarían, dado el protagonismo de la misa católica. Desde esta perspectiva, Sallnow (1987) señala que las fiestas serían otra de las estrategias de las que se sirve dicho poder para ordenar jerárquicamente a las comunidades en función del papel que cada una desempeña en la economía política local. Parece indiscutible que la celebración de una misa en el templo católico (sea en la comunidad o en el pueblo de Pisac), símbolo de la dominación foránea ejercida sobre la población indígena durante casi cinco siglos, resulta un elemento significativo necesario, aunque no del todo suficiente. Para acceder a su significado complejo, proponemos trascender las explicaciones de corte materialista como la señalada dado que obvian que una parte muy importante del valor que poseen estos rituales reside en el proceso de resignificación sociocultural que han experimentado durante cinco siglos. Para ello, es necesario fijarse en los rituales que practican los runas durante y después de cualquiera de las misas características de las fiestas. Así, el día de Navidad y a las mismas puertas del templo en el que el sacerdote oficia su sermón por el nacimiento de Dios, los runas realizan una serie de liturgias de inversión en las que, disfrazados de animales y personajes míticos, bailan y beben sin cesar bajo la atenta mirada de las autoridades del *wachu* que sancionan todo el evento (ver, en el capítulo IV, el apartado "La inversión del orden"). Por su parte, la misa del Cruz Velakuy se salda con una procesión en la que las cruces, recién bendecidas por el párroco, son llevadas por el primer capitán y sus *wachu* capitanes seguidos por los alcaldes, segundas y regidores en un paseo procesional cuyo destino son los *muyuys* o tierras comunales. Ese día marca el inicio del tiempo de cosecha en el ciclo agrícola y, como tal, es celebrado con una invitación ritual a trago que realiza el primer capitán. Por último, la misa de la patrona Asunta, tanto la que se celebra en la comunidad (recientemente transformada en una "feria artesanal agropecuaria" que organiza una ONG local) como la que sucede en el pueblo de Pisac (donde también esta fiesta se ha transformado en los últimos años en un evento de carácter turístico), culmina con una procesión alrededor de la plaza en la que las autoridades del *wachu* levantan altares en cada una de las cuatro esquinas evocando la cartografía precolombina de distribución de los cuatro ayllus principales de los que eran originarios (ver el apartado "Los ayllus de Pisac", en el capítulo I).

De modo que para los runas de Chahuaytiri, ni la misa "católica" ni la celebración "pagana" que tiene lugar tras cada una de estas fiestas, constituyen realidades conceptualmente separadas. Como advertiremos en las siguientes páginas, una de las características más relevantes del lenguaje ritual andino, así como de los símbolos que aparecen asociados a las autoridades del *wachu*, es la permanente sensación de ambigüedad que parece expresar. Esa polisemia de significados remite a la mezcla de dos tradiciones, una colonial (resultado institucional de cabildos y cofradías) y otra autóctona (origen de los elementos nucleares del universo simbólico de esta población, caso de los espíritus de los cerros y lagunas, la Pacha Mama, etcétera), ambas resignificadas en el contexto ritual andino como una sola tradición, plural e híbrida.

Desde esta perspectiva, el debate no radicaría en discutir el origen de estas ceremonias (si cristianas o andinas), y, según sea éste, su función como elementos de dominación o por el contrario de reafirmación de la identidad grupal. Como señala Vogt en un estudio clásico sobre rituales en Zinacantán, comunidad de los Altos de Chiapas: "aun cuando la historia ciertamente explica la introducción de muchos elementos en el ritual, no explica lo que estos rituales significan para esta población hoy ni porqué siguen realizándolos como lo hacen [...].

Lo que importa es tratar de entender cuáles son los principios ordenadores que dotan de coherencia actualmente a estos símbolos en relación al contexto ritual en el que cobran su significado para la población" (Vogt 1988: 15). Desde esa perspectiva, sugerimos centrar el análisis de estos y otros días excepcionales en el proceso de resemantización del que son resultado y en el contexto significativo bajo el que asumen la apariencia de "tradición", esto es, en el contexto ritual.

Guarday

> "Los días de *guarday* los *carguyoq* no hacen nada, solamente hacemos curar [a los animales, a la tierra] y por eso estos días no es bueno caminar. Muchos hacen alcanzar a la tierra con un *hampeq* y muchos hacen escoger para sus animales, por eso donde algunos no es bueno llegar, es *guarday*..." (Don Gerardo Pérez, *kuraq* de Chahuaytiri, agosto de 1997).

Se trata de fechas fijas en el santoral católico que los runas relacionan con la fertilidad del ganado y de la tierra. Esos días se cree que las energías telúricas se encuentran en un estado más 'efervescente' que otros. Por ese motivo, como señala Don Gerardo, la gente permanece literalmente 'guardada' en sus casas de medio a un día, tratando de controlar por activa (mediante rituales) o por pasiva (mediante tabúes que prohíben el trabajo en la chacra) dicha energía. Estos días no implican a ningún cargo del *wachu* de la autoridad ya que son las familias las que desarrollan rituales privados en sus casas y corrales que, eventualmente, pueden requerir la participación de algún especialista ritual o *paqo*. En las comunidades andinas existe una variedad de estos especialistas ordenados jerárquicamente entre sí según sus habilidades para curar, hacer predicciones, embrujos, males de ojo o alterar el curso de otros ya en marcha. El conocimiento de estos remedios proviene de un encuentro, generalmente de carácter violento, con la naturaleza[1]. El proceso de aprendizaje necesario para desempeñar esa

---

[1] Don Mariano Guakanqui, *paqo* de la comunidad de Cuyo Grande (Pisac) ya fallecido, nos relató cómo el rayo le "agarró" dos veces en su infancia. En la primera oca-

labor se repite básicamente en el caso de otros especialistas (músicos, bailarines y curanderos en general), cuyas habilidades son puestas al servicio de la comunidad. Dicho esto, es necesario tener en cuenta que la condición de especialista ritual no exime a estos individuos de participar en las obligaciones que cualquier otro runa debe cumplir como individuo social y entre las que destaca pasar los cargos en el *wachu* de la autoridad[2].

Bien uno de estos especialistas o, más usualmente, el propio cabeza de familia, realizará la ofrenda ritual a la tierra o al ganado que corresponda a ese *guarday*, acompañada de una abundante cantidad de bebida y "comida festiva"[3] distribuida entre los presentes. Durante el transcurso de ese día, todos los miembros de las familias comerán, beberán y bailarán hasta caer exhaustos, persiguiendo al menos tres objetivos:

- Purgar o curar a la tierra y al ganado. Para esta limpieza ritual el consumo por parte de todos los participantes (tanto humanos como animales) de trago y coca en grandes cantidades, resulta esencial.
- Propiciar la fertilidad de estos elementos durante el año. Para ello es preciso alimentarlos ritualmente con ofrendas conocidas genéricamente como "mesas"[4].

sión casi le mata, pero cuando recuperó el sentido en el lugar donde yacía encontró un *kintu* o grupo de hojas de coca que, en sueños, le fue rebelando todos los secretos de las *qoras* o plantas medicinales. El segundo rayo, cuatro años después, le restableció y fue acompañado de la aparición de un señor milagroso quien le confirmó que su "suerte", su futuro en la vida, era desempeñarse como *paqo*.

[2] Aunque, como constatamos en el trabajo de campo, en el caso de incumplimiento de alguna de sus obligaciones, el resto de los runas establece una actitud relajada frente a esa persona, quizás temerosos del poder que puede ejercer sobre el mundo sobrenatural.

[3] La clasificación es nuestra. No hay nada identificado por los runas bajo esta categoría. Prácticamente a cada período festivo, y dentro de éste, a cada día, le corresponde un tipo de comida preparada con ingredientes y sazonada con colorantes diversos: comida amarilla (*qello mihui*) o roja (*puka mihui*). La única característica común a todas ellas es que para su preparación se utilizan ingredientes y cantidades diferentes a las que se consumen habitualmente: comida abundante, bastante salada y rica en grasas y proteínas.

[4] Gerardo Fernández ha estudiado el contenido y el significado del lenguaje simbólico que aparece condensado en las "mesas rituales" en el altiplano boliviano (Fernández 1997).

- Garantizar la continuidad del pacto de reciprocidad con los espíritus de la naturaleza agradeciéndoles por el cuidado que les dispensan cada año.

Los runas de estas comunidades clasifican los días de *guarday* en dos tipos: por una parte los dedicados a los animales o *uywakuna p'unchay*, literalmente "días de los animales", y aquellos otros dedicados a la Pacha Mama en los que no se realiza ningún tipo de actividad agrícola. Los primeros se concentran básicamente en tiempo de cosecha y es posible distinguir a su vez, según el origen foráneo o autóctono de los animales que se festejan, diferentes tipos de rituales y asociaciones con el territorio. Así, vacas, ovejas y caballos se celebran los días concretos del santoral cristiano a quienes, según los runas, "pertenecen" estos animales: las vacas "son" de San Marcos (25 de abril), las ovejas de San Juan (24 de junio) y los caballos del Apóstol Santiago (25 de julio). En el caso de los animales autóctonos, llamas y alpacas fundamentalmente, su asociación es múltiple: pertenecen tanto al espíritu de una de las montañas de la geografía religiosa de este área, los *apus*" o *ruwales* (dependiendo de su rango), como a los señores milagrosos cristianos que comparten morada en estos cerros (ver el apartado siguiente).

En la comunidad de Chahuaytiri los *guarday* dedicados a la limpieza ritual del ganado autóctono son concretamente el primero de agosto y el Jueves de Comadres, días consagrados a las llamas y a las alpacas respectivamente. Esos días, cada familia prepara su *hampeq* o remedio hecho a base de trago y diferentes hierbas colocadas en botellas que los animales deberán ingerir en un ritual que abarca todo el día conocido genéricamente como *ch'uyay*[5]:

> Esos días hacemos curar [a los animales] para cargar y [para] que no pierdan fuerza les haces tomar alcohol, en botellas toman, muchas de las

---

[5] Este ritual para el ganado incluye *grosso modo* dos partes: el *aqllanku* o selección y preparado del atado ritual en la casa, y el *ch'uyay* nombre genérico que recibe la limpieza y cura rituales de los animales. A su vez, esta última consta de tres partes: casamiento simbólico de una pareja de animales a los que se les hace ingerir alcohol; señalamiento de orejas y pintado del cuerpo de las bestias y, por último, el festejo posterior de todos las personas que han participado con trago, vino, chicha, coca, comida rica en grasas, música y baile.

> llamas toman hasta dos botellas y media. Primero les hacemos tomar el *hampeq* [preparado] y después les hacemos *t'ikachakuy* [señalamiento] a sus orejas, y bonito les pasamos con *taku* [pigmento]. Después a su *ruwal* [espíritu protector de los cerros] le haces *t'inka* [asperjamiento ritual] donde comen [los animales]. A esos lugares llamamos *ruwales*, siempre a todos soplas, a tus tierras, a todos los cerros, para que [el ganado] camine bien" (Don Gerardo Pérez, *kuraq* de Chahuaytiri, agosto de 1997).

Por su parte, los *guarday* en los que la Pacha Mama debe descansar se concentran básicamente en el tiempo de maduración de las semillas o *poqoy* (de noviembre a enero) y son tres: Navidad (25 de diciembre), Inocentes (28 de diciembre) y Epifanía (6 de enero). El punto de articulación entre los *guarday* de la tierra y los de los animales es el primero de agosto, posiblemente uno de los más efervescentes en términos rituales de todo el año en estas comunidades. Por esa razón, ese día los runas se esmeran en alimentar a la tierra con ofrendas de gusto exquisito que depositan cuidadosamente en los caminos y que van desde sencillas *t'inkas* hasta "despachos" de gran complejidad. Al permanecer guardados en sus casas y corrales, los runas evitan interferir en el curso de estas ofrendas:

> Ese día ni los animales pueden encontrarse con otros animales, sólo tus animales tienen que comer aparte y eso es solamente hasta las doce del día. Esa noche la mayoría de las personas han hecho alcanzar [ofrendas]. En los caminos también hay y puedes encontrarte con lo que han hecho curar [el atado ritual] y es el primero de agosto cuando hacen ese cambio de suerte. En el camino ponen en una manta bien bonita, algo caliente, y es por eso que en este primero de agosto casi no camina la gente (Don Gerardo Pérez, agosto de 1997).

Como se desprende de las interpretaciones de los narradores de Chahuaytiri acerca de los *guarday*, ninguno de los rituales que se realizan implica un desplazamiento del grupo más allá de los límites cercanos a la casa y, por tanto, tampoco implica ningún servicio a la comunidad traducido en la participación de las autoridades del *wachu* en tanto que sus representantes.

Excede los objetivos de este libro analizar el simbolismo ritual que expresan los rituales que se realizan en torno a la tierra y al ganado, aunque conviene señalar que todos ellos responden a una concepción de un orden cosmológico cuya gramática es idéntica a la que aparece en los rituales de autoridad de los que nos ocupamos en las siguientes páginas. Se trata de un solo lenguaje ritual resultado de una cosmología holística que incluye como parte de la misma realidad: animales, elementos de la naturaleza y a los propios runas, pues todos ellos están sometidos al mismo destino.

Muy ligado al valor sagrado de la naturaleza y de los seres que la habitan (animales, runas, plantas, *apus*, *ruwales*, etcétera), se encuentra el siguiente grupo de días excepcionales: los días de devoción. A diferencia de los anteriores, su significado está íntimamente vinculado a los desplazamientos del grupo por la geografía sagrada de esta comunidad.

Devoción

> No, esa peregrinación no es una fiesta, eso es el fundador, el que lleva la lámina. A Qoyllurit'i llevábamos *ch'uncho*; todavía lo llevamos al Señor de Occoruro en septiembre [...]; antes también llevábamos la lámina al Señor de Aqcha. Ahora parece que se ha perdido hace tiempo (Don Plácido Illa, *kuraq* de Chahuaytiri,julio de 1997).

Estas fechas son el resultado de la combinación de días fijos y móviles en el calendario litúrgico cristiano en los que se celebran peregrinaciones a distintos santuarios, coincidiendo con el período de las siembras tempranas (agosto-septiembre). Como señala Don Plácido, a estas peregrinaciones se lleva la "lámina", un pequeño estandarte de unos 40 ó 50 centímetros con la imagen de la Virgen patrona. Este icono es acompañado por alguna de las danzas del folclore andino que se practiquen en la comunidad. En Chahuaytiri se trata de la danza de "*khapaq ch'uncho* compuesta por 4 a 5 parejas de jóvenes que representan a los habitantes selváticos del Antisuyo, región limítrofe con esta comunidad.

Estos santuarios están ubicados en parajes naturales considerados morada de los espíritus de la montaña, los poderosos *apus*. La mitogénesis de estos lugares presenta una secuencia similar a la de cualquier lugar de peregrinación cristiana: tiempo atrás un señor milagroso se aparece ante una persona, generalmente de condición humilde, a la que saca de algún apuro relacionado con su situación; en agradecimiento por el favor concedido, esta persona construye una capilla a la que comienzan a acudir cientos de fieles buscando milagros o cambios de suerte. Don Gerardo, relata así la historia de la aparición del milagroso Señor de Occoruro, uno de los más populares de la geografía local:

> Dice que ese Señor se le ha aparecido a un ovejero que pastaba y él es quien tenía la llave de la iglesia y a él se le llamaba *kimichu*. Y dice que había un niño que estaba jugando en el lugar donde pastaban las ovejas y se había ido atrás, entonces se preguntó: "¿Qué es lo que hace ese niño?"; y cuando fue a ver al lugar entre las piedras, reluciendo ahí, apareció la imagen; cuando se fijo bien, vio que no era hombre: ¡se estaba convirtiendo en el Taytacha!; y a otras personas que estaban pastando ahí los había llamado y entre ellos, uno, había ido a avisar al pueblo y todos habían ido a ver lo que había diciendo: "¡vamos a ver al Taytacha!" Entonces con música y danzantes de *ch'uncho* han ido, y bien bonito desde ese lugar lo han traído a Occoruro. Desde ahí se empezó a hacer su capilla al Señor, pero en vez de [dejar] al Señor arriba [en el lugar en el que lo encontraron] han dejado una cruz bien grande que hicieron parar ahí (octubre de 1997).

Por su estatus mayor y a diferencia de los espíritus protectores de los cerros locales (*awkis* y *ruwales*) y de los animales autóctonos que pastan en sus faldas, los *apus* demandan un tratamiento especial que incluye la mencionada procesión de los días de devoción. Entre los *apus* más importantes de este área se encuentran: el Señor de Qoyllurit'i en las faldas del pico Ausangate, al que se acude en peregrinación en Corpus Christi; el Señor de Huanca en la comunidad vecina del mismo nombre (distrito de San Salvador), asociado al Pachatusan, al que se acude en peregrinación el 14 de septiembre; y el Señor de Occoruro en la comunidad del mismo nombre (San Salvador), también conocido como "Justo Juez", cuya celebración coincide con la anterior (14 de septiembre).

Estos días no implican un cargo obligatorio sino voluntario. Un *carguyoq*, que en este caso recibe el nombre de "fundador", será el encargado como prueba de su devoción de llevar en procesión una lámina o pequeño estandarte con la imagen de la patrona y atender los gastos de los integrantes de la danza y de sus acompañantes (músicos, parientes, etcétera). Este cortejo de acompañantes se completa con el fundador del año anterior y los *kuraq* que lo deseen. Por su parte, los alcaldes (y sus séquitos de segundas y regidores) se encargarán de despedir al conjunto de caminantes en la comunidad y de recibirlos a su regreso. En algunos casos, si el santuario no está lejos del lugar de partida, las autoridades de vara acudirán el día central.

El recorrido procesional, que a veces puede durar varios días, implica un movimiento centrífugo que parte desde el territorio comunal (generalmente la casa del fundador) hacia el espacio extra-local. En estos desplazamientos aparecen conjugados simultáneamente los intereses del individuo que recorre el territorio y se hace cargo de los gastos por devoción, por un lado, y, por otro, los de la comunidad, patentes en la presencia de las autoridades del *wachu* tanto a la salida como a la llegada del santuario. Esto es, una persona que a título individual construye simbólicamente el territorio para la comunidad paseando los iconos que la representan bajo la atenta presencia de sus autoridades.

En 1997, de los santuarios mencionados, sólo hubo fundador para el último de ellos, el del Señor de Occoruro o Justo Juez, cuyo culto ejemplifica de forma paradigmática no sólo la concepción de los runas sobre el papel que desempeñan las autoridades del *wachu* como intermediarios entre el mundo sagrado y el profano, sino también la hibridación de las liturgias cristiana y andina. ¿Por qué llaman Justo Juez a este señor milagroso?

> Eso es porque él [el Señor] agarra la vara del alcalde, y él es que tiene vara y por eso le dicen Justo Juez, y él es con castigo, y es por eso que se lleva [la danza de] *ch'uncho* al santuario [...]. Es que nuestro Señor es así, y con esa danza es que se ha formado: ¿cómo habrán sido esas cosas? (Don Esteban Guamán, octubre de 1997).

Como se desprende de la cita, para los runas de Chahuaytiri que acuden a este santuario, el Cristo representado en la roca es un *ch'uncho*, es decir, un nativo de la selva. Pero no es un nativo cualquiera como denotan los atributos que porta: una vara coronada con un penacho de plumas de aves selváticas de vivos colores y, sobre su cabeza, una corona terminada en puntas, en lugar de la habitual orla de espinas. Todos ellos son símbolos que evocan aquellos distintivos de las autoridades étnicas del pasado. Las conexiones entre las autoridades étnicas prehispánicas y este señor milagroso no terminan ahí.

Un poco más arriba de la capilla donde se encontró originariamente la imagen hallamos un *inkawasi,* esto es, los vestigios de una morada de los antepasados incas. En la actualidad, estos son los lugares preferidos por los runas para enterrar a sus muertos en improvisados cementerios. Los danzarines que se congregan en este santuario, como representantes de más de una veintena de comunidades procedentes de un radio de unos trescientos kilómetros a la redonda, acuden primero a este lugar donde se ha colocado una gran cruz a la que deben velar y, al pie de la cual, realizan distintas ofrendas.

Uso y costumbre

Según esta clasificación, el último grupo de días excepcionales corresponde a los de "uso y costumbre". Esta formula compuesta es empleada por los runas para referirse a los rituales que se practican en estas comunidades desde fin de año hasta el inicio de la Cuaresma, que corresponden de modo amplio a las celebraciones de Carnaval. Durante este tiempo, al igual que otros días excepcionales, encontramos a las autoridades del *wachu* caminando incesantemente el territorio pero, esta vez, con la participación activa de toda la comunidad. No son días fijos en el calendario, puesto que no surgen de la obligación de rendir homenaje a ningún santo en concreto. En Carnaval, a diferencia de otros períodos festivos, el objeto de celebración lo constituyen las propias autoridades encargadas de pasar los cargos y renovar el orden de la comunidad (Allen 1988). Ésa es probablemente la razón por la cual durante estas semanas la vinculación de las autoridades del *wachu* con el territorio sea más evidente que en ningún otro momento del año.

Aunque todos los rituales que se representan durante aproximadamente las ocho semanas que dura el Carnaval en estas comunidades constituyen una sola y coherente secuencia de renovación de las autoridades y del valor sagrado del territorio, de la que nos ocupamos en el siguiente capítulo, para facilitar la comprensión de lo que sucede hemos dividido esta secuencia en dos períodos, cada uno marcado por una diferente concepción del territorio en relación al papel que desempeñan las autoridades que se desplazan por él: Mosoq Wata Carnaval o Carnaval del Año Nuevo y Carnaval propiamente dicho.

El primero corresponde a las ceremonias de renovación de las autoridades del *wachu* que transcurren desde la fiesta de Navidad hasta la primera faena comunal. Los rituales más destacados de estos días son:

- *Liturgias de inversión* que suceden en el pueblo de Pisac el día de Navidad, último día de cargo para las autoridades de vara.
- *Juramentación* de los nuevos cargos el último día del año, celebración que comienza en Pisac y termina de tres a cuatro días después en la comunidad.
- *Ratificación* de las autoridades en la comunidad, durante la primera faena que tiene lugar la segunda o tercera semana de enero.

Durante esas celebraciones, las personas que ejercen un cargo de autoridad en la jerarquía cívico-religiosa o *wachu* destruyen simbólicamente el orden social y cosmológico en el que se sustenta la comunidad reduciéndolo a la burla y a la mofa el día de Navidad, para reconstruirlo las semanas posteriores durante el Carnaval propiamente dicho. El significado de estos días para los runas es el de una transición. Por ello, la secuencia de rituales de Mosoq Wata, como otros de interregno, es idéntica a la señalada para los "ritos de paso" por distintos autores (Gennep 1986; Turner y Turner 1978; Turner 1988 y 1990):

- Separación del orden establecido, que tiene lugar los últimos días del año cuando las autoridades en funciones culminan su cargo.
- Suspensión temporal del orden, durante los cinco días que transcurren desde Navidad (último día de cargos para las autoridades) hasta Año Nuevo, tiempo marcado por la ambigüedad, la confusión y la inversión de papeles.
- Reintegración y ratificación de las nuevas autoridades de vara durante la primera faena comunal.

El segundo período señalado, el Carnaval propiamente dicho, se extiende desde el día de San Sebastián (20 de enero) hasta el Miércoles de Ceniza, inicio de la Cuaresma cristiana[6]. Durante este tiempo, los

---

[6] El esquema clásico que seguían los carnavales en Castilla hasta los años cincuenta es similar al observado en esta región andina: "Quincuajésima" o "Jueves de Com-

nuevos cargos serán quienes procedan a la reactualización simbólica del microcosmos comunal caminando el territorio. Los rituales más importantes de estos días son:

- *Domingo-paseo*, que sucede durante los tres a cuatro domingos que median entre San Sebastián (20 de enero) y la semana de Carnaval. Desde que se pone el sol, los *wifala* capitanes acompañados por algunas mujeres jóvenes de la comunidad recorrerán cada una de las casas de las autoridades recién nombradas. En su honor, beberán y bailarán hasta el día siguiente.
- *Jueves de Compadres*, ese día las autoridades celebran un *tiyarikui* o invitación a comida y a trago al resto de los comuneros.
- *Jueves de Comadres*, día en el que se recorren los linderos de la comunidad. Este recorrido culmina en un *tupay* o batalla ritual en la que se enfrentan varias comunidades (Pérez Galán 2001).
- *Domingo, lunes, martes y miércoles de Carnaval*, en los que se suceden nuevos *tiyarikuis* que las autoridades de estas comunidades ofrecen en el patio de sus respectivas casas.

El lenguaje simbólico de Carnaval

A pesar de los matices de significado que implican los distintos rituales que suceden durante este período, conviene tener en cuenta que todos ellos expresan algunos aspectos recurrentes.

En primer lugar, destaca una permanente e insistente preocupación por el orden de ubicación de las autoridades y el sentido de la dirección en la que circulan. Todas las actividades que suceden estos días (el desplazamiento por los circuitos rituales, la distribución y el intercambio de bebida y comida durante los múltiples *tiyarikuis* que suceden o en el trabajo de las parcelas comunales de tierra) se realizarán "en *wachu*", es decir, en una sola fila ordenada de acuerdo al esta-

padres"; "Jueves de Comadres" o "Jueves Gordo"; "domingo", "lunes" y "martes" de carnaval, "Miércoles de Ceniza" y "Domingo de Piñata". En estos días se celebraban las luchas rituales de mozos en los límites del pueblo y las cuestaciones de dinero y alimentos de casa en casa que, posteriormente, eran consumidas colectivamente (Caro Baroja 1979: 235-238).

tus alcanzado por cada runa mediante el servicio del sistema de cargos que recibe el mismo nombre.

En segundo lugar, resulta notoria la preocupación que manifiestan los runas durante estos días por el fortalecimiento y la reproducción del territorio comunal, tanto en su cartografía física (linderos que son recorridos) como simbólica (renovación del valor de su geografía sagrada constituida por una jerarquía de elementos naturales entre los que destacan *apus, awkis, ruwales, qochas,* etcétera).

Un tercer elemento común del lenguaje que expresan estos rituales es el que se refiere a la complementariedad entre masculino-femenino como principio estructurante y estructurado de renovación del territorio (Platt 1976; Harris 1978). Esta dualidad se condensa en la categoría *yanantin* que está presente en todas y cada una de las ofrendas que los runas realizan durante esos días.

En cuarto lugar, destaca el ritmo violento que comparten estas celebraciones, que las asemeja a representaciones culturales en el sentido de *performances*, es decir, representaciones cuyo objetivo es escenificar un determinado contenido (dramático, estético o ritual) y no solamente alcanzar un fin utilitario en términos de productivos, reproductivos o de intercambio (Rasnake 1987: 157). Los runas de estas comunidades se refieren al lenguaje ritual de estas representaciones como *puqllay* ("jugar"), concepto que designa en sentido amplio el tipo de interacción o encuentro que caracteriza estos días[7] (Orlove 1994). Este encuentro puede ser simultáneamente de carácter violento y peligroso (batallas rituales entre comunidades vecinas), amoroso (promiscuidad sexual, flirteos), y/o lúdico-festivo (juegos, danzas). Como en el caso de cualquier otro lenguaje simbólico, el "juego" es el medio elegido para transmitir y compartir el conocimiento de las prácticas sociales de estas comunidades. Jugando de este modo, los runas transitan de un estatus a otro, jugando comienzan a conocer a sus parejas, aprenden a bailar y a tocar instrumentos, y también jugando renuevan comunalmente los pactos y alianzas con otros ayllus vecinos y reactualizan los límites de su territorio. En definitiva, ese peculiar juego es el lenguaje ritual utilizado por los runas para reconstruir, año tras año, el orden que estructura su visión del mundo.

---

[7] Reifler se refiere a este tipo de lenguaje característico de los carnavales como "humor ritual" (1986).

Un último punto destacable respecto al lenguaje ritual que sustenta el sentido de estas celebraciones se refiere a la polisemia que expresan todos los símbolos a los que aparecen continuamente asociados las autoridades tradicionales. Para analizar el *wachu* de la autoridad en el espacio ritual es necesario llamar la atención sobre algunas de las referencias simbólicas a determinados objetos (flores, velas, cruces, santos y varas, principalmente) y formas de tradición oral, y ubicarlos en el conjunto de creencias y valores que practica esta población.

Siguiendo el esquema propuesto por Turner en el estudio del simbolismo, proponemos diferenciar dos tipos de símbolos que aparecen asociados en los rituales analizados: por un lado los símbolos "dominantes" o de "condensación", que expresarían de una manera sintética el orden social de dicho grupo y, por otro, los símbolos de "referencia", aquellos explícitamente utilizados para propiciar el fin perseguido (Turner 1990: 22)[8]. Ejemplos de símbolos referenciales asociados a las autoridades del *wachu* son las series de rezos o alabados, las flores y las velas que aparecen recurrentemente en sus rituales. Pero también todos aquellos "lenguajes" como la comida, la música y el trago que propician la atmósfera necesaria para lograr transmitir el "respeto". En el contexto ritual, el respeto es la fórmula empleada por los runas para referirse al tratamiento concreto que precisan los símbolos dominantes para obtener su valor sagrado, caso de varas, cruces y santos. Dicho tratamiento, de acuerdo a los usos y costumbres de la población autóctona, incluye: una *t'inka* o asperjamiento ritual, el recitado de varias estrofas de alabados o rezos en los que se mezclan elementos de la liturgia cristiana y la indígena, ofrendas florales y prendimiento de velas.

La ambigüedad simbólica presente en todos ellos es la expresión con la que diferentes autores hacen hincapié en la doble condición que reúnen: por un lado, en tanto que remiten a las instituciones foráneas coloniales que los originaron (los cabildos y cofradías medievales) y,

---

[8] En su estudio sobre el ritual ndembu, Turner señala que las propiedades de los símbolos de condensación son tres: la síntesis (muchas cosas y acciones representadas bajo una única forma), la unificación de significados dispares (referente incluidos dentro de la gama de sentidos del símbolo pueden pertenecer a diversos campos semánticos), y la polarización de los sentidos (que suelen agruparse en dos polos, uno sensorial y otro normativo o ideológico) (1990: 29-31).

por otro, como elementos nucleares del universo simbólico de la población autóctona (Rasnake 1987; Vogt 1988 y 1992). Cruces aparecen tanto dentro del contexto que consideraríamos "apropiado" de la liturgia cristiana (en el interior de las capillas de la comunidad o asociados a los altares de los santuarios sagrados), como también y con una asombrosa frecuencia "fuera de contexto", generalmente asociados al territorio y, por ende, a las autoridades del *wachu*. Como veremos, cruces son colocadas por los *wachu* capitanes en los mojones que separan el territorio comunal de los vecinos (ver el apartado "Día de Comadres: mojones y batallas"), cruces que actúan como guardianes de los hogares familiares son renovadas por el alcalde en la puerta de cada casa (ver el apartado "La juramentación"), cruces son llevadas a las chacras al comienzo de la siembra para propiciar su fertilidad, y cruces son grabadas en las varas de mando y también penden del cuello de todos los cargos del *wachu* de la autoridad. Algo similar sucede con las varas. Su asociación continua con otros símbolos de la liturgia cristiana como el Santísimo Sacramento, la figura de santos y, sobre todo, la cruz, es patente a poco que repasemos lo señalado sobre el calendario ritual.

La condición polisémica que parece caracterizar a estos símbolos no sólo se expresa en la acción ritual, sino también verbalmente. A la pregunta: "Y para ti, ¿qué cosa es esa vara?", obtuvimos una serie de respuestas que ponían de manifiesto su valor como símbolo sagrado para la población: "la vara es autoridad", "la vara es respeto", "la vara es el Taytacha"; "ahora que soy evangélico ya no creo en las varas"; "la vara es el *hatun* maestro"; "a la vara le prendemos velas y le hacemos celebrar misa"; "es la cruz donde murió Dios"; "es el Justo Juez y por eso sólo el alcalde la puede agarrar". La vara es pues el símbolo clave sobre el que reposa la complejidad de sentido que sustenta a estas autoridades, y su significado está intrínsecamente ligado al de los otros símbolos procedentes de la liturgia cristiana, especialmente la cruz: "las cruces son varas" y, al mismo tiempo, "la vara es el Taytacha". En algunos casos, la analogía entre cruces, varas y santos es formalmente explícita en el hecho de que todos han sido fabricados con el mismo material, la madera de chonta.

En estas comunidades tres son los cargos del *wachu* que portan bastones de mando: el regidor, el segunda y el alcalde o *varayoq* (el poseedor de la vara). Pero, como señalamos en la descripción de los cargos, no todas ellas son consideradas propiamente varas por la población. Alcaldes y regidores llevan unas varas muy similares, originariamente confeccionadas con madera de chonta muy pulida, con cruces grabadas y con la cabeza y la punta de plata. La vara del alcalde es larga y gruesa y suele estar decorada con pequeños anillos y cadenas que penden de la empuñadura a la que se amarra el "peruanito", una cinta estrecha con los colores de la bandera peruana. Por su parte, las varas de los regidores son algo más sencillas y bastante más pequeñas, de acuerdo al tamaño de los chicos que desempeñan este cargo y que no suele sobrepasar los 12 o 13 años. Mientras que el segunda lleva un *kur-kur* o bastón de carrizo sin ninguna decoración, excepto algunas cruces que el propio dueño puede practicarle con un punzón. Esta sencillez formal es distintiva de la naturaleza del cargo que desempeña como acólito del alcalde[9] (ver en el capítulo II, el apartado "Los cargos").

Los procedimientos rituales que exige la vara del alcalde también son especiales. Sólo puede ser portada por él mismo o su segunda y siempre en la mano derecha. Cuando no está en las manos de ninguna de estas autoridades es porque está "descansando" ritualmente, tendida en horizontal, bien sobre una mesa que ha recibido el correspondiente tratamiento ritual o respeto, o bien en la pared de la casa orientada hacia la puerta. En el transcurso de nuestro trabajo de campo no hemos visto a ninguna de las contrapartes femeninas de los alcaldes (las inca alcaldesas) llevando la vara de su compañero, aunque tampoco nunca nadie nos habló de una prohibición explícita al respecto. Entre las atribuciones que desempeñan las mujeres que pasan el cargo no figura el tratamiento ritual de estos símbolos.

Hasta comienzos de los noventa las varas de los alcaldes de las comunidades de Pisac pertenecían a individuos que las transmitían de generación en generación, previa negociación ritual, a la que ocasio-

---

[9] Existen otras personas que llevan un tipo de bastón para caminar parecido al *kur kur* del segunda pero no se trata de ningún cargo, son los pastores. En estas comunidades esa labor es desempeñada generalmente por mujeres y, ocasionalmente, por niñas. Se trata de simples cañas sin ningún valor sagrado. Sin embargo es importante notar que buena parte de las metáforas e imágenes asociadas al alcalde como "pastor de las personas" (runa *michiq*), "el que arrea a la gente" (runa *katiq*), proceden de ese contexto cotidiano y, simultáneamente, de la iconografía cristiana en la que se representa a Cristo "como pastor de ovejas".

nalmente se suma un pago adicional en dinero o ganado[10]. Para mejorar la imagen turística del distrito, en 1989 el Fondo de Promoción Turística (FOPTUR) encarga la fabricación de varias varas de mando que imitan a las auténticas y las distribuyen entre los alcaldes de las comunidades.

> La gente que trabajamos en el sector turismo veíamos que los domingos los alcaldes bajaban al pueblo e, inclusive, en algunos programas se especifica que quienes van a Pisac los domingos tienen la posibilidad de observar a los alcaldes de las comunidades campesinas que asisten a la misa, sobre todo portando su vara de mando que inclusive se convirtió en un símbolo de Pisac. Entonces éste era un atractivo de mucha fuerza, la presencia del *varayoq*, la misa en quechua. Pero me informaron que los alcaldes bajaban de las comunidades con unas varas en muy mal estado, y consultando con ellos me explicaron que cada alcalde tenía que conseguir su propia vara [...]. Es por eso que tomé la decisión yo de mandar a confeccionar las varas acá en Cusco, con un artesano; claro, como estábamos limitados por la economía, las hicimos de madera de chonta y todos los anillos de plata de baja calidad pero que tuviera un aspecto de durabilidad, y que en buena cuenta siguiera la tradición, y en una reunión con los alcaldes les hicimos entrega de las varas para que todos tuvieran una igual... (A. Velarde, ex-director de la Oficina de FOPTUR de Cuzco, agosto, 1997).

Esta inesperada forma de obtener la vara, a través de las instituciones turísticas que como representantes de los intereses del Estado peruano se interesan por las autoridades indígenas tradicionales como forma de atracción para el turismo, no interfiere sin embargo en el proceso de resemantización ritual que los runas le dedican. Del mismo modo que en el caso de los rituales que se celebran los días de fiesta compuestos por dos ceremonias complementarias (una cristiana de carácter público y otra indígena de carácter privado), todos los símbolos de autoridad adquieren su valor dentro y fuera del templo cristiano simultáneamente, y en ese diálogo es donde es preciso ubicar su significado. Se trata de una relación recíproca, una negociación permanente entre los elementos foráneos y lo autóctonos cuya distinción es cada

---

[10] Algunos investigadores han observado en otras áreas, tanto en Mesoamérica como en los Andes, que los bastones de mando poseen además nombres y títulos (Vogt 1992; Valderrama y Escalante 1988; Rasnake 1987).

vez menos nítida, confirmando la naturaleza híbrida de la identidad cultural andina. Sin esa transacción simbólica, la vara "se enojaría" y podría castigar a los runas directamente (haciéndoles enfermar), o bien indirectamente (malogrando sus animales y sus cultivos):

> Es que la vara es con castigo. Antes había una vara, y mi suegra no creía en ella y había dicho: "¿Qué cosa es ese palo de color rojizo oscuro?" y lo había botado y entonces, como la vara tiene su castigo, entonces su pie se había roto. En Santísima Cruz hicieron la visita a las residencias. Ese día los alcaldes van a visitar todos las casas a fijarse en la cruz, visitando a todos los Taytachas y esa fecha la vara castigó a mi suegra, porque la vara es agarrada por el Señor, por eso se le dice Justo Juez, como todo está en sus manos. El Alcalde es quien tiene y lleva la vara y con eso hace su cargo. Y así hace y por eso le respetan, le tienen respeto y temor (Don Esteban Guamán, octubre de 1997).

La vara exige el mismo "respeto" o conjunto de procedimientos rituales que los restantes símbolos dominantes (descansos, *t'inkas* y alabanzas). Este tratamiento es realizado los días señalados como "fiestas", caracterizados por la celebración de una misa fuera de los límites del espacio comunal. En el transcurso del año se realizan dos misas dedicadas a la vara: el Domingo de Ramos, bien en el templo de Pisac o en el santuario del Señor de Huanca, y el Domingo de Pascua, en Pisac. Estas misas, que según la liturgia cristiana remiten al propio ciclo de renovación del cuerpo de Cristo (simbolizado en la ostia de la Custodia Sagrada que se encuentra en el templo de Pisac),, también son las ocasiones en las que la vara adquiere su valor como símbolo de autoridad trascendente.

El relato etnográfico de las acciones que se desarrollan en el ritual de renovación de la vara correspondiente al Domingo de Ramos, contrastado con los comentarios que los runas revelan al respecto, añaden otros elementos de análisis sobre el universo simbólico de la autoridad en estas comunidades.

La renovación de las varas

El Viernes Santo, los alcaldes tradicionales acuden a la procesión del Santo Sepulcro en la que los vecinos del pueblo pasearán durante la noche la representación del cuerpo inerte de Cristo por las calles principales. Ataviados con ponchos y monteras, pero sin sus varas, acompañan al cortejo fúnebre. Dos días después, el Domingo de Resurrección, comienza, comunidad por comunidad, el turno de renovación de este símbolo. Las analogías conceptuales con el cuerpo de Cristo resucitado parecen evidentes. Del mismo modo que Cristo sin resurrección sería un simple profeta, los alcaldes sin la renovación de la vara no serían más que simples runas y su alcaldía no tendría ningún valor. Así lo señalan los *kuraq* en las entrevistas:

> Si no hacemos nuestra renovación nos decimos *qoro*-varas [varas rotas]. Mi hermano no ha hecho su renovación y ya le están molestando, entonces este año va a hacer, para que la gente no le mire mal. A los que no hacen la renovación no les respetamos y se sientan atrás y no pueden entrar a la fila [*wachu*] donde nos sentamos los *kuraq* (Don Plácido Illa, enero de 1996).

La renovación es un complejo ritual en el que aparecen reunidos todos los símbolos asociados al contexto ritual de la autoridad mencionados: alabados, flores, velas, cruces y la propia vara cuyo valor se renueva. Aunque todos los alcaldes de las comunidades de este distrito deben participar en las renovaciones de sus homónimos, el Domingo de Pascua comienza el de la comunidad de Amphay, el alcalde que domina al resto según el orden intercomunitario establecido en el siglo XIX (ver, en el capítulo I, "El *wachu* entre comunidades y la población contribuyente"). La ceremonia consta de dos partes. Una misa en honor al *Qollanan Amos Tayta* o Custodia Sagrada a la que le sigue, como es común en todas las fiestas, la renovación propiamente dicha, que sucede en la casa de algún vecino del pueblo convertido a la sazón en *wasiyoq* o casero de los alcaldes tradicionales.

En la iglesia, y antes de que comience el oficio, el segunda del alcalde que celebra su renovación se encargará de distribuir a sus homónimos de las otras comunidades y también a los respectivos cargo-pasados pétalos de flores y velas alrededor de las cuales han sido amarradas plantas de arrayán conocidas como *ayllurakis*. Al término del sermón da comienzo un pequeño paseo ritual en el que el párroco portará la Custodia Sagrada desde el altar mayor hasta la puerta del templo. Los alcaldes de todas las comunidades portando la vara en la mano derecha y el *aylluraki* en la izquierda, y sus respectivos segundas y regidores se distribuyen en dos apretadas filas formando un pasillo por el que circula la ostia sagrada que lleva bajo palio el sacerdote. Al paso del palio, los Regidores, alineados a la izquierda, soplan sus *pututus* o conchas marinas. Por su parte, el alcalde que renueva su vara y dos mujeres –su madre y su esposa– se sitúan junto a la Custodia, a la cabeza del improvisado recorrido. Las mujeres van esparciendo pétalos sobre el suelo que, en breve, queda cubierto por una alfombra floral por la que discurre el cortejo hasta la puerta del templo:

> En Pisac hacemos celebrar una misa al Qollanan, conseguimos flores y derramando con estas flores traemos al Qollanan hasta la puerta del templo, así lo ponemos en su *wachu* (Don Gerardo Pérez, *kuraq* de Chahuaytiri, mayo, 1996).

A pesar de la escueta descripción de las acciones que suceden en este circuito ritual, se puede observar que no sólo se trata de la legitimación de un poder terreno como se percibe en el significado del espacio simbólico creado entre el altar mayor y la puerta de la iglesia. En ese espacio, los alcaldes acompañan a la imagen sagrada desde el altar cristiano –que simboliza el ritual católico y el poder dominante representado en el templo– hasta la puerta del mismo –espacio liminar que los vincula con el territorio de sus comunidades y con la geografía sagrada donde residen sus *apus*–, para retornar al mismo lugar portando los símbolos de autoridad con los que sancionan ese orden cristiano reapropiado para sí.

La segunda parte del ritual, que sucede sólo entre los alcaldes y sus séquitos, transcurre en el patio de la casa del *wasiyoq* del alcalde que renueva en esa ocasión, generalmente un pariente espiritual. En ese espacio se distribuyen todas las autoridades de vara de las comunidades formando un semicírculo y en el centro se sitúa el regidor mayor de la comunidad renovante descalzo y de rodillas. Todos los alcaldes, por turno de acuerdo al *wachu* entre comunidades, dan tres vueltas *pañaman* (hacia la derecha) antes de entregarle su vara. Abrazando todas ellas y sin alzarse del suelo, el regidor reza los alabados, la serie de estrofas o rezos transmitidos mediante tradición oral en las que se mezclan elementos de la liturgia cristiana y de la naturaleza (Pérez Galán 2002). Tras lo cual y del mismo modo que las entregaron (dando tres vueltas hacia la derecha) cada alcalde recupera su vara de los bra-

Wachu de los alcaldes en el templo de Pisac.

Ritual de renovación de vara.

zos del regidor. A esta ceremonia le sigue un *tiyarikuy* brindado por el alcalde a todos los presentes.

Sacralizando el territorio

Si recapitulamos lo señalado sobre la clasificación de los días excepcionales en esta comunidad, que combina los criterios de participación en el *wachu* de la autoridad, el momento del ciclo agrícola en que suceden y el movimiento que implican, observaremos que es posible trazar una correspondencia entre el contenido de las actividades rituales y la experiencia que los runas de Chahuaytiri tienen de su medio natural.

El año comienza para los runas en términos agrícolas con las primeras siembras en el mes de agosto, actividad que se prolonga en esta comunidad hasta el mes de octubre, tiempo de secas. Es el momento en el que la tierra está preparada para recibir la semilla. En términos rituales, ésos son los meses en los que se concentran los *días de devoción*, esto es, las peregrinaciones a santuarios naturales con señores milagrosos (santuarios de Aqcha, Occoruro y Huanca). Además, es el tiempo en el que se hacen las limpiezas y los pagos rituales a la tierra (despachos) y a los animales autóctonos (*chúyay*) para garantizar su fertilidad durante el resto del año, actos que corresponde a los *días de guarday*. De lo que se deduce que durante estos meses, la relación de reciprocidad con la naturaleza se establece prioritariamente a nivel individual y familiar, y su valor sagrado es simbólicamente renovado mediante ofrendas, pagos y procesiones que los runas le dedican.

El siguiente período corresponde a la época de maduración de las semillas cuando se realizan los aporques, actividad que transcurre desde noviembre hasta marzo aproximadamente en el tiempo de lluvias. Como veremos en el siguiente capítulo, durante esos meses la comunidad realiza la renovación de las personas que desempeñan un cargo y, posteriormente, del valor sagrado de la naturaleza. Quizá, por esta razón, apenas se evocan los santos o sus imágenes. En términos rituales, este período se divide en dos tiempos: por un lado, los últimos días del año y primeros del siguiente (desde Navidad hasta Epifanía), que suelen coincidir con lluvias intensas y, por otro, los días que identificamos como Carnaval, tiempo de los primeros frutos. En

FIGURA 22
Calendario ritual de Chahuaytiri

ACTIVIDADES AGRÍCOLAS	USO Y COSTUMBRE (CARNAVAL)	DEVOCIÓN	FIESTAS	*GUARDAY* ANIMALES	*GUARDAY* TIERRA
AGOSTO-OCTUBRE (SIEMBRA) –SECAS–		* Señor de Aqcha * Señor de Occoruro * Señor de Huanca	* Virgen Asunta	* *ch'uyay* de llamas * Santiago (caballos)	despachos
NOVIEMBRE-MARZO (APORQUE) –LLUVIAS–	* Inocentes * Juramentación * Paseos dominicales * Compadres * Comadres * Semana de Carnaval		* Navidad		* Navidad * Inocentes * Epifanía
MAYO-JUNIO (COSECHA) –SECAS–		* Señor de Qoyllurit'i	* Cruz Velakuy	* San Marcos (vacas) * San Juan (Ch'uyay alpacas)	

el primer caso nos hallamos en una situación de "interregno", la que precede a la renovación de los cargos del *wachu*. Se trata de los cinco a seis días en los que los cargos salientes concluyen sus obligaciones pero aún no han sido reemplazados por otros nuevos. Por lo tanto, la comunidad no tiene autoridades del *wachu* o, lo que es igual, se queda sin intermediarios simbólicos frente a las fuerzas telúricas. Por este motivo, en ese breve lapso se concentran los tres días de *guarday* de la tierra (Navidad, Santos Inocentes y Epifanía). Po su parte, y una vez renovadas las personas en sus cargos, comienza el tiempo de Carnaval (mes de febrero), marcado por las ceremonias de renovación comunal del territorio que comienzan con la maduración de los primeros frutos. Todos los rituales que se practican durante ese tiempo implican incensantes desplazamientos de las autoridades del *wachu* quienes, como representantes de la comunidad, son los encargados de consagrar el territorio para ésta. Una vez consagrado y consensuado comunalmente el valor del territorio, se restablecen ritualmente las relaciones con él a título individual y familiar.

Con el tiempo de cosecha, que transcurre aproximadamente entre finales de mayo y comienzos del mes de julio, culmina este ciclo. Este último período es posiblemente el que más trabajo demanda de todo el año para las familias campesinas. El territorio está ordenado (significado) comunal e individualmente, lo que se traduce en términos rituales en la calma relativa de estos meses. Tan sólo se celebran algunos de los *guarday* de animales de origen europeo (las vacas en San Marcos y las ovejas en San Juan), y al final del mes se acude en peregrinación hasta el santuario de Qoyllurit'i. Ese momento enlaza con el ciclo de peregrinaciones a los santuarios por un lado, y, por otro, con los *guarday* en los que se realizan las ofrendas familiares a la tierra y a los animales de los meses de agosto/septiembre, con los que comienza de nuevo el calendario ritual de la comunidad de Chahuaytiri.

IV
El universo simbólico de la autoridad (II). El Carnaval

> El carnaval es un *uso*, es caminar juntos, eso era desde antes y no podemos perder, y vamos a llevarlo igual, y si no hiciéramos esas costumbres el nombre de Chahuaytiri desaparecería (Don Pío Pérez, octubre de 1997).

Aunque el origen de los Carnavales es incierto y parece remontarse según diferentes autores hasta las Saturnales romanas (Caro Baroja 1979; Gutiérrez 1989; Heers 1988), su significado etimológico –"carnal"– remite de forma más precisa al calendario litúrgico cristiano: "es común a cantidad de religiones establecer una especie de orden pasional a lo largo del año, con días de alegría y júbilo, días de placer y tristeza e, incluso, días en los que la expresión colectiva de envidias y enemistades es posible. La religión cristiana ha permitido en el calendario, que el transcurso del año, se ajuste a un orden pasional [...]. A la alegría de Navidad le sucede el desenfreno del Carnaval, y a éste, la tristeza obligada de la Semana Santa, tras la repreión de la Cuaresma..." (Caro 1979: 19). Si, como señala el autor, el lenguaje que caracteriza a los Carnavales (el juego, el ritmo violento de las actividades, la subversión del orden, el intercambio de papeles sociales, y el consumo de grandes cantidades de alcohol y platos ricos en grasas y proteínas animales) es un reflejo de un orden pasional cristiano, no es menos relevante tener en cuenta el significado de estos meses según la concepción cíclica precolombina del tiempo (Fioravanti 1985; Harris y Bouysse-Cassagne 1988; Urton 1990; Zuidema 1986 y 1992).

En la mitología quechua, la subversión del orden espacio-temporal se expresa en la expresión *pachakuti*. En sentido literal, *pacha* alude a la tierra, al mundo y al tiempo de este mundo; mientras que *kuti* se refiere a una inversión, a la acción de darse la vuelta (Harris 1986; Harris y Bouysse-Cassagne, 1988). Como nos recuerdan algunos cronistas

(Garcilaso de la Vega y Guamán Poma de Ayala, entre otros) en el solsticio de diciembre, que sucede pocos días antes de la fiesta cristiana de la Navidad, se celebraba en tiempos de los incas una de las ceremonias más importantes del calendario ritual: el Capac Raymi-Camay Quilla. Este tiempo era considerado como un período de renovación de los elementos o *pachakuti*, inversión cósmica del sol y la luna que esos días sufren las modificaciones más violentas de todo el año: el sol alcanza su cenit, tras lo cual ambos, sol y luna, comienzan a menguar (Zuidema 1992). En ese contexto de renovación de los elementos cósmicos, los curacas ayunaban y hacían penitencia para procurar la continuación cíclica del tiempo. En su descripción del calendario incaico, Guamán Poma señala: "El primer mes de enero: Capac Raymi Camay Quilla [...] este mes hacían sacrificios y ayunos y penitencias y tomaban ceniza y se ponían ellos y en sus puertos los echaban, hasta hoy lo hacen los indios; y hacían procesiones, estaciones de los templos del sol y de la luna, y de sus Dios..." (1993: 177).

El Carnaval, tal y como se celebra hoy en la comunidad de Chahuaytiri, es una síntesis que recoge ambos sentidos (el litúrgico cristiano y el precolombino), para conseguir la renovación del orden espacio-temporal de la comunidad. Así, en tanto que tiempo festivo, el Carnaval actuaría como mediador entre dos clases de temporalidad en un doble sentido: por un lado entre el tiempo de la naturaleza y el tiempo de la cultura, lo que proporciona a los runas el contexto adecuado para salir fuera de sus papeles sociales cotidianos, reflexionar sobre ellos y negociar con las circunstancias del contexto (Leach 1976) y, por otro, entre el pasado mítico, visible en las constantes alusiones a los muertos y a seres pre-sociales que suben a la superficie durante esos días,y el tiempo presente (Rappaport 1994). En Chahuaytiri éste es el tiempo en el que todos los runas se aúnan en el esfuerzo colectivo por renovar y reactualizar simbólicamente un orden o *wachu* de las cosas y de las personas y su relación con el pasado[1].

Como se ilustra en las siguientes páginas, el *wachu* está en la base de todas las acciones rituales que se escenifican en estas semanas. Pero

---

[1] Diferentes ejemplos etnográficos referidos tanto al área mesoamericana (Gossen 1987; Reifler 1989) como al área andina (Rasnake 1987; Harris 1982; Stobart,1995) y otros que provienen de España (Caro 1979) coinciden en señalar la exaltación de lo comunal como característica distintiva de estos días.

además, en tanto que principio ordenador, el *wachu* no sólo expresa metáforas de jerarquía y relaciones sociales inscritas en el territorio, también es un modelo para que los actores actúen sobre una realidad en continua transformación (Bourdieu 1991; Geertz 1992). Desde esa perspectiva, el sentido de las acciones rituales que suceden en Carnavales será interpretado como una estrategia de producción y reproducción del *wachu* en tanto que principio cosmológico ordenador. Comenzamos el análisis de la secuencia de rituales que suceden en Carnaval por el principio de cualquier orden cosmológico, el caos. Una inversión episódica del tiempo y del espacio o *pachakuti*, ritualmente expresado en el desfile de *wailakas* y *machulas* que sucede el día de Navidad, inicio del Carnaval de año nuevo para estos runas.

Rituales de renovación de las autoridades de vara

La inversión del orden: *wailakas* y *machulas*

La escena...

> Hoy es Navidad. Las campanas de la iglesia han comenzado a tañer antes de lo habitual señalando lo excepcional del día. Apenas el Señor Genaro, el campanero de Pisac, ha dado por concluida su labor, han comenzado a escucharse nítidamente los sonidos sordos de las *q'epas* anunciando la llegada de las autoridades de las comunidades que descendían cerro abajo. Primero han llegado los alcaldes de vara de la comunidad Ccotataqui: abriendo el cortejo cuatro pequeños regidores, tras ellos el segunda, el alcalde y, cerrando la fila, el mayordomo y varios *kuraq* [...]. Poco a poco han ido apareciendo los *wachus* de las demás comunidades. Todos acompañados por la música de estruendosas bandas de guerra a las que se sumaban las *q'epas*. En pocos minutos la atmósfera solemne y grave de la festividad cristiana ha ido desvaneciéndose ante la explosión de color, música y la algarabía incesante que provocaban los runas [...]. A ese aire festivo contribuyen hoy de manera notoria la tropa de personajes disfrazados de *machulas* y *wailakas* que han llegado junto a las autoridades de vara [...]. Los primeros, en su condición de "viejos", visten ropas antiguas y desaliñadas: ponchos rústicos color nogal, pantalones raídos de bayeta negra y ojotas.

> Como atributos de su identidad, estos *machulas* cubren su cara con una máscara peluda confeccionada con el cuero de un chivo, en una mano agitan un chicote (látigo pequeño) y en la otra sujetan una vara de madera de *chachakomo* de sinuosas formas. Alrededor de su cuello, pende un collar ensartado con pequeñas manzanas verdes y una cruz de madera. Otro grupo de varones representan a las *wailakas*, mujeres jóvenes, casaderas, aún inexpertas en sus deberes como esposas. Visten pollera, chalina, *lliqlla*, ojotas, una *puska* en una mano y una huahua de juguete a la espalda. Tanto unos como otros están visiblemente borrachos [...]. El comportamiento de los *machulas* provoca la mofa de todos los espectadores y, en especial, la incomodidad y el nerviosismo entre las mujeres que estamos observando la parodia. Gesticulando exageradamente, señalan su sexo y simulan posturas obscenas con la vara cerca de las *wailakas*. Éstas fingen alejarse recatadamente pero sin parar de bailar, gritar y corretear alrededor de los viejos (....). Después de un rato en la plaza, algunos *machulas* se han acercado a la iglesia donde ya había comenzado la misa. Han entrado, han mirado, han sido vistos, algunos se han santiguado y han vuelto a salir a la plaza donde han continuado tomando, bailando y escenificando su papel al son de las bandas de guerra [...]. Como es habitual, en el interior del templo las autoridades de vara de todas las comunidades escuchan el sermón sentados ordenadamente en las bancas situadas a la derecha del altar mayor, mientras que las autoridades municipales y los demás vecinos ocupan las restantes. Tanto unos como otros han permanecido en sus lugares sin inmutarse ante las continuas interrupciones de los *machulas* en el templo, voceando [...]. Para los *varayoq* de las comunidades, esta misa de Navidad significa el fin de sus obligaciones en el *wachu* de la autoridad (Diario de campo, Pisac, 25 de diciembre, 1995).

El desfile y la misa con la que los runas de las comunidades de Pisac celebran la fiesta de Navidad es el anticipo de los rituales de Mosoq Wata Carnaval o Carnaval de Año Nuevo. Se trata de una liturgia de inversión con la que comienza una secuencia de renovación simbólica del orden espacio-temporal que incluye a personas, animales, elementos naturales y el territorio que todos ellos habitan.

Como se desprende del relato etnográfico, el día de júbilo por el nacimiento del Niño Jesús según la liturgia cristiana, es festejado por los runas como el fin de las obligaciones de algunos de los cargos del *wachu* de ese año: alcaldes, regidores, segundas y mayordomos. Concretamente para estos últimos y sus respectivas contrapartes femeninas significa adquirir el estatus de *kuraq* o persona de respeto por haber finalizado los cargos del *wachu*.

Por su carácter liminar, este período de fin de año resulta propicio para escenificar, negándola, la estructura social y política antigua, el *ordo rerum* maussiano (Mauss 1971) que es necesario reactualizar. Desde esa perspectiva, este desfile es la escenificación ritual del desorden representado por *wailakas* y *machulas* a las mismas puertas del templo católico. Una transgresión altamente codificada, como se infiere del comportamiento de los vecinos del pueblo en el templo, impasibles frente a las continuas interrupciones de los *machulas* ebrios. Orden y desorden aparecen en este ritual como dos facetas de la realidad social intrínsecamente ligadas y conceptualmente inseparables. Una se apoya y se legitima en la mera posibilidad de la existencia de la otra (Balandier 1988 y 1994).

Tal y como sucede en el caso de los otros días considerados "fiestas" por los runas de estas comunidades, la Navidad adquiere su significado completo tanto en la representación que tiene lugar simultáneamente dentro y fuera del templo, como durante y después de la misma. Así, una vez concluido el sermón y la consiguiente visita a la casa de las autoridades mestizas (párroco, gobernador y alcalde del municipio, respectivamente), los *varayoq* se unirán a las comparsas de *wailakas* y *machulas* para bailar, comer y beber juntos. El lugar elegido suele ser la casa de algún vecino de Pisac, pariente ritual del mayordomo o del alcalde, convertido a la sazón en su *wasiyoq*.

El lenguaje que utilizan para expresarse estos personajes, el *puqllay* mencionado, caracterizado por la ambigüedad de papeles, la mofa, la burla, el exceso y la dramatización, aparece condensado en esta peculiar comparsa navideña en la parodia que escenifican sobre la vejez y sus achaques, la animalización o el disfrazarse de mujer, temas recurrentes también en otras latitudes (Caro 1965; Reifler 1986; Vogt 1988; Gutiérrez 1989).

Por su parte, *wailakas* y *machulas* son recreados por hombres jóvenes que fingen ser mujeres recién casadas e inexpertas que juguetean con sus parejas en el primer caso, mientras que en el segundo, representan a viejos que actúan como jóvenes con actitudes sexuales que, a priori, podríamos considerar como socialmente "desviadas". Incesto, sodomía y una sexualidad desbocada son algunos de los comportamientos de los que las *wailakas* resultan sus cómplices. El sentido de la inversión de papeles no acaba sin embargo en los comportamientos individuales, como se deduce de los atributos y la indumentaria que caracteriza a los *machulas*, la figura más interesante y compleja de este binomio. La identidad de estos personajes está invertida en un doble sentido: por un lado son jóvenes cuya indumentaria descuidada es pretendidamente la de un viejo y, por otro, no son humanos, como se infiere de la máscara de chivo con la que cubren su rostro. En ese estado de salvajismo es necesario ubicar los comportamientos supuestamente "desviados" de estos personajes. Ni la sodomía ni el incesto ni tampoco la promiscuidad que los *machulas* sugieren con la vara que agitan en su mano y cuyo simbolismo fálico parece evidente, son propias de ningún joven runa de estas comunidades entre quienes no provoca la hilaridad (a diferencia de los vecinos del pueblo y de otros observadores foráneos). El comportamiento sexual animalesco y la indumentaria que exhiben son indicativos del abandono transitorio del mundo humano en el que es preciso ubicar el significado de estos seres pre-sociales o, dicho de otro modo, pre-*wachu*. En distintos relatos, estos seres denominados genéricamente "*machus*", aparecen como los antepasados pre-humanos que vivieron en una época mítica en la que reinaba la oscuridad y la behetría[2]. Al igual que los propios runas, los *machus* también tienen sus casas que se ubican en antiguos emplazamientos prehispánicos generalmente de carácter religioso. Eventualmente, en alguno de ellos puede aparecer un señor milagroso cristiano al que se peregrina durante los días de devoción (ver, en el capítulo III, el apartado "calendario ritual").

La identidad de estos seres míticos resulta ser ambivalente. Por un lado, se cree que son los causantes de las enfermedades provocadas en un encuentro en el que seducen a sus víctimas, mientras que por otro, se les señala como poseedores de una energía renovadora[3]. Contamos

---

[2] Garcilaso de la Vega y Cieza de León, entre otros cronistas, se refieren a la mitogénesis de los incas como héroes civilizadores-solares señalando una primera edad en la que la tierra estaría poblada por "gentiles" o *machus*, seres salvajes que evocan también la tradición latina de las behetrías.

[3] Casaverde ha recogido en la comunidad vecina de Cuyo Grande media docena de tipos diferentes de *machus* que se distinguen entre sí según el efecto más o menos

con multitud de relatos etnográficos recogidos por toda la sierra sur que se refieren a estos personajes como los primeros habitantes de la tierra que adoraban a un *anta inti* o sol de cobre (Morote 1988). La estructura significativa de estos relatos suele ser común: a) seres salvajes que llegan a acumular tanto poder que Dios decide destruirlos mandando un diluvio de fuego; b) sabedores de lo que va a ocurrir, destruyen sus objetos para que no puedan ser aprovechados por otros y construyen las *machu wasi*, pequeñas casas de piedra y barro donde se encierran, mientras que otros optan por penetrar en los manantiales de agua; c) tras el diluvio, cuando cesa el fuego, quedan momificados, mientras que el dios Sol (Inti) crea a la diosa Luna (Quilla) y a los demás astros, plantas y animales, y, por último, a los runas.

Si regresamos de nuevo al baile que sucede a las puertas del templo de Pisac con los *machulas* danzando alrededor del Niño Jesús, la figura parece cobrar en este punto toda su complejidad. En cuanto que antepasados míticos de los incas (medio humanos medio animales, entre el mundo de la naturaleza y el de la cultura) portan varas de mando, pero no ejercen autoridad con ellas. Al contrario, siembran el desorden en una naturaleza aún no domesticada, no significada colectivamente por los alcaldes de vara, quienes contemplan y sancionan con su presencia todo el evento. El simbolismo de los personajes que participan en este desfile evoca la imagen invertida y esperpéntica del orden que expresan por antonomasia los alcaldes y los *kuraq* presentes. La indumentaria y el comportamiento de estos *machulas* –en tanto que seres pre sociales– resulta sintomático de ello: como los alcaldes, los *machulas* llevan poncho, pero no se trata de un tejido fino ni tampoco bordado; al igual que aquéllos, portan una cruz en sus cuellos distintiva de su cargo, pero en este caso ensartada entre minúsculas manzanas; también llevan vara, aunque una retorcida fabricada con madera de *chachakomo* (especie nativa) en lugar de la elegante y pulida madera de chonta con la que se confeccionan los símbolos sagrados (ya sean santos, cruces o varas) a los que las autoridades del *wachu* son continuamente asociados.

---

maligno que pueden llegar a causar en las personas. Entre los masculinos están el *soq'a machu*, el *ñawpa machu* y el *machula*, mientras que entre los femeninos se encuentran el *soq'a paya*, *ñawpa paya* y *awlay paya* o *awki* femenino (1970). En Potosí (Bolivia) estos *machus* reciben el nombre de "gentiles" (Harris 1982).

De este modo, cuando al término de la misa los *varayoq* confraternizan con "sus esperpentos", con los que beben y comen ritualmente en Pisac, en la casa del *wasiyoq* seleccionado para la ocasión, sancionan la liquidación de un tiempo social caracterizado por un orden que expira ese mismo día en el que culminan sus cargos y dan paso al siguiente. En otras palabras, mediante su presencia y su activa participación en este desfile los *varayoq* incorporan transitoriamente el desorden que reafirma la necesidad de un orden que, como señala Bourdieu: "es el que está en la base de las acciones rituales que persiguen hacer lícitas, negándolas, las transgresiones necesarias e inevitables de los límites" (1991: 338). De lo que podemos inferir que el desfile de Navidad que sucede en Pisac es la escenificación de un *pachakuti*, una vuelta atrás en el tiempo, al mundo de lo salvaje y a un pasado mítico, una inversión espacio-temporal característica de los períodos de renovación como éste en los que las estructuras sociales se desvanecen transitoriamente para regresar a una naturaleza aún no domesticada (Turner y Turner 1978: 249).

La incertidumbre y la ambigüedad que caracteriza el tránsito de un orden a otro se extiende durante los cinco días que siguen hasta los rituales de juramentación de las nuevas autoridades, el primero de enero. Esta situación excepcional es señalada por los tabúes que se observan estos días respecto al trabajo en la tierra y de los animales (Navidad y Todos Santos, respectivamente). El mensaje parece claro: no existiendo intermediarios simbólicos del grupo –*varayoq* en funciones– que se encarguen de domesticar ritualmente los poderes telúricos, no es propicio entablar ningún tipo de relación con la naturaleza (Douglas 1973). Tanto la actividad ritual como las prácticas agrícolas se reducirán a su mínima expresión. Sólo en las casas de los que recibirán el cargo comienzan los preparativos para acudir al pueblo de Pisac.

La juramentación

Los rituales de Mosoq Wata Carnaval se reanudan con las ceremonias de juramentación de los nuevos cargos de vara en Pisac, tras el período de cinco días de suspensión simbólica del orden que sigue a los rituales de inversión de la Navidad. La renovación de cargos se prolonga por espacio de cuatro días y se desarrolla en otros tantos espacios. El itinerario es el siguiente:

- *Comunidad,* desde donde salen las autoridades que serán nombradas (el último día de Diciembre y primero de Enero).
- *Pueblo de Pisac,* donde reciben su nombramiento de manos del gobernador (mañana del primero de enero).
- *Territorio intercomunal,* por el que atraviesan las autoridades de regreso hacia la comunidad (tarde del primero de enero hasta el día siguiente en la mañana).
- *Comunidad,* a la que regresan (tarde del dos de enero y todo el día siguiente).

Los cargos renovados el primer día de enero son todos aquellos que portan el bastón de mando como atributo de su autoridad[4]: alcaldes (uno por cada sector de la comunidad), segundas (uno por cada alcalde) y regidores (entre dos a cuatro por cada alcalde). Todos ellos son acompañados por sus contrapartes femeninas en el cargo, ya sean esposas, madres o hermanas. A esta renovación acuden además los dos candidatos a alcalde del siguiente año o *mosoq* alcaldes y todos los *kuraq* de la comunidad. En el camino de regreso, este séquito se completa con los músicos de una o dos bandas de guerra y con un ejército de *wifalas* (unas 24 personas) que, disfrazados de pájaros salvajes de la puna, serán los encargados de escoltar en su viaje de regreso al territorio comunal a los nuevos alcaldes. El grueso de los datos etnográficos utilizados corresponde a la juramentación de los alcaldes de la comunidad de Chahuaytiri en 1996.

---

[4] Es importante subrayar que durante estos días lo que se renuevan son los cargos de vara, es decir, de las personas en sus papeles y no de las varas como símbolos de autoridad. La renovación de las varas tiene lugar desde el Domingo de Pascua, coincidiendo con la resurrección del cuerpo de Cristo en el calendario litúrgico cristiano y el tiempo de siembra (ver, en el capítulo III, el apartado "La renovación de las varas"). Por esa razón, en los rituales de renovación de cargos que se relatan en este apartado, las varas interesan en relación a quién/es se encargan de darle el tratamiento ritual preciso y, según esto, en qué consiste ese tratamiento (quién recibe, quién la lleva, cómo, etcétera), ya que éste es sintomático del estatus y la legitimidad que adquieren las autoridades frente al resto de la comunidad.

Los preparativos en la comunidad

El último día del año comienzan los preparativos de los cargos de vara que juramentarán al día siguiente en el pueblo de Pisac[5]. Ese día, los alcaldes y sus respectivos segundas y regidores se afanan por tener a punto lo necesario para el evento. Sin duda, el papel más importante le corresponde al segunda encargado de recoger la vara de la casa del alcalde saliente y llevarla a la casa del entrante. De hecho, durante los cuatro días que dura la renovación de los *varayoq*, el segunda será el único cargo que porte la vara del alcalde:

> Mi segunda es quien va a recibir la vara de la casa donde nosotros nos hemos suplicado y lo trae a la mía para que la vea. Pero los alcaldes se van al pueblo sin nada, se van solitos, solamente con su poncho y a pie, y después es que ya regresan encima de un caballo de silla, con su montera puesta, y el segunda va trayendo al Taytacha así [extiende los brazos]..." (Don Esteban Guamán, *kuraq* de Chahuaytiri, enero de 1996).

El procedimiento ritual que el segunda observa para conseguir la vara en la casa del alcalde saliente, similar al de cualquier otra ocasión en que la sujete en sus manos, implica tres acciones: a) *t'inka* o asperjamiento ritual a las cuatro esquinas y al centro de la mesa donde esté colocada; b) recitar los alabados; c) el *samay* o descanso de la vara en la casa del nuevo alcalde.

Mientras la vara "descansa" en la casa del futuro alcalde, éste ya se da a conocer entre la población como exige la costumbre, esto es, bajo el lenguaje de la reciprocidad en el que se sustenta el sistema de cargos: mediante una invitación de comida y bebida, para lo que contará con el apoyo económico y la asistencia de sus regidores y su segunda. Además de estos cargos, los *kuraq* y los alcaldes saliente y entrante del siguiente año (*mauka* y *mosoq* respectivamente) contribuirán a esa invitación cada uno con su *yanantin* de trago.

---

[5] Los preparativos de los alcaldes para comprometer a los que serán sus asistentes en el cargo (regidores y segunda, respectivamente), comienzan desde meses antes, concretamente el día de San Juan. Sin embargo, el compromiso no quedará sellado hasta que el alcalde, aún no reconocido formalmente, lleve y comparta con las familias de éstos su "cariño" que incluye los *yanantin* botella y una *unkuña* de coca.

En la mañana temprano, el alcalde, su esposa y algunos parientes de la pareja, aguardarán en su casa la llegada de los regidores y del segunda. Una vez allí este último recogerá, según el procedimiento ritual señalado, la vara del alcalde para adornarla ritualmente con flores silvestres y con el "peruanito". Ya están preparados para bajar al pueblo. Cada uno ocupando el lugar que le corresponde según el cargo que desempeña de hecho desde el agasajo comunal del día anterior[6].

La ceremonia de la juramentación en Pisac consta de dos partes: una religiosa que incluye una misa con bendición en el templo y la subsiguiente arenga del párroco en la casa cural, y la otra civil que tiene lugar en la oficina del gobernador donde los cargos juran fidelidad y respeto a su cargo según una fórmula de costumbre. Retomamos el relato etnográfico para ilustrar como transcurre la segunda.

La juramentación del cargo y el regreso a la comunidad

> Por lo angosto de la oficina del gobernador, los alcaldes han ingresado por turnos. Los acompañantes y las parejas femeninas de los cargos han esperado afuera. Don Pío, el alcalde del sector de Uyucati de la comunidad de Chahuaytiri con el que hemos acudido a recibir el cargo, se ha arrodillado frente a la vara que agarra el gobernador y que minutos antes le ha sido entregada por el segunda: despojado de su montera y sus ojotas ha rezado los tres primeros alabados y ha jurado fidelidad a su cargo según la fórmula de costumbre. El gobernador le ha entregado la vara y Don Pío la ha besado tres veces. La misma operación se repitió con todos los demás alcaldes de las restantes comunidades y después con sus respectivos segundas y regidores [...]. Con las varas en sus manos, los alcaldes recién nombrados se han santiguado, han abrazado al gobernador, le han dado las gracias y, una vez en la calle y sin mediar palabra, les han devuelto las varas a sus respectivos segundas [...]. Poco antes de caer la tarde emprendimos el camino de regreso. La primera

[6] Esto es, de menor a mayor autoridad, lo que arroja el siguiente orden: encabezando la fila los acompañantes, tras de ellos los regidores con sus *q'epas* y sus varas pequeñas de chonta, el segunda con su *kur-kur* –bastón de caña– y la vara del alcalde bellamente decorada y, cerrando la fila, el alcalde con las manos vacías.

> parada fue en la comunidad vecina de Cuyo Grande, donde un nuevo *wasiyoq* ha recibido a todo el cortejo para pernoctar. La noche transcurrió repitiendo los mismos rituales tanto para hacer descansar a la vara como en la distribución y el consumo ritual de comida y trago. A la mañana siguiente reanudamos el camino. Unos cientos de metros más arriba, en la frontera entre las comunidades de Cuyo Grande y Chahuaytiri, se produjo el encuentro entre los nuevos *varayoq* y el ejército de *wifalas* encargados de escoltarlos hasta el centro simbólico de la comunidad: la casa-hacienda (Diario de campo, 1 de enero de 1996).

Como se desprende del extracto del diario, una de las tareas de los *wifalas* consiste en recoger a las autoridades de vara a su regreso de la juramentación en la oficina del gobernador de Pisac. El lugar de encuentro elegido es el espacio simbólico de frontera que separa esta comunidad del mundo exterior para introducirles, por primera vez desde que ostentan el estatus formal de autoridades del *wachu*, en el territorio comunal. Como señalamos, los *wifalas* son runas que representan a los señores étnicos del pasado ataviados con las plumas y las alas con las que se vestían los curacas para guerrear y participar en los rituales de investidura del cargo. Como tales, su función es la de actuar como nexo simbólico entre la naturaleza sacralizada –a la que encarnan como *wallatas* o pájaros de la puna– y el mundo social que simbolizan los *varayoq*, quienes sólo han recibido el reconocimiento formal de las autoridades foráneas de Pisac. En ese contexto significativo proponemos ubicar el sentido de este cargo, el más breve de todo el *wachu* y estrictamente asociado al tiempo del Carnaval. Un breve repaso a las acciones rituales que suceden en el espacio que media entre la frontera de las dos comunidades y la casa-hacienda, proporciona el escenario adecuado para ratificar algunas de estas hipótesis. Habla Miguel Ccoyo, *wifala* capitán y músico de la comunidad de Chahuaytiri:

> Yo alcancé al alcalde en el sector de Tentaraq'ay, en Cuyo Grande, y desde ahí nos lo hemos traído [a Chahuaytiri]; cuando llegamos, bien bonito abrazándole le hacemos caminar y le derramamos flores y nos damos nuestros parabienes con el alcalde levantando el nombre de todos los *taytas* y santos. Con eso hacemos el respeto y entonces recibimos nues-

> tro derecho que es el *yanantin*. En cada *samanapata* (lugar de descanso) del alcalde recibimos, del segunda también recibimos una botella y del regidor mayor su media botella. Después de eso llevamos al alcalde a su casa, descansando, descansando [...]. Primero descansamos en Tentaraq'ay, después encima de la escuela y después en la hacienda. Ahí llegamos a la capilla y hacemos el alabado y también descansamos. Después lo llevamos a su casa y comemos el *chiri*-merienda y lo que dicen *uchu*. Al día siguiente regresamos e igualito hay un *tiyarikuy*, así que comemos, tomamos, bailamos y ahí termina todo (Don Miguel Illa, febrero de 1996).

Como se aprecia en este extracto de entrevista una de las metáforas más recurrentes respecto a la tarea que desempeñan los *wifalas*, siempre referida a las autoridades de vara, consiste en "hacerlos caminar bien" o "ver si caminan bien". La metáfora del camino es la misma que utilizan los runas para referirse a una de las tareas principales de los *varayoq* respecto a la población: son los encargados de "hacer caminar" a los runas y de ahí que se refieran a ellos como *qateq* (el que arrea) o el runa *michiq* (el pastor de seres humanos). Sin embargo, en esta oportunidad en la que los alcaldes ingresan por primera vez en el territorio comunal, son los *wifalas* los que ejercen ese papel de conductores o guías: ellos son los que hacen caminar a las autoridades de vara introduciéndolos física y simbólicamente en la comunidad. De otro modo, el cargo recibido en Pisac de manos del gobernador no tendría ningún valor.

Indaguemos acerca de la forma en la que los *wifalas* hacen caminar a los *varayoq* el territorio que media entre el mundo de afuera y el centro simbólico de la comunidad. La respuesta obtenida fue invariable: "descansando, descansando". Efectivamente, en el itinerario de dos kilómetros escasos que se extiende entre el límite con la comunidad vecina (donde nos alcanzaron los *wifalas*) y la casa-hacienda (nuestro destino final) se hicieron tres descansos. Si lo comparamos con el trayecto mucho más largo (unos 10 kilómetros) recorrido el día anterior (en la subida desde el pueblo de Pisac hasta la casa del *wasiyoq* en la comunidad de Cuyo Grande) en el que no hubo ningún descanso, nos percataremos del significado simbólico que estas paradas tienen. Nos detendremos a analizar brevemente lo que sucede en ellas.

A los saludos y parabienes que suceden en el primer momento del encuentro entre *wifalas* y *varayoq*, continúa la distribución de trago que comenzó el día anterior en el pueblo. Pero, a diferencia de los agasajos anteriores, en cada uno de los *samanapata* o lugares de descanso que tiene este recorrido, todos los componentes del *wachu* así como los *kuraq* distribuirán y recibirán su *yanantin* de trago por estricto orden según el cargo que desempeñen en el *wachu*[7]. Como señala Don Miguel Illa: "Con eso hacemos el respeto", uno de los argumentos centrales que ilustra la naturaleza de la autoridad que desempeñan estos cargos (ver, en el capítulo III, "El lenguaje simbólico de Carnaval").

La ingestión de grandes cantidades de alcohol es uno de los elementos fundamentales del lenguaje ritual que se practica en los Andes y, como tal, es sintomático de la relación de reciprocidad que establecen los runas entre sí y con los elementos sagrados de la naturaleza. Si preguntamos las razones por las cuales beben durante una faena en las chacras comunales, las respuestas son del tipo: "...tomamos para tener fuerza", o bien "el trago nos da fuerza en el trabajo": trabajo-consumo de alcohol-fuerza, son los conceptos que aparecen relacionados en estas afirmaciones. Sin embargo, en un contexto estrictamente festivo como el que aquí nos concierne, la asociación es distinta: en cada *samanapata* los runas no "toman para trabajar" sino que "descansan tomando": descanso-consumo de alcohol-fuerza son, en este caso, los conceptos relacionados. El papel del alcohol en estos rituales es el de transmitir una fuerza revitalizadora de carácter espiritual a la que se refieren como *sami*[8]. Coincidimos con Allen (1988: 50) cuando afirma que el objetivo de los rituales que se practican en los Andes sería el de controlar, desarrollar y dirigir el flujo de *sami*. En este punto proponemos interpretar el sentido del lenguaje ritual del alcohol, las flores y la mixtura como elementos a través de los cuales los *varayoq* van adquiriendo su propio *sami*, es decir la potencia generadora para ejer-

---

[7] La distribución de trago comienza por los cargos de menor autoridad (los *wifala* capitanes) y termina en los de mayor autoridad (los *kuraq*); mientras, el orden de los que reciben es justo a la inversa: primero, los cargos de mayor autoridad (los alcaldes recién nombrados) y los últimos en recibir su parte los de menor autoridad (los *wifalas*). En la rueda de distribución del trago descrita, la secuencia espacial situará a la derecha a los de mayor autoridad (los que primero reciben y los últimos en servir) e irá en descenso en términos de autoridad (los primeros que sirven y los últimos en recibir).

[8] En estas comunidades el *sami* es también una de las capacidades atribuida por los pobladores al *apu* cóndor, el ave sagrada que transmite su potencia generadora al expusar el aliento que desprende en forma de soplido, aliento, respiración o eructo.

cer como intermediarios simbólicos entre las fuerzas telúricas de la naturaleza y los runas[9]. La analogía que existe entre estos rituales y los que se practican para potenciar la fertilidad de los animales y de la tierra resulta manifiesta: a los animales se les hace tomar como parte de su limpieza ritual o *ch'uyay*, por su parte la Pacha Mama también recibe su correspondiente ración de alcohol (*yanantin* botellas) en los despachos que le dispensan durante los numerosos rituales de que es objeto en el transcurso del año y, por último, son los propios runas quienes beben en ocasiones festivas como ésta en las que a través de invitaciones a trago, ordenadas de acuerdo al cargo que se ocupa en el *wachu*, activan el pacto de reciprocidad que articulan la vida social y cultural en estas comunidades andinas.

El análisis de los diferentes lenguajes simbólicos (espacial, iconográfico, semántico, musical) que se entrecruzan en cada uno de los *samanapata*, permite a los runas re-significar de acuerdo a su propia cosmovisión el tipo de autoridad que ejercen los cargos del *wachu*. El lenguaje espacial expresado en el movimiento, tanto el de los *wifalas* mientras bailan como el de los alcaldes caminando en el último de los tramos de este recorrido (dentro del territorio comunal de Chahuaytiri), completa la sinfonía del proceso de resignificación que estas autoridades experimentan durante el regreso a la comunidad que se relata a continuación:

> Una vez consumido el trago en el penúltimo *samanapata* –ubicado a la entrada de la comunidad–, algunos *kuraq* ayudados por otros *wifalas* trataron infructuosamente de subir al alcalde a lomos de un caballo. Lamentablemente, Don Pío apenas si podía tenerse en pie tras casi dos días consecutivos ingiriendo alcohol. De modo que, tras abrazarle por turno una vez más, colocarse sus monteras emplumadas y ajustarse las botas, los *wifalas* comenzaron a caminar en parejas apresuradamente el trecho final –unos 600 metros– cuyo destino es el centro simbólico de la comunidad. Con un ritmo agotador provocado por las continuas carreras de los *wifalas* hacien-

[9] Martínez Cereceda llega a la misma conclusión cuando analiza los conjuntos significantes de emblemas e iconos que rodean a las autoridades étnicas precolombinas. Para este autor, *camac* ("ejercer autoridad/orden") sería la categoría que explicaría a *samay* ("descansar") como acción (*ibíd*, 1995: 127). Éste es uno de los rasgos fundamentales que expresa la naturaleza de la autoridad que ejercen los cargos como *camachikuq*, es decir, reactualizadores del orden cosmológico.

> do su *mircca* (figura que implica un desplazamiento en zigzag por parejas) con la que envolvían en el centro a las autoridades de vara, alcanzaron el último de los *samanapata* situado en la capilla de la casa-hacienda. En ese lugar se celebró la última invitación, esta vez hecha por los *kuraq*, los únicos de este numeroso cortejo que aún no habían invitado a trago al resto. Los *wifalas* recorrieron en zigzag el perímetro del patio de la hacienda apresuradamente mientras emitían graznidos imitando a las *wallatas*, los pájaros de la puna a los que imitan. En el centro de los bucles que formaban los bailarines al desplazarse, caminaban los nuevos cargos de vara completamente ebrios. De este modo, alcanzamos la puerta de la capilla de la hacienda. Eran aproximadamente las 12 del mediodía. La comunidad que dejáramos en silencio una decena de personas apenas veinticuatro horas antes, aparecía ahora completamente transformada. La música de la banda, los gritos y las carreras de los *wifalas* con sus vistosas ropas de gala y sus monteras emplumadas, y la alfombra de flores que arrojaban las esposas de los *kuraq* precediendo el paso del cortejo, eran algunos de los elementos de una escenografía que evoca aquella descrita por los cronistas al referirse al cortejo del Inca (Diario de campo, enero de 1996).

Momentos después de la llegada, el nuevo alcalde convocaría el último *tiyarikuy*, la invitación comunal correspondiente a la juramentación. Con esta invitación, las nuevas autoridades hacían público y extensivo su nombramiento al resto de la comunidad. Abatidos por el cansancio consecuencia del alcohol, las carreras, la música y la intensa caminata, todos regresamos a nuestras casas. Los nuevos alcaldes habían sufrido una metamorfosis particular, ahora eran personas ritualmente transformadas aunque todavía no reconocidas como autoridades de pleno derecho. Sus manos seguían vacías.

Runa *muyuna*: La visita a las casas de los runas

Imbuidos ritualmente de la energía espiritual o *sami* que requiere el desempeño de sus cargos como autoridades, y legitimados además por los demás runas que han recibido la invitación a comida y trago a su llegada a la comunidad, resulta sorprendente que los alcaldes aún no porten en sus manos el principal símbolo de autoridad, la vara. Su cargo, validado comunalmente con esas invitaciones, debe aún serlo individualmente: casa por casa, familia por familia. Sin esta ratificación familiar su valor no sería completo.

Durante todo el día los alcaldes caminarán ritualmente el territorio comunal en silencio acompañados tan sólo por los pequeños regidores y sus respectivos segundas. Estos últimos portan la vara de su maestro, el alcalde, desde que la recibieran de sus manos a la salida de la oficina del gobernador. Con la vara del alcalde en su mano derecha y unas cuantas cruces bajo el poncho, el segunda se reúne apenas con su maestro para salir a hacer las visitas a todas y cada una de las casas de la comunidad. A esta acción se refieren como runa *muyuna*, literalmente "rodear las casas de los runas"[10]:

> Con la vara tienes que juramentar y cuando acabas vas de casa en casa a visitar. Recién (el alcalde) agarra el Taytacha para hacer el runa *muyuna*. Todas las casas tenemos que recorrer y ahí nos fijamos y visitamos las cruces y las arreglamos si están caídas, si se han malogrado...." (Don Jacinto Illa, segunda de la comunidad de Chahuaytiri, febrero de 1996).

Como señala Don Jacinto, en cada casa el alcalde arreglará y repondrá, si es preciso, la cruz que preside la puerta de acceso. Posteriormente entrará en la vivienda y, por primera vez desde que ha jurado su cargo, portará la vara y la paseará por el interior de cada casa siguiendo un recorrido *pañaman* (hacia la derecha), dirección ritual con la que las autoridades del *wachu* construyen, mediante su movimiento, el valor sagrado del territorio. Un rápido análisis del *wachu* en términos de orientaciones espaciales, nos permitirá avanzar en el conocimiento del lenguaje ritual andino.

Orientación espacial del *wachu*

El escrupuloso orden de distribución que observan en todo momento los cargos del *wachu* al desplazarse, sentarse para comer o distribuir la

[10] En la casa del alcalde y antes de salir a hacer el runa *muyuna*, la vara recibirá el tratamiento ritual que precisa para llegar a las manos del alcalde: el segunda, de rodillas y abrazando la vara del regidor mayor, la suya propia y la del alcalde, rezará los alabados. Se trata de una escena que evoca intensamente la sucedida tres días antes durante el juramento del cargo en la Gobernación de Pisac. A diferencia de aquella, esta vez los cargos no se arrodillan frente al gobernador mestizo de Pisac sino frente al alcalde indígena. Tras lo cual, comenzarán las visitas a todas las casas para que su cargo sea validado individualmente.

comida, es expresado a nivel semántico en una serie de metáforas espaciales que les sirven a los runas para pensar y otorgar valor a estas autoridades. Entre las más frecuentes destacamos dos: "derecha-izquierda" y "delante-detrás".

Tal y como se pone de manifiesto en la etnografía de estos recorridos, los alcaldes y las otras autoridades del *wachu* cada vez que se desplazan ritualmente por el territorio lo hacen *pañaman*, esto es, "a la derecha". Y si *pañaman* es la dirección del orden, cualquiera de los símbolos asociados a los cargos del *wachu* como encargados de reactualizar ese orden, exige ese mismo tratamiento ritual: la "santa mesa" a la que se *t'inka* en la casa del mayordomo: "y a la mesa también tienes que *tink'ar* primero por el lado derecho y terminar en el centro, y eso tienes que hacer bien bonito"; la vara o *hatun* maestro a la que se hace descansar y se recoge dando vueltas hacia la derecha durante la ceremonia de la renovación: "a la derecha siempre damos vueltas alrededor del *hatun* maestro, después que se hace el alabado"; la dirección de los bailes frente al mayordomo y su esposa durante los domingos de paseo, etcétera. De lo que se deduce que dirigir ritualmente a los elementos y a las personas hacia la derecha significa para estos runas dotarles simbólicamente de valor sagrado, es decir, ordenarlos en el sentido cosmológico. Las autoridades del *wachu*, como intermediarios simbólicos entre el grupo y la naturaleza sacralizada, son los encargados de hacer girar ritualmente todo y a todos hacia esa dirección. Ésa es, metafóricamente expresada la función del alcalde:

> El *varayoq* como costumbre debe dar vueltas a la derecha. Así también el pueblo debe dar vueltas a la derecha y a la derecha siempre da vueltas (Don Bartolomé Sutta, febrero de 1996).

Contamos con multitud de ejemplos provenientes de otros sistemas cosmológicos indoamericanos, especialmente mayas, en los que los circuitos rituales observan esa misma dirección (Reifler 1986; Gossen 1987; Vogt 1988). Para los antropólogos que se han ocupado de su análisis, ése es el modo en el que los indígenas definen simbólicamente por analogía con el movimiento diario que describe el sol, las fronteras de su espacio sagrado: "cuando los participantes en un ritual miran al espacio sagrado y se disponen a cerrarlo, recorriéndolo, inician su movimiento hacia la derecha creando el circuito en sentido contrario a las agujas del reloj [...]. El objeto o espacio sagrado se mantiene así a la derecha, mientras que caminan a su alrededor, y esto produce un circuito en sentido contrario a las agujas del reloj" (Vogt 1988: 14). Una primera respuesta hacia el sentido de esta dirección apuntaría pues al movimiento del sol y de las constelaciones, cuyo ciclo anual parece haber sido bien conocido y manejado por los incas como criterio de división del tiempo (Urton 1981; Zuidema 1992). De modo que si los elementos del cosmos y concretamente el sol, giran hacia la derecha describiendo un arco que va de este al oeste, los cargos del *wachu* reproducen ese orden en el microcosmos comunal al desplazarse y desplazar todo en esa misma dirección.

No sólo en el contexto ritual sino también en sus prácticas cotidianas se percibe el valor de la derecha (*paña*), identificada con el origen, el cauce y la pureza, frente a la izquierda (*lloqe*) que denota desorden, caos, peligro y mala suerte. Así, cuando el destino o suerte de una persona se trastorna por una enfermedad o una muerte, estados concebidos como anomalías que transgreden el orden cósmico, dicha transgresión es expresada metafóricamente con la imagen de "objetos que se mueven hacia la izquierda". Su cura, por tanto, requiere "hacerlos regresar a su origen" o, más concretamente, "volver a la derecha". El especialista ritual de la comunidad de Cuyo Grande se refería en esos términos a su trabajo: "Bueno, a los que están mal de su pie yo curo, hago *pañaman kutichispa* ["regresar a la derecha"], y adivino si está bien o está mal" (abril de 1996). De igual modo, la tarea de los *layqas*, los especialistas rituales que pueden propiciar la desgracia a otra persona, es referida como *lloq'enchasca,* literalmente "dirigirse hacia la izquierda".

Una segunda metáfora espacial recurrentemente mencionada en las entrevistas e intrínsecamente relacionada a la anterior es "detrás-delante". En quechua, el adverbio *ñawpa* (delante) designa los sucesos ocurridos en el pasado, mientras que su correspondiente ubicación espacial, a diferencia de la occidental, se sitúa delante de o frente a ego. La orientación corporal es útil para comprender esta correspondencia. *Ñawpa* se relaciona con *ñawi* ("ojo"), de la misma raíz que el anterior. Por tanto, lo que es visible al ojo, es decir lo que está delante de los ojos es referido como *ñawpa* (Stobart, 1995). Por eso las personas conocedoras de los sucesos pasados reciben genéricamente el nombre de *ñawpawiñay*. Por su parte, el adverbio *qepa* expresa metafóricamente al espacio situado detrás de ego y, por extensión, los sucesos futuros desconocidos están espacialmente representados detrás (Lakoff y Johnson 1988).

Si aplicamos este uso a los cargos de autoridad del *wachu* y a los *kuraq*, observamos que utilizan *ñawpa* ("delante") para referirse a la posición que ocupan los que no están ejerciendo cargos o *qasirunas*. Mientras, los *kuraq* son situados espacialmente *qepa*, es decir, cerrando las filas. Por eso a ellos se refieren como *runakatiy*, los que "arrean" a los demás y, como el pastor con sus ovejas, se sitúan espacialmente detrás de ellos y frente al pasado:

> Es de acuerdo a lo que hacemos nuestros *wachus* y en orden nos sentamos de acuerdo a nuestro cargo que hemos realizado. Ya has visto en la faena, delante [*ñawpa*] están los jóvenes y nosotros [los *kuraq*] estamos detrás [*qepa*]. Cuando descansamos nos sentamos en forma ordenada. Al alcalde nosotros [los *kuraq*] lo hemos puesto el primero (Don Esteban Guamán, enero de 1996) .

Quizá por ello los *kuraq*, situados espacialmente detrás, son invariablemente referidos por la población como "los primeros", la génesis:

> Nosotros [los *kuraq*] estamos bien respetados y a los que no hacen nada los botamos atrás, y nosotros nos sentamos delante y al inicio estamos los *kuraq*..." (Don Martín Illa, febrero de 1996).

La siguiente figura ilustra estas correspondencias semántico-espaciales.

FIGURA 23
Concepción espacio-temporal según el *wachu*

ÑAWPA -- *QEPA*

PASADO -- **FUTURO**

QASIRUNAS -- *KURAQ*

La secuencia de renovación de los cargos que describimos finaliza a pie de chacra. El ámbito referido a las prácticas agrícolas, del que los runas extraen la metáfora del *wachu* como categoría cultural ordenadora, es el escenario más propicio para que la comunidad consensúe por último el nombramiento de las autoridades del *wachu*. Dicho consenso toma una forma explícita en la ratificación formal que hace el presidente de la Junta Directiva en la primera faena comunal del año.

Mosoq faena

Con motivo de las cuatro faenas comunales más importantes (*yapuy, tarpuy, hallmay* y *haray*), los runas de los dos sectores en los que está dividida la comunidad se unen para trabajar en el *muyuy*, la parcela de rotación comunal que corresponda a ese año. La competencia en el trabajo entre los dos sectores se organiza bajo el mando de los respectivos *wachu* capitanes, cargo cuya labor consiste en marcar el ritmo y la organización del trabajo.

De las cuatro faenas, la primera del año o *mosoq* faena, que corresponde en el calendario agrícola a la labor de aporque o *hallmay*, es la más importante para los cargos del *wachu*. En ella se ratificarán democráticamente los *varayoq* que han jurado su cargo en Pisac y algunos otros cargos que se suman a ellos: caso de los mayordomos, veladas y *wifalas*. De hecho, ésta es la primera ocasión durante el año en la que se puede observar nítidamente la distribución espacial de los runas según el cargo que desempeñan. Aunque ninguno muestre sus atributos de autoridad (poncho de *pallae*, monteras, varas, *pututus*...) pues tienen que trabajar, todos marcarán claramente su estatus con la posición que ocupan en los surcos de la siembra o *wachus* propiamente dichos. En esta ocasión, el primer capitán se situará en el surco situado en un extremo del *muyuy* seguido por sus asistentes (entre cuatro y cinco *wachu* capitanes por cada sector) que avanzarán atravesando el campo de cultivo en dirección *pañaman*. Tras ellos, se ubicarán los demás runas ordenadamente, es decir según el estatus alcanzado por el desempeño de los cargos, y, cerrando la fila, como es habitual, los alcaldes. Según esa posición, el alcalde es el que más cerca está siempre del primer surco por el que se comenzó el trabajo.

FIGURA 24
***Wachu* en la chacra comunal**

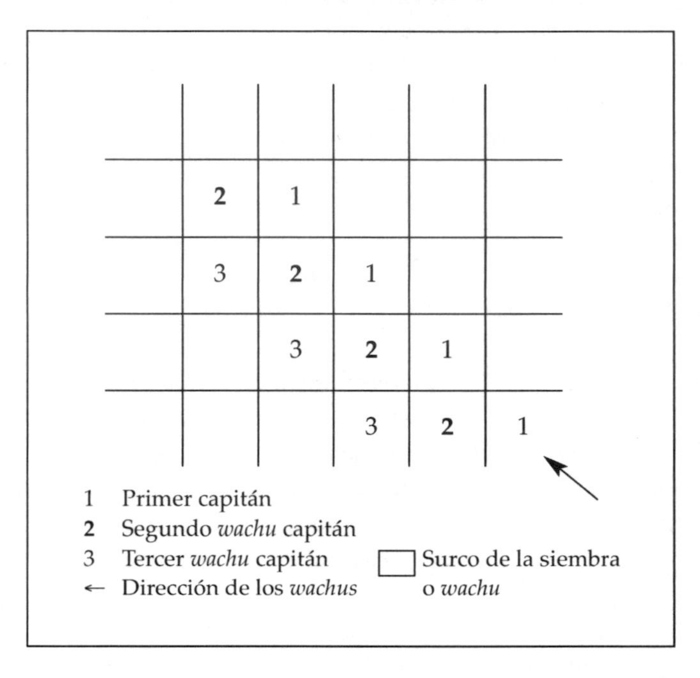

Por su parte los *kuraq*, a los que la población exonera del trabajo por haber cumplido ya con todos sus cargos, optarán por colocarse bien formando su propia fila en otro sector de la chacra en la que el ritmo no sea marcado por nadie, o bien supervisarán cómo los demás trabajan ordenadamente mientras *piqchan* coca y se encargan de que no falle la música en ningún momento. En esta primera faena del año todos los cargos del *wachu*, sin excepción alguna, contribuirán con su *yanantin* de trago en las sucesivas invitaciones que suceden mientras avanzan en el trabajo. El orden observado para la distribución del trago es idéntico al señalado en cada uno de los *samanapata* (lugares de descanso) que observan las autoridades de vara durante el regreso a la comunidad (ver nota 7).

Con esa invitación general se da por culminada la secuencia de renovación de los cargos en estas comunidades. Durante las siguientes semanas, estas autoridades movilizarán a los restantes runas en la renovación del valor sagrado del territorio comunal.

Rituales de renovación del territorio comunal

Tras la juramentación de los cargos de vara en Pisac y su posterior ratificación en la comunidad, los runas de Chahuaytiri continúan la renovación de su orden con las ceremonias de Carnaval. Éstas tienen lugar desde San Sebastián (el 20 de enero) hasta el Miércoles de Ceniza (inicio de la Cuaresma cristiana). Por tratarse de la misma secuencia de inversión y renovación del orden o *wachu* que sucede los días de "uso y costumbre", los rituales que analizamos a continuación presentan importantes similitudes respecto de los anteriores y también algunas innovaciones.

Al igual que en el Carnaval de Año Nuevo, los rituales que se practican estos días movilizarán a todos los cargos del *wachu*, pero de manera especialmente activa a las autoridades de vara recién nombradas (alcaldes, segundas y regidores) y a los *wifalas*. Por otro lado, en estas semanas, a diferencia de las precedentes, cobrarán un protagonismo esencial los *wachu* capitanes y sus primeros capitanes, cargos ocupados en Chahuaytiri por evangélicos cuyas funciones, como hemos señalado, están directamente relacionadas con la organización del trabajo agrícola y, por ende, con el territorio comunal (ver, en el capítulo II, el apartado "Los hermanos"). Por tanto, paralelamente a la ratificación de las nuevas autoridades y a través de ellas, se hace hincapié en la renovación simbólica del espacio comunal, tanto en su organización interna (reafirmación de los cargos del *wachu*), como en sus relaciones externas con otras comunidades vecinas (renovación de alianzas, constitución de otras nuevas, etcétera). Por ello, en estas semanas predominarán los circuitos rituales por el territorio comunal que será caminado, valga decir significado, por las autoridades, en un movimiento que parte desde su centro simbólico (la casa-hacienda) y se dirige por los límites despoblados e inhóspitos que los separan/ unen con otras comunidades. Para entender el significado de esta dirección es necesario recordar que desde la inversión ritual de la Navidad, el territorio no ha sido objeto de ninguna acción ritual (ver Fig. 22). Por eso los runas permanecen en sus casas absteniéndose de trabajar en la chacra, como corresponde a los días de *guarday* en los que el territorio es concebido en un estado de peligrosa transición. En ese contexto, es necesario ubicar el sentido del intenso tratamiento ritual que las autoridades tradicionales dispensarán al territorio durante los siguientes días. Ellos son los encargados de "poner en su *wachu*", a través de sus desplazamientos, la cartografía de un paisaje sagrado en relación al cual el grupo se define como tal.

Domingos de paseo

La escena...

Eran aproximadamente las 20:00 cuando llegamos a la casa del *wifala* capitán del sector de Huancarani. Los bailarines aún no habían llegado, así que hicimos un poco de tiempo y conseguimos algunos panes, coca y a la media hora regresamos. En la casa nos recibió Hilario, el *wifala* capitán, quien estaba acompañado por el *hatun* regidor, dos danzarines más y dos músicos; todos estaban echados sobre el camastro a un lado del cuarto en semipenumbra; en el otro lado, tres mujeres (la madre, la hermana de Hilario y otra mujer más) se congregaban alrededor del fogón. Todos vestían sus ropas habituales [...]. El ambiente general era de desgana y cansancio, ninguno se levantaba para cambiarse y parecía que tan sólo se congregarían dos parejas más, además de Hilario y su pareja la capitanaza, cargo desempeñado por su hermana. [...] Conversamos un poco sobre cómo eran antes estos paseos, *hallpamos* coca y comimos panes, parecía que nada iba a suceder, eran ya cerca de las 21:30 [...]. Al cabo de un rato llegaron otros dos varones más, uno de ellos con su mujer, que cargó durante toda la noche a su hijo en su *q'epi*. Por turnos, comenzaron a salir de la casa para vestirse con sus ropas de *wallata* en el exterior de la vivienda: "Seremos cuatro parejas", comentó Hilario, "¿van a venir?" [...]. Antes de salir de la casa los músicos tocaron con el *pinkuyllu* y la *tinya* un tono de diana. La primera parada fue la casa del recién nombrado mayordomo, Lucio Illa, a la que nos dirigimos caminando en *wachu*: primero los *wifalas* encabezados por Hilario, su capitán; tras ellos iban las mujeres en grupo y después los acompañantes, esto es, el regidor y nosotras. Todos chillaban como *wallatas*: "¡ihi, ihi!" [...]. A pesar de que la casa de Lucio estaba "cerquita no más", accedimos a ella dando una vuelta por la derecha que nos demoró unos 40 minutos cuesta arriba [...]. Ya en la puerta de la casa, la banda de música tocó otra vez el mismo tono de diana y el *wifala* capitán y su segunda entraron en el cuarto donde aguardaban, tumbados en el catre y ebrios, el mayordomo y su esposa [...]. Nada más ingresar en la vivienda, los *wifalas* se arrodillaron en dirección hacia la puerta y después de entrecruzar sus mangas de tela blanca que simulaban ser alas, encendieron una vela y rezaron tres alabados [...]; abrazaron a los dueños de la casa y les pidieron licencia para que entraran los músicos: "*lisensiaykimanta maestroy*" ("con su permiso maestro"). De nuevo toque de diana y más abrazos. El capitán y su segunda bailaron en el interior de la casa para el mayordomo y su esposa, mientras los demás permanecíamos afuera esperando ser invitados. Cuando terminaron, el capitán hizo entrar uno por uno, según su *wachu*, al resto de sus bailarines con los que repitió la misma operación (licencia, abrazos, baile, abrazos), y después una por una a todas las mujeres [...]. Cuando ya todos habían ingresado en la casa y bailado en silencio invitados por el capitán una primera rueda, el mayordomo les ofreció la botella de trago que estaba sobre la "santa mesa", un cajón de madera colocado a la altura de la cabecera de la cama donde estaban tumbados los dueños de la casa. Sobre la mesa, tapada con un poncho, había un par de botellas de trago. El mayordomo alcanzó la primera botella al capitán que fue el encargado de servir: primero a sus anfitriones, y después a su segunda, siguiendo el *wachu* correspondiente. Antes de beber todos hicieron su correspondiente *tink'a* a la mesa derramando unas gotas de trago en cada una de las cuatro esquinas: primero por el lado derecho y finalmente en el centro. Mientras bebían dio comienzo una segunda rueda de bailes. Hilario, el capitán, bailó frente a los dueños el ritmo de Carnaval que tocaban los músicos con cada una de las cuatro mujeres y después, cada uno de los otros tres danzarines con cada una de las cuatro mujeres. En total, cada uno de los *wifala* bailó en tres ocasiones con cada una de las cuatro mujeres, es decir unas doce veces cada persona [...]. Tras aproximadamente una hora y media, 48 bailes idénticos en ritmo, duración y estructura coreográfica, fueron representados para el mayordomo y su esposa. Las mujeres describían círculos hacia la derecha mientras los varones, situados frente a ellas, se movían longitudinalmente emitiendo, a diferencia de la primera rueda, los chillidos característicos de las *wallatas*: "¡ihi!, ¡hi!", cada vez más entrecortados por las respiraciones profundas provocadas por el cansancio [...]. Los músicos no pararon de tocar en toda la velada. Durante los bailes, varios de los *wifalas* se asomaron afuera para ver el movimiento del grupo del otro sector e Hilario, el capitán, comentó: "No están caminando bien, parece que la música les ha fallado....". [...] El mayordomo entregó la botella de trago restante al capitán com-

> pletando así su *yanantin*. Después de acabar ese par entre todos y mientras continuaban los bailes, los varones pusieron una *millunqa* de 10 centavos para retribuir los gastos ocasionados al mayordomo y comprar más alcohol.
>
> Las mujeres, sentadas frente a los varones, cuando no les tocaba el turno de bailar se tapaban el rostro bajo el faldellín de su montera tratando infructuosamente de resistirse a beber. Todas acabamos bebiendo. Entre las quince personas que estábamos en la casa de los mayordomos, bebimos de cuatro a cinco botellas de trago. Cuando éste se terminó, el capitán dio por concluidos los bailes y todos, de nuevo en *wachu*, salimos de la casa del mayordomo con el mismo procedimiento observado para entrar: abrazos a las autoridades, tono de diana y, borrachos, iniciamos rumbo a la casa del siguiente cargo, el velada (Diario de campo, febrero de 1996).

Desde el domingo siguiente a San Sebastián y hasta el de Carnaval, se realizan en Chahuaytiri una serie de paseos nocturnos en cada uno de los dos sectores en los que se divide la comunidad. En esos paseos, el territorio comunal es caminado ritualmente por sendos ejércitos de *wifalas* quienes, de la mano de sus parejas femeninas, lo atraviesan en *mircca* (desplazamiento en zig-zag) en un ritmo agotador entre música, gritos y mucho alcohol. Como se señala en el relato etnográfico, el destino de estos recorridos es la casa de las autoridades del *wachu* mayor recién nombradas, esto es: el mayordomo, el velada y el alcalde. En cada una de ellas y tras el correspondiente saludo ritual, los *wifalas* beberán y bailarán en turno frente a sus dueños hasta que el trago se termine.

Para matizar el sentido de lo que sucede en estos paseos, proponemos distinguir los dos micro-escenarios en que se desarrollan y en los que se conjugan el doble papel desempeñado por las autoridades del *wachu*. Por un lado, el espacio interior de la casa que representa a las autoridades del *wachu* mayor, a quienes se visita y se rinde homenaje en tanto que personas que pasan su cargo, y por otro, el espacio exterior recorrido por los *wifalas*. El lenguaje simbólico que dota de significado a cada uno de estos espacios ilustra su relación intrínseca[11].

---

[11] Para los antropólogos cuzqueños que describieron hace más de tres décadas estos mismos paseos en la vecina comunidad de Cuyo Grande, el sentido de los mis-

Dentro: los cargos del wachu

Como se deduce de las acciones que tienen lugar en el espacio privado de las viviendas en semipenumbra (*t'inkas*, alabados, consumo de alcohol y bailes principalmente), se trata del mismo lenguaje que se utiliza para transmitir el "respeto" en los rituales de juramentación analizados. Si días atrás la función de los *wifalas* como nexos simbólicos entre la naturaleza sagrada (a la que representan en su faceta de aves) y el mundo de los runas (en tanto que forman parte del *wachu* de los cargos), consistía en introducir en el territorio comunal a las nuevas autoridades de vara dotándolas ritualmente de energía o *sami* en cada descanso, en estos paseos ellos son los que se introducen en sus casas para continuar esa ratificación sagrada, no sólo de las personas, sino también del espacio que éstas habitan.

Las continuas repeticiones de licencias y abrazos, los tonos musicales que preceden la entrada y la salida de la casa, los parabienes que intercambian con el mayordomo y su esposa antes y después del casi medio centenar de bailes que representan frente a ellos, son sintomáticos de ello. El lenguaje ritual que opera en distintos planos sensoriales: espacial, auditivo, visual y verbal, recrea un escenario *ad hoc* en el interior de las viviendas con el que los *wifalas* expresan ese respeto a las nuevas autoridades:

> Este paseo nocturno es un uso y costumbre, es el respeto. Y si es que no camináramos de noche, entonces los *carguyoq* no nos alcanzarían ni *t'impu*. Ellos son los que nos ordenan y nos dicen: "¡Bailen!, ¡no caminen callados!, ¡no sean así!..." (Don Miguel Ccoyo, septiembre de 1997)

Como se sugiere en la cita, el respeto a las nuevas autoridades expresado a través de lo que hacen en sus casas (bailar y beber) será recompensado con el *t'impu*, la comida típica de estas semanas de Carnaval que es servida en los *tiyarikuys* de los días posteriores. Sin embargo, ese respeto que las nuevas autoridades demandan no se agota en las actividades que suceden en el interior de sus casas mediante las cuales

---

mos radica, por un lado, en la confirmación del estatus individual recién adquirido por las autoridades y, por otro, en la medida en que propician el escenario idóneo para el encuentro entre varones y mujeres (Casaverde, Cevallos y Sánchez 1966).

su estatus individual es ratificado simbólicamente. Además, la obligación de los *wifalas* frente a las autoridades debe expresarse en el movimiento por el territorio.

Fuera: el "poder" de la música

Si comparamos estos paseos con cualquier otro momento del calendario en que el territorio es ritualmente caminado (*vg.* durante las fiestas o en las procesiones a los santuarios los días de devoción), nos percataremos que éstos son los únicos en el transcurso del año que suceden durante la noche. Y éste parece ser el requisito exigido a los *wifalas*: "si no caminamos de noche, nos botan atrás [...]".

Cualquier persona que haya vivido en comunidades en los Andes, habrá sido advertida antes o después por los locales que caminar por las noches es peligroso. De hecho, con la excepción organizada de estos paseos, no recordamos ningún otro momento en el que un miembro de las familias con las que convivimos abandonara la casa en circunstancias habituales más allá del corral. Además del frío intenso de las noches serranas, se dice que ése es el momento preferido por una variedad de espíritus malignos para caminar libremente.

En la comunidad de Chahuaytiri, los más habituales son una variedad de *machus*, del mismo tipo que aquellos que escenificaron el caos navideño; también "sirenas", que habitan en las lagunas cercanas; y, más frecuentemente, "condenados", antepasados de los muertos que habitan en la comunidad. Todos ellos son acusados de causar enfermedades mediante una seducción previa que puede desembocar en la muerte de sus victimas. Pero también todos ellos y especialmente los dos últimos, en el estado de ambivalencia que les caracteriza, son relacionados por los runas no sólo con la muerte sino también con la música. Ambos, aunque de distinta naturaleza, tienen claras connotaciones regeneradoras[12].

---

[12] H. Stobart (1995) precisa que en Kalankira (Potosí, Bolivia) la concentración de estos seres malignos y especialmente de las sirenas, consideradas fuentes de toda la música, salen a la superficie entre la festividad de San Sebastián (20 de enero) y el domingo de Carnaval. En las comunidades e Pisac, durante ese tiempo suceden los paseos dominicales que analizamos en este apartado.

Del mismo modo que en la tradición occidental, en los Andes los condenados gimen y aúllan, mientras que las sirenas son referidas como las musas de las que emana la música. La tradición oral andina está repleta de relatos en los que se recogen historias acerca de estos personajes (Casaverde 1970; Harris 1982; Morote 1988; Stobart 1995). Las distintas versiones sitúan sus moradas bajo la superficie terrestre y en otros casos en fuentes de agua. El Carnaval, tiempo de lluvias en el que el territorio está especialmente inestable como consecuencia de la renovación de los cargos del *wachu* que deben reordenarlo, es la época preferida por estos *supay* (demonios) poseedores de la música para caminar libremente por la comunidad y entrar en contacto con los runas. El relato de Don Miguel Ccoyo sobre la trayectoria seguida para convertirse en músico de la comunidad ilustra este argumento:

> De mí mismo ha empezado, de mí ha salido tocar la quena. Yo siempre quería tocar y decía: "¿Cómo no voy a poder?, ¿cómo no voy a poder?"[...]. Tanto tiempo y no podía. Más me incliné a tocar cuando hice mi *wifala* capitán. En esas fechas los maestros no querían tocar, eran mañosos. Entonces yo tocaba primerito con un carrizo. Lo hice huequitos y así hice mi quena [...]. Después *me hizo agarrar* el *pinkuyllu* y con mi hermano preparé un molde. Y con eso tocaba todos los días en la mañana y en la tarde. Así mi mano empezó a jugar y desde esa fecha es que fui músico (octubre de 1997).

Como se desprende del relato de Don Miguel, a pesar de su firme voluntad por tocar algún instrumento no consiguió hacerlo, hasta que durante los Carnavales, mientras pasaba su cargo de *wifala* capitán, "alguien" o "algo" le transmitió la habilidad para tocar la flauta. Tras varias conversaciones, Miguel nos relató que se trataba de la "sirena" que habita en la laguna de Kinsacocha, la que, después de un encuentro que pudo ser fatal, le confió el secreto de las notas: "no soy yo el que toco mamá, es la sirena"[13]. En ese punto proponemos ubicar la

---

[13] Miguel nos relató este encuentro *off the record*. Sucedió como sigue: mientras caminaba uno de los días de Carnaval por el territorio de la comunidad, aparecieron dos niños desconocidos que le pidieron ser llevados hasta la laguna más cercana. Una vez allí, desaparecieron. Entonces Miguel se encontró frente a una bella sirena que trató de seducirle con sus encantos, a los que logró resistirse. No obstante, se quedó dormido por unas horas junto a la laguna y cuando regresó a su casa se sintió enfermo durante varios días. Después, comenzó a jugar con el *pinkuyllu* y las notas brotaron de sus dedos.

obligación explícita de los *wifalas* de caminar el territorio comunal, el que media entre una casa y otra de las autoridades, durante la noche. Para combatir los posibles peligros que acechan el camino personificados en sirenas, condenados y otros seres malignos que salen a la superficie en las noches de lluvia, es necesario que lo hagan acompañados de los músicos y haciendo ruido.

> Así deben caminar en la noche, haciendo bulla, eso es una costumbre... Y si caminaran callados: "¿Qué estará caminando ahí?", dirían. Y por eso así gritan siempre, como el condenado (Don Miguel Illa, abril de 1996).

Los instrumentos o, más precisamente, la música que emana de ellos, tiene un sentido regenerador[14]. Este argumento resulta más evidente si pensamos en las connotaciones del término quechua empleado para designar su opuesto, el silencio, en quechua *ch'in*. Stobart hace notar que *ch'in* sugiere no sólo la ausencia de sonido sino también la ausencia de vida (1995: 11). En su discusión sobre el significado de la música en relación al ciclo agrícola en Kalankira, Stobart señala que este lenguaje, como el del trago o la comida que observamos en los rituales de renovación del territorio, responden a una naturaleza común: los tres producen un gran placer a los sentidos al ser consumidos, al tiempo que desempeñan un importante papel revitalizador en el contexto ritual. Tanto el trago como la comida y la música son considerados por los runas fundamentales para la vida. En términos biológicos el papel de los dos primeros parece claro: ambos proveen de las calorías y los componentes necesarios para que los runas se reproduzcan, mientras que su consumo ritual proveería de la fuerza espiritual o *sami* necesario para que las autoridades del *wachu* renueven el valor del territorio. Por su parte, la música que se toca en Carnaval, asociada a las fuentes de agua, a las lluvias y a la fertilidad de los primeros frutos que están a punto de aparecer en las chacras, combate a los condenados y a otros espíritus malignos que caminan por el territorio durante esos días sembrando el caos.

---

[14] Además de los *wifalas*, ocasionalmente el alcalde tiene la obligación de caminar por la noche, generalmente con motivo del deceso de un comunero/a a cuya casa acude de visita, como siempre pertrechado de su vara que goza del mismo poder regenerador.

Si reflexionamos sobre el proceso que implica tocar un instrumento de viento como el *pinkuyllu* (asociado al tiempo de lluvia), chillar como las aves salvajes o gemir como los condenados, actividades que realizan los *wifalas* y sus parejas durante estos paseos, nos percataremos de que todas ellas implican la producción deliberada de un flujo de aire (inhalación/exhalación) claramente analógico con el atribuido al cóndor. Desde esa perspectiva, el papel de la música puede contemplarse en toda su complejidad. No sólo cumple funciones estéticas y sensoriales sino que además contribuye al ordenamiento ritual del territorio protagonizado por *wifalas*, mujeres y músicos. Detengámonos en el estatus de estos últimos.

Si bien su papel es, por lo señalado hasta aquí, de incuestionable importancia en todos los rituales de renovación del orden, los runas consideran que éstos realizan un servicio especial a la comunidad y no un cargo del *wachu*. Esta ambigüedad se pone de manifiesto en la retribución que reciben por su servicio. Al igual que otros cargos, los músicos son comprometidos ritualmente por el *wifala* capitán según la fórmula de costumbre (*yanantin* de alcohol y *unkuña* de coca), compromiso al que se suma un pago adicional en especie (una oveja de mediano tamaño generalmente) o en dinero, cuyo carácter es para los runas totalmente complementario:

> Los músicos son *hurk'ados* bien bonito desde Año Nuevo hasta que acaba el Carnaval con su *yanantin* de licor y su coca; o también, si quieres que toquen bien, hasta los haces emborrachar todo un día. Después de *hurk'arse* también se paga al músico porque como pasa mala noche es como si perdiera todo un día, y esa cuenta es la que tu pagas (Don Miguel Ccoyo).

En pago por el compromiso ritual recibido los músicos tocarán durante las noches de los paseos dominicales, y esa misma retribución es la que les permite ingresar en la cadena de intercambios recíprocos que regula su participación en el *wachu* de los cargos. Mientras, la retribución en especie o dinero, de la que no emana reciprocidad alguna, consituye el pago por el día siguiente en el que no podrán trabajar a consecuencia del agotamiento y del alcohol ingerido la noche anterior. Tanto por el papel que cumplen como por la retribución percibida, parece razonable afirmar que el estatus de los músicos en Chahuaytiri es muy similar al de otros especialistas rituales. Del mismo modo que los *paqos* "curan" los demonios causantes de enfermedades en los runas, los músicos "curan" el territorio combatiendo con sus instrumentos a los condenados, a los *machus* y a las sirenas y, de este modo, contribuyen a su ordenamiento.

Mujeres, fertilidad y primeros frutos

Estos paseos que transcurren tanto en el espacio público (el territorio comunal) como en el privado (las casas de las autoridades), constituyen uno de los momentos del calendario ritual-festivo de estas comunidades en el que las mujeres desempeñan un papel más activo y evidente. Dado lo excepcional que resulta la participación femenina en el espacio público, única en su género en todo el calendario festivo de esta comunidad, conviene distinguir su posición respecto a los *wifalas* a los que acompañan. Comenzaremos por observar cuáles son algunas de sus características individuales por un lado, y, por otro, la relación de parentesco (afinidad/ consanguinidad) que mantienen con los *wifalas* a los que acompañan.

Por lo general se trata de mujeres adolescentes y jóvenes, habitualmente solteras, pero en algunos casos casadas e incluso con hijos. A diferencia de los varones que adoptan los atributos de identidad de las aves (*wallatas*), las mujeres no cambian la suya, sino que la potencian y la exhiben vistiéndose con sus mejores y más coloridos trajes y decorando sus monteras con flores silvestres. Para participar en la danza, algunas, las más adultas, son comprometidas según el procedimiento ritual señalado. Las más jóvenes, por su parte, se unirán al grupo animadas por alguno de los participantes. Si tienen pareja bailarán y si no la tienen acompañarán durante toda la noche a los demás. No tienen ninguna obligación económica o "derecho" en el transcurso de la noche, excepto la de caminar, gritar, y bailar según la costumbre. De modo que ni contribuyen con el *yanantin* de trago en la casa de las autoridades ni tampoco aportan ninguna cantidad a la *millunka* (cuota de 10 a 50 centavos para retribuir al mayordomo y comprar más trago). Estas mujeres no están desempeñando ningún cargo en el *wachu*:

> Ellas no son nada, solamente es porque entre ellas se ponen (comprometen), pero no hacen ningún *wachu*. Solamente son personas que siguen

> a las demás personas. Sólo hay un *wifala* capitán y una capitanaza y los demás son *qasi* runas, no tienen ningún *wachu*. Ellas son las que bailan (Don Esteban Guamán, agosto de 1997)

Su condición de acompañantes se puso de manifiesto en el orden que el capitán observa para hacer ingresar a los bailarines al interior de la casa del mayordomo: las mujeres introducidas por el capitán, una vez que todos los varones están dentro, son consideradas como pareja de baile en este paseo pero no ejercen ningún cargo, papel desempeñado por las esposas, hermanas o madres que, en su condición de contrapartes del cargo, se encargaran de la preparación de alimentos, bebida, ropas y de la negociación ritual para comprometer a los futuros cargos garantizando con ello la continuidad del *wachu* (ver en el capítulo II "La mujer y el *wachu*"). Y es que, del mismo modo que hay una "forma femenina" de participar en la toma de decisiones que afectan a la familia y a la comunidad, ésta es la forma femenina de participar en el *wachu*. Por tanto, sólo en el caso de la capitanaza, la pareja de baile del *wifala* capitán (quien además era su hermana y había participado en la preparación de la comida y la confección de su traje) existía esa relación. En los demás casos, las mujeres que bailaban no tenían ninguna relación de afinidad con los *wifalas* con los que formaban pareja. Sin embargo, aunque no estén ejerciendo un cargo, estas mujeres desempeñan un importante papel en estos paseos.

Para diversos autores estos paseos constituyen el escenario propicio (oscuridad, alcohol) para formar nuevas parejas que se formalizan en los siguientes días de festejos (Casaverde, Cevallos y Sánchez 1966). Si bien parece evidente que estos paseos implican un tipo de iniciación en el consumo ritual de alcohol y en las relaciones sexuales, especialmente en el caso de las mujeres más jóvenes, es necesario ubicar estos comportamientos en un contexto socializador más amplio:

> Hay niñas que no saben bailar. Ellas siguen a los danzarines. Entonces las niñas que han caminado crecen más maduras. Ellas ya saben cómo se baila, cómo se llega a la casa [de la autoridad], como alcanzan el *t'impu*. Entonces, cuando llega a tener su familia, ya saben cómo son las costumbres y ya saben cómo hacer, y por eso ellas nos siguen (Don Miguel Ccoyo, abril de 1996).

Como se infiere de la cita, estos paseos son el escenario para el aprendizaje de los valores sociales de la comunidad, de los códigos y las categorías que la ordenan, es decir, constituyen un mecanismo de transmisión del conocimiento de los códigos de respeto y reciprocidad (los usos y costumbres) que se deben a las autoridades del *wachu*, mediante los cuales se rige cualquier forma de interrelación en la comunidad. Dicho de otro modo, cuando esas mujeres forman parte activa como par del varón aprenden el significado del "respeto". La transmisión de ese conocimiento, como en días anteriores, se hará literal y metafóricamente de la mano de los *wifalas* caminando ritualmente el territorio.

Día de Compadres

Los paseos dominicales son intercalados con dos días de especial relevancia en la tarea de sacralizar el territorio comunal por las autoridades del *wachu*. El primero es el Día de Compadres, dos jueves antes del Miércoles de Ceniza, y el segundo es el Día de Comadres, el jueves anterior.

En el Día de Compadres se repiten las unidades rituales realizadas en los paseos dominicales con los dos ejércitos de *wifalas*, quienes continúan recorriendo incansablemente las casas de las autoridades del *wachu* mayor: mayordomo, velada, y alcalde, respectivamente. Sin embargo, a diferencia de los anteriores, en estos recorridos sólo participan varones y se hacen a plena luz del día. El punto de reunión es el centro simbólico de la comunidad, es decir el templo situado en la casa-hacienda, donde las parejas de *wifalas* rezan los alabados antes de atravesar la comunidad en *mircca* (zigzag) para llegar a las casas de las autoridades señaladas. En cada una de ellas ese día se celebra el *qarakuy*, un agasajo festivo en el que las autoridades invitan a un plato de *chiriuchu* a todos los runas.

Dado que la invitación de comida es pública y extensiva a toda la comunidad, los *wifalas* visitan las casas de las tres autoridades, pero no ingresarán en su interior. En el mismo patio de la casa, la autoridad correspondiente les espera con la "santa mesa" debidamente preparada y, ahí mismo, se repetirá el procedimiento ritual señalado para las noches de los domingos (*t'inkas*, invitaciones a trago, parabienes y bailes). No nos detendremos más en este *qarakuy* de Compadres pues guarda una estructura muy similar a la señalada en los rituales de la juramentación y de los paseos dominicales[15].

De ambas festividades, el Día de Comadres resulta sin duda el más importante del calendario ritual-festivo para la renovación simbólica del territorio comunal. Ese día se realiza el recorrido ritual de los linderos de la comunidad conocido como mojón *muyuy* o linderaje, al que le sigue una batalla ritual entre comunidades limítrofes o *tupay*.

Día de Comadres: mojones y batallas

> Mi hermano y yo el nombre de todos los hitos sabemos porque mi papá nos hizo hacer desde pequeños *wifala*, y hasta mis pies recorriendo se han rajado del frío (Don Nicanor Pérez, *kuraq* de Chahuaytiri, septiembre de 1997).

Documentado en otras áreas del sur andino (Casaverde, Cevallos y Sánchez 1966; Sallnow 1987; Allen 1988; Radcliffe 1990)[16], el mojón *muyuy* o linderaje tiene lugar en la comunidad de Chahuaytiri el Día de Comadres (Pérez Galán 2001). Como su propio nombre indica, se trata del recorrido anual de algunos de los hitos que marcan los límites de la comunidad y en él participan todos sus miembros, avanzando por el territorio en *wachu* o fila india, esto es, ordenada según el estatus adquirido por el desempeño de los cargos[17].

---

[15] Descripciones etnográficas detalladas de lo que sucede el Jueves de Compadres en este área se pueden consultar en Casaverde, Sánchez y Cevallos, 1966.

[16] En otras comunidades de Pisac el linderaje se realiza bien en Comadres, Compadres o el día de San Sebastián. En cualquier caso dentro del período considerado por los runas como días de uso y costumbre, es decir, desde fin de año hasta el inicio de la Cuaresma.

[17] La práctica de mojonar el territorio se encuentra en el noroeste de España ya entre los siglos IX y XII en los pequeños asentamientos de cristianos que siguieron a la expulsión de los musulmanes (Guillet 1998). Más tarde, en el siglo XVI, la renovación de mojones se convirtió en una práctica regular tal y como se señala en la legislación de la época (Cortes de Castilla). En el Perú, esta práctica es descrita en crónicas tempranas. Guamán Poma, en su *Nueva Corónica y Buen Gobierno* escribe: "estos dichos

A diferencia de otros rituales de renovación en los que las autoridades han sido los encargados de construir el valor sagrado del territorio caminándolo, en el linderaje la participación activa es obligatoria para todos los comuneros bajo multa acordada en asamblea comunal. De modo que, tanto los que tienen cargo como los que no, los católicos como los evangélicos, los jóvenes y los viejos, todos, caminarán en *wachu* los linderos de la comunidad aportando su derecho o contribución individual que cada runa debe hacer y de la que emana el "respeto" tantas veces invocado por los runas:

> En ahí ponemos nuestro "mojón *muyuy* derecho", a una botella [...] y de ahí viene el respeto, desde el *kuraq* viene el respeto. Los *kuraq* somos los que estamos delante, y entonces somos los que empezamos a poner (la botella) primero, y ese día reunimos cualquier cantidad de licor, todos ponen. Desde nuestros *machus* es así (Don Gerardo Pérez, abril de 1996).

El recorrido arranca a primera hora de la mañana desde el centro poblado (la escuela), situado a 3.800 metros, y se dirige a través de áreas sembradas y con algunas casas al límite simbólico del territorio comunal, el lugar denominado Chiuchillani, una pampa deshabitada ubicada en la puna, a 4.500 m, frontera entre las comunidades de tres distritos (Pisac, San Salvador y Qolqepata). En Chiuchillani, los runas de estas comunidades celebran un encuentro ritual o *tupay*, semejante a otros etnografiados en diferentes partes de la sierra sur también en Carnavales (Casaverde, Cevallos y Sánchez 1966; Fioravanti 1985; Sallnow 1987; Allen 1988; Urton 1993; Orlove 1994). Para los runas de Chahuaytiri, a quienes pertenece ese territorio de frontera, el *tupay* es la actividad que realizan en el último de los lugares de su periplo por los linderos de la comunidad y, como tal, su significado está intrínsecamente unido al del recorrido mismo. Desde esta perspectiva, linderaje y *tupay* constituyen dos momentos de un mismo ritual en el que el grupo trata de reafirmar su territorialidad y dotar de significado el espacio por el que discurren.

---

indios comenzaron a hacer ropa, tejido e hilado [...]. Como proseguían de buena sangre y tuvieron mandamiento y ley, mojonaron sus pertenencias, sus tierras y pastos y chacras, cada señor en cada pueblo" (1993: 49).

El linderaje

En 1996, la fila de todos los runas avanzando ordenadamente por el territorio se detuvo ante ocho mojones de piedras situados en otros tantos lugares significativos del recorrido: Cheqchecancha, Cheqtaqaqa, Llayllipata, Huch'uy-Hukuyri, Wiscachani, Qanchiscrus, Yanakancha, Paltarumiyoq y Chiuchillani. Aunque la lista de estos lugares varía año tras año, todos ellos son invariablemente asociados a los espíritus protectores de los cerros: *apus*, *awkis* y *ruwales* que marcan la geografía sagrada de esta comunidad. El valor atribuido a estos hitos naturales es a la vez causa y consecuencia del tratamiento ritual que se les dispensa durante este recorrido. Dicho tratamiento se traduce en dos grupos de actividades: en primer lugar, aquellas que tienen que ver específicamente con el tratamiento que reciben los mojones de piedras en sí y, en segundo lugar, las que suceden en cada uno de los lugares de descanso que contempla este recorrido.

El tratamiento ritual de los mojones es tarea compartida por dos de los cargos del *wachu*: el primer capitán y sus correspondientes *wachu* capitanes (de cuatro a seis por cada sector de la comunidad) que encabezan el desfile y, tras ellos, las autoridades de vara (regidores, segundas, *varayoq*) que lo culminan. Los *wachu* capitanes se encargan de portar la bandera peruana que encabeza el desfile. Habitualmente, en Chahuaytiri este cargo suele ser desempeñado por una persona que ejerce a la vez como presidente o teniente en la Junta Directiva y, en esa doble condición, es también el portador del estandarte nacional. Por su parte, cuando los *varayoq*, situados al final de la fila, alcanzan el mojón ritualmente arreglado por los capitanes, su tarea consiste en rodearlo dando tres vueltas *pañaman*. De este modo, consagran el valor del elemento rodeado:

> Mojón *muyuy* lindero, eso es el alcalde quien hace dar vueltas en su puesto. El presidente, el teniente, ellos son los obligados a recorrer los mojones. Y el alcalde es quien da, tiene que dar *sami*, tiene que decir: "¡Que tenemos que movilizarnos todos para recorrer el lindero!" (Don Bartolomé Sutta, marzo de 1996).

La figura 25 ilustra el orden de marcha que observan los runas colocados en *wachu* durante este recorrido:

FIGURA 25
Orden de marcha en el linderaje, Chahuaytiri

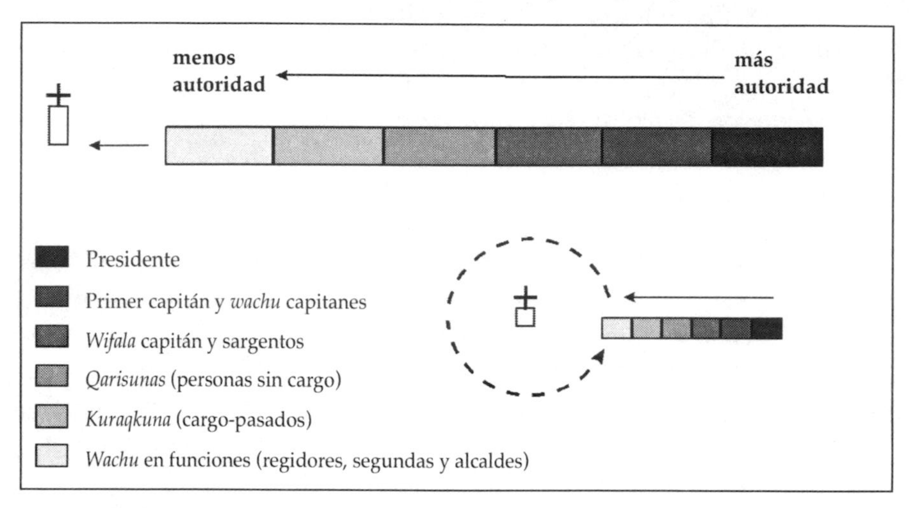

Dado que en la actualidad Chahuaytiri se extiende por un territorio de algo más de 3.000 hectáreas, es preciso establecer una serie de lugares de descanso o *samanapatas* durante el recorrido. En esta ocasión fueron cuatro los *samanapatas* en los que los runas se detuvieron para reponer fuerzas: Cheqchekancha, Wiscachani, Yanakancha y Paltarumiyoq. En el primero de ellos, el secretario de la Junta Directiva pasó lista a los asistentes sirviéndose del padrón comunal e inmediatamente después los *kuraq* y tras ellos todos los demás cargos del *wachu* aportaron cada uno su respeto, consistente en el *yanantin* de trago que compartieron con el resto de los runas.

De forma sintética, ésas son las actividades que se realizan en esta comunidad durante el linderaje, una de las vías más adecuadas para acceder a la construcción significativa que el grupo realiza sobre el territorio que habita. Las transformaciones experimentadas en esta propiedad desde la época colonial hasta su reconocimiento como comunidad campesina, ilustran la historia reciente en la que es preciso ubicar el primer plano significativo que ofrece este ritual, esto es, en tanto que una de las estrategias utilizadas por la población para mantener el control y la posesión de un territorio continuamente amenazado por los ayllus vecinos, por las autoridades locales, provinciales y por el propio Estado, a golpe de decretos.

- Un recorrido por la historia local

El reconocimiento oficial de Chahuaytiri como comunidad campesina data de 1992. Sin embargo, los límites del territorio actual (3.103 hectáreas) son el resultado de un largo proceso histórico que refleja las diferentes formas de tenencia de la tierra en el Perú. El primer punto de inflexión en la historia reciente de esta hacienda colonial nos sitúa en la segunda mitad del siglo XX, cuando Chahuaytiri estaba en manos de la familia Romainville-Alvistur. Desde fines de los años cincuenta y durante toda la década siguiente, esta propiedad experimentará un proceso ininterrumpido de invasiones y usufructos incontrolados por parte de los ayllus vecinos, cambios sintomáticos de las transformaciones que se avecinaban a nivel político (ver, en el capítulo I, el apartado "Las autoridades indígenas en el siglo XX: el caso de Chahuaytiri"). Los ayllus vecinos de Ccamahuara y Occoruro, previamente despojados de parte de sus tierras por los hacendados, invaden el territorio de esta comunidad. De esta época datan los testimonios recogidos de los actuales *kuraq*, entonces pongos y feudatarios de la hacienda, que relatan lo sucedido en las celebraciones del mojón *muyuy* de esos conflictivos años:

> [Los jóvenes] tienen que saber el nombre de todos los hitos y dónde se daba vueltas; ahora actualmente hacemos un recorrido nuevo porque entraron a nuestro territorio por las nuevas leyes [la reforma agraria]. Y como la hacienda era muy grande y los ayllus eran muy pequeños, entonces con eso es que se han entrado (Don Bartolomé Sutta, marzo de 1996).

A mediados de los años setenta y durante toda la década posterior, algunas de las cooperativas que se habían constituido en este distrito recibirán el reconocimiento oficial como comunidades campesinas y también tratarán de recuperar parte de las tierras usurpadas por la hacienda Chahuaytiri. Es el caso de la vecina comunidad de Cuyo Grande, la que soporta la mayor densidad de población de todo el distrito. Durante los últimos años de la Cooperativa Agrícola que se constituyó en Chahuaytiri (1974-1988),Cuyo recuperó el sector de Tentaraq'ay, de 82 hectáreas. Esta invasión sucedió en tiempo de Carnaval, precisamente con motivo del recorrido de los linderos. Cuatro años más tarde, en el mismo escenario, los runas de Chahuaytiri trataron de recuperarlo nuevamente. Santiago Illa, entonces *wifala*, relata lo sucedido:

> Cuyo nos ha invadido nuestro terreno, también en tiempo de la cooperativa, siempre nos han invadido, y nosotros ya estábamos resentidos y por eso hemos recuperado Pampakancha, Viscachani, Wataywasi, Unytoqra [...]. En tiempo de Carnaval hemos luchado. Yo estaba bailando [*wifala*] porque soy joven, y los de Cuyo estaban pasando con su bandera [por el lindero], y entonces hemos luchado [...] y hemos empezado a tirar como perros con la honda, piedra y, poco a poco, se han juntado [otros campesinos] para defender. Hasta las 17:30 hemos bronqueado, y había sesenta heridos de Cuyo y de nosotros doce no más (Don Santiago Illa, diciembre de 1995).

Fuera como resultado de expropiaciones legales o como invasiones espontáneas de los ayllus vecinos, el territorio de la comunidad de Chahuaytiri se vio reducido en menos de veinte años, los que median entre la afectación del predio por reforma agraria (1974) y su reconocimiento como comunidad campesina (1992), a una quinta parte de su extensión inicial. La toponimia de los lugares en conflicto coincide en gran medida con la de los mojones recorridos en el mojón *muyuy* de 1996. Concretamente, de los ocho hitos mencionados, cinco limitan con la comunidad de Cuyo Grande. Como en otras ocasiones, los *kuraq*, en su condición de *yachacheq*, los que conocen y conservan la memoria del territorio antiguo, son los encargados de resolver cada año cuáles deben ser los hitos a recorrer, decisión que será formalizada posteriormente en asamblea comunal por la Junta Directiva. De ahí que la relación de hitos a recorrer no sea necesariamente la misma cada año puesto que no estamos hablando de "los linderos de Chahuaytiri" sino sólo de ciertos linderos, según la coyuntura histórica exija reforzar la frontera por uno u otro lado. En tiempos de la hacienda se insistía en la frontera con Ccamahuara y Occoruro, ayllus vecinos que invadían con su ganado el territorio de Chahuaytiri, mientras que en la actualidad se insiste en los límites con Cuyo Grande, la comunidad con la que más conflictos han tenido en los años recientes. Desde esa perspectiva proponemos ubicar el primer nivel significativo del espacio recorrido en este ritual en tanto que "territorio de memoria" (Küchler 1993: 103), la de un territorio perdido que es necesario recordar para evitar nuevas fragmentaciones. Pero si las fronteras del territorio de Chahuaytiri son redefinidas anualmente mediante el mojón *muyuy* "frente a" y "en diálogo con" las comunidades vecinas, no sucede lo mismo con la lista/s de mojones que, tanto durante el recorrido como después del mismo, repiten los *kuraq* a los jóvenes. La relación de esos linderos remite a una cartografía del pasado que unos tratan de borrar y otros deben recordar, como señala Don Nicanor Pérez, de quien obtuvimos la lista más completa de hitos significativos que se corresponden con cerros o abras de la geografía sagrada local y que, por tanto, no figuran en la Carta Geográfica Nacional. De los doce lugares que menciona sólo tres coinciden con el recorrido etnografiado en 1996:

> Entonces te voy a decir desde el inicio: el mojón *muyuy* empieza en K'umumachay, en la loma de Kanchaorqo, de ahí viene K'umurumiyoq, después vamos a Hualla-hualla-moqo; en Umurumiyoq la piedra está agachada, después Cheqche, en ahí hay una marca en una piedra, una cruz, bien profunda que no se puede borrar... Hay otro lugar, otro hito con Cuyo Grande y también tiene una cruz grande; los de Cuyo quisieron borrar y voltearon la piedra, pero no han podido, y ese lugar se lo han llevado también ellos...; después de Cheqche viene Muña-Muña, después Akanaku, Isillikancha, Cheqchekancha, después Cheqtarumiyoq, después Huch'uy Hukuiri, después Wataywasi. Así es y así era (abril de 1996).

Durante casi dos años tratamos infructuosamente de señalar en el mapa la ubicación de los mojones a los que hacía referencia Don Nicanor. Finalmente, al reconstruir mediante la tradición oral el perfil aproximado de los linderos de las 14.000 hectáreas que ocupaba la antigua hacienda, nos percatamos de dónde residía el problema. No se trataba solamente de una forma errónea de formular la pregunta ("¿cuáles son los linderos recorridos en el linderaje?"), sino de apreciación acerca del papel reservado en este ritual a las autoridades, nos referimos tanto a los cargos de la Junta Directiva como a los del *wachu*.

De los primeros, la comunidad espera que transmitan a los jóvenes los linderos actuales que, en su mayoría, corresponden a la geografía del conflicto con la vecina comunidad de Cuyo Grande. Mientras que de los *kuraq*, en su papel como reactualizadores de la memoria colectiva del pasado, se espera que relaten las historias de cada hito que remiten a distintos momentos la historia de Chahuaytiri como hacienda. Se trata por tanto de dos listas de hitos diferentes aunque perfectamente complementarias del mismo recorrido: una referida al presente más inmediato por las autoridades de la Junta Directiva y otra al pasado por los *kuraq*. En conjunto, ambas actúan como una estrategia para recrear el pasado desde el presente y transmitirlo a las nuevas generaciones:

> En todos los hitos deben poner las cruces y las flores, y eso están haciendo. Claro que en unos cuantos hitos no [las] han puesto, y todo eso vamos a hablar nosotros (los *kuraq*) en nuestra próxima reunión; y vamos a exigir que vayan los niños, porque así ya van a saber el nombre de los hitos; y los de la Junta son los que dicen los nombres y nosotros también, y ellos [los jóvenes] son los que deben recordar cuantos hay (Don Nicanor Pérez, abril de 1996).

Sintomático de la síntesis que se produce entre presente y pasado en este ritual es que se trata de una de las pocas ocasiones en que escuchamos a los runas de esta comunidad, la hacienda colonial más antigua de este distrito, autodenominarse como un "ayllu": "Nosotros, el ayllu de Chahuaytiri". Y es que el término ayllu reúne en un solo concepto las tres estrategias que los grupos utilizan frecuentemente para "naturalizar" su adscripción a un grupo étnico mayor: biologización (descendencia del grupo de un antepasado común) historicidad (origen remoto) y territorialidad (territorio cuyos márgenes son consagrados ritualmente por el grupo que lo habita) (Dietz 1999: 61). Desde esta perspectiva, el linderaje de Chahuaytiri es la estrategia utilizada por este grupo para dotar de "esencia" histórica, biológica y territorial su identidad.

El ejemplo ilustra una de las hipótesis sugeridas en este texto, aquella que se refiere al proceso histórico de construcción de la identidad colectiva de un grupo a través del contacto con otros grupos y en relación a los poderes extra-comunales, hecho evidente a poco que se observen las constantes alusiones al Estado, documentos escritos, banderas y a un conjunto de elementos que contiene este ritual. Todos estos elementos aparecen inseparablemente unidos, a veces incluso confundidos, con el consumo ordenado de grandes cantidades de trago, el culto de las cruces y el sentido de la dirección (*pañaman*) en que se recorren los mojones, entre otros aspectos característicos del lenguaje ritual andino. Esa presencia simultánea lejos de reflejar la coexistencia de dos poderes separados y de naturaleza distinta: uno sagrado e ilimitado representado por los *kuraq* y los cargos del *wachu* que participan más activamente, y otro secular y limitado representado por la Junta Directiva que representa al Estado peruano (Radcliffe 1990), es sintomática del modo híbrido en que los runas conciben la naturaleza de la autoridad. La activa participación de evangélicos en el linderaje en calidad de autoridades del *wachu* (*wachu* capitanes) y simultáneamente como miembros de la Junta (presidente, vicepresidente, tesorero), de la que nos hemos ocupado en páginas anteriores, reforzaría esta interpretación. En su condición de *ñawiyoq* la comunidad espera de ellos que se encarguen de transmitir lo que se puede leer en los documentos oficiales en los que figura el reconocimiento legal de la propiedad de la tierra de la comunidad, mediar con las autoridades foráneas y garantizar la continuidad del *wachu* de la autoridad.

- El *tupay* de Chiuchillani

> ¡Desde qué tiempos todavía sería ese Chiuchillani!: ¿acaso hay otro lugar, otro Chiuchillani en el mundo?, ¿cómo habría sido Chahuaytiri sin Chiuchillani?, ¿y en Comadres?, ¿cómo toda la gente se encontraría (*tupanku*)? Ahí, bonito bailan los *wifalas*" (Don Esteban Guamán, marzo de 1996).

El *wachu* de Chahuaytiri con todos los runas avanzando por los linderos finaliza en el sitio denominado Chiuchillani, una pampa pequeña situada en un lugar despoblado de la puna, a unos 4.500 metros de altitud, frontera entre las comunidades de los distritos de Pisac, San Salvador y Qolqepata, en la provincia de Paucartambo. Entre estas comunidades tendrá lugar una batalla ritual documentada por varios autores (Casaverde, Cevallos y Sánchez 1966; Cevallos 1974; Sallnow 1987; Allen 1988; Pérez Galán 1999).

Apenas a dos kilómetros de Paltarumiyoq, el último de los descansos del linderaje, se avista la pampa de Chiuchillani. En los cerros colindantes, los ejércitos de *wifalas* procedentes de distintas comunidades relacionadas históricamente con Chahuaytiri aguardarán a ser recibidos en el camino por los *wifalas* de esta comunidad, a la sazón dueños del territorio, que los escoltarán en *mircca* o zigzag en su descenso hasta la planicie. En ese lugar, los varios ejércitos de *wifalas*, tras

Tupay de Chuchillani, Chahuaytiri.

intercambiarse el consabido respeto (parabienes, trago, flores y mixtura), bailan en parejas formados en dos filas situadas frente a frente. En una se sitúan los *wifalas* de Chahuaytiri, los más numerosos, y en la otra los de las comunidades de Ccamahuara, T'irancanchi y Occoruro. Tal y como sucedía en el recorrido de los linderos, la comunidad que se enfrenta simbólicamente a los *wifalas* de Chahuaytiri varía de acuerdo a las relaciones y a los pleitos habidos durante ese año (Sallnow 1987). Después de unos minutos frente a frente, los sargentos de cada bando "raptan" simbólicamente a las mujeres (solteras, casadas y viudas) de los del otro bando, quienes permanecen sentadas en grupos contemplando el baile ataviadas con sus mejores galas. Una vez que todos están en la pampa se mezclan en *mich'u* (tanto varones como mujeres, capitanes como sargentos, naturales de Chahuaytiri y de las otras comunidades) para bailar durante al menos media hora "raptando" nuevas parejas de baile cada vez que los músicos acaben su ritmo de Carnaval y comiencen el siguiente. Al finalizar este *mich'u*, que constituye el clímax del encuentro ritual, los *wifalas* de las comunidades participantes desaparecerán cerro arriba hacia sus respectivos lugares de origen escoltados nuevamente por el ejército de *wifalas* de Chahuaytiri.

Encuentros rituales entre comunidades como éste, o, entre bandos de una misma comunidad, han sido ilustrados en todo el sur andino durante el período de Carnavales.

Según sea la procedencia de los participantes, se distinguen dos tipos de batallas rituales denominadas genéricamente *tinkus* (Sallnow 1987):

Internos: si los bandos que se enfrentan son facciones o mitades pertenecientes al mismo grupo étnico.

Externos: si se trata de grupos étnicos diferentes.

Los primeros suelen suceder en alguno de los espacios más significativos de la comunidad (la plaza, promontorios, pampas, etcétera), mientras que los externos se desarrollan en el espacio de frontera entre varias comunidades (Sallnow 1987: 141)[18]. Según esta taxonomía, el encuentro que se produce en Chiuchillani se inscribiría dentro del grupo de los *tinkus* externos, conocidos como *tupays* en este área.

Un segundo criterio contemplado en las clasificaciones de estos encuentros es el grado de violencia física que implican y que fluctúa en una escala que va desde un amistoso baile (caso de Chiuchillani) hasta una lucha abierta con hondas, piedras y palos en la que pueden resultar heridos e incluso muertos (Platt 1988; Poole 1994; Harris 1994). La denominación de "batallas rituales" en el argot antropológico, derivaría precisamente de esta característica[19].

---

[18] Platt sugiere una distinción similar en el grupo aymara de los macha al norte de Potosí (Bolivia). Diferencia por un lado, las *cha'xwas* o guerras crueles entre comunidades o grupos étnicos por su derecho a la tierra (análogos a los *tinkus* externos) y, por otro, los *tinkus* dentro del mismo grupo como estrategia para establecer la dinámica social entre las diferentes facciones. Los primeros serían más violentos a diferencia de los segundos, más rituales y previsibles. Tanto unos como otros están relacionados y expresan las relaciones sociales (tensiones, pactos, alianzas) entre grupos colindantes en competencia por la tierra como estrategias complementarias para alcanzar un cierto equilibrio social. Desde esta perspectiva, Platt sostiene que se trata de una dinámica social que permitiría, desde la época prehispánica, la formación de nuevos grupos étnicos (1988: 403-5).

[19] Sobre esa definición genérica, Orlove destaca además como características comunes a estos encuentros: el carácter escénico deliberado presente en la separación entre espectadores y participantes por un lado, y por otro el propósito implícito que persiguen y que tiene que ver con la conquista del territorio bien como ganancia de hecho, bien como reafirmación simbólica del mismo (1994).

Si bien es cierto que estos encuentros constituyen explosiones de violencia altamente estereotipada que suceden en momentos fijos del calendario, también es necesario tener en cuenta la conceptualización de los propios actores acerca de la naturaleza de dicha violencia. Como señalamos páginas atrás, el lenguaje ritual del carnaval o *puqllay* se caracteriza por exhibir un elevado grado de confrontación por lo que, como señala Platt, los *tinkus* andinos podrían interpretarse como otra forma de manejar la violencia en términos sociales, de someterla a ciertas reglas y concepciones que permiten extraer de la confusión y el desacuerdo las bases que garanticen la reproducción del grupo (1988: 393). Por esa razón, ni los violentos encuentros rituales que tuvieron lugar en el pasado en Chiuchillani ni los más pacíficos que suceden actualmente, son concebidos por los participantes como una transgresión del orden o *wachu* que es, como veremos, proclamado en todo momento.

En cuanto a las interpretaciones antropológicas que tratan de explicar el origen y la naturaleza de estas batallas, señalan que se trata de la expresión ritual de un modelo dual que impregna la organización social, política y religiosa de estas sociedades desde tiempos prehispánicos (Rostworowski 1983 y 1988; Platt 1988; Zuidema 1991). Desde esta perspectiva, el sentido del enfrentamiento entre bandos sería el de establecer relaciones sociales a través del intercambio. Los motivos y las formas que adoptaria tal intercambio, varían según los autores. Unos, se interesan sobre todo por el significado simbólico-religioso del encuentro subrayando que el intercambio se establece entre la geografía sagrada y los runas. Así concebido, este intercambio puede tomar la forma de una ofrenda sangrienta con la que el territorio se fertilizaría de forma simbólica para garantizar la reproducción de la vida humana, animal y vegetal (Casaverde, Cevallos y Sánchez 1966; Harris 1994; Sallnow 1987), o simplemente como un modo de definir la identidad grupal en relación con el paisaje (Allen 1988). Otros autores destacan el significado económico de estos encuentros, viendo en ellos el escenario idóneo para intercambiar mujeres y productos entre diferentes zonas agro-ecológicas andinas, al tiempo que dirimir conflictos latentes por el derecho a la tierra y crear nuevas alianzas (Casaverde, Cevallos y Sánchez 1966; Sallnow 1987; Allen 1988).

Desde el punto de vista de la participación, ambas interpretaciones estarían reflejando el mismo hecho, ya que mientras en el primer caso se hace hincapié en la condición de los runas en cuanto que participantes en el *wachu* de la autoridad, en el segundo se destaca su condición en cuanto que comuneros de derecho, esto es, miembros de entidades jurídicas legalmente reconocidas con derecho a un territorio.

- *Maqanakuys, tupays* y *tinkuys*

De la etnografía precedente se deduce que, en la actualidad, el *tupay* de Chiuchillani consiste básicamente en el recibimiento ritual de la comunidad anfitriona a sus invitados y en los bailes que suceden en la pampa. Dado el carácter afable y la exquisita etiqueta que los participantes observan durante todo el encuentro parece cuando menos pretencioso calificarlo como "batalla ritual", según la caracterización sugerida páginas atrás. Será necesario remontarse de nuevo a la historia reciente de esta comunidad cautiva de una de las haciendas más grandes de todo el área para entender por qué.

Aunque no disponemos de información precisa acerca del momento en el cual se originó este *tupay*, las versiones recogidas remiten a la conmemoración de dos conflictos armados diferentes cuya memoria, según los *kuraq* de Chahuaytiri, ha quedado inscrita en el paisaje[20]:

> No sé porqué es ese *tupay*, por respeto será. Dice que antes había una guerra donde actualmente es Rumpuqaqa, y en ese lugar, tras de una loma, hay una *ñusta* [mujer del Inca] y dice que ahí se había realizado una guerra hace tiempo y dice que esa mujer estaba dando vueltas agarrando su *puska* [huso], y dice que esa *ñusta* le había ondeado al jefe y que por ese motivo desapareció la guerra. Y en la parte de abajo parece que han muerto bastantes. Ahí, donde hay una bandera y todavía existen balas enterradas, ¡desde qué tiempos habrá sido eso!, y es por eso que desde entonces se hace el *tinkuy* (Don Esteban Guamán, abril de 1996).

[20] Según la versión recogida por Sallnow en el vecino distrito de San Salvador, este encuentro conmemora un incidente histórico ocurrido durante la rebelión de Tupac Amaru II (1780) cuando un grupo de indios independentistas huían de los mestizos y cayeron masacrados en esa pampa (1987: 138); Mientras, en la versión ofrecida por Casaverde, Cevallos y Sánchez, se trataría de la revuelta entre los partidarios de Cáceres y Piérola en el conflicto civil de fines del XIX (1966: 96).

Como prueba inequívoca del carácter violento de esa guerra, en la tradición oral de estas comunidades se apunta la existencia de lugares en los que la sangre parece aún fluir de la tierra o de manantiales. En las distintas versiones recogidas de esta historia, uno de los lugares sangrientos más mencionados es situado en el territorio de Ccamahuara, la segunda comunidad protagonista de este encuentro.

> Bueno con todos nos llevamos más o menos, pero Ccamahuara y Tirakanchi, y Ccamahuara con Chahuaytiri, se llevan mejor. Es así que entre ellos se hacen tomar el licor y después los demás en forma común se reúnen y todos bailamos en *m'ichu* [...]. Y eso es desde antes, solamente es con Ccamahuara. Aunque también venían de Umachurco, de Sipascancha, pero con ellos no se daban su parabién, solamente con Ccamahuara y no con los demás (Don Esteban Guamán, marzo de 1996).

Para obtener una imagen más completa del papel que desempeña la comunidad de Ccamahuara en este encuentro, es necesario añadir el valor histórico de Chiuchillani como frontera entre las comunidades participantes. La tradición oral nos ayuda a restituir dicho valor. Si de la génesis de este encuentro siglos atrás parece conservarse sólo muda memoria inscrita en el paisaje, una imagen mucho más nítida y emocionante es la que conservan los *kuraq* de Chahuaytiri sobre cómo era este encuentro en los últimos años de la hacienda, cuando ellos desempeñaban el cargo como *wifalas*:

> ¡Uff!, los de Chahuaytiri a todos hacíamos asustar, pero más que todo a Ccamahuara y a Occoruro, es que antes éramos demasiado *supa* [demonio]. Yo estuve haciendo de *wifala* capitán la última vez que hubo bulla y ellos empiezan a molestarte, y cuando estaba mirando ¡pum!, de repente a uno lo agarran de la cintura y ¡zas! lo tumban al suelo y a la gente la botaban dentro de la laguna y se agarraban a patadas. Ahí no se respetaba ni a mujer ni a varón. A los de T'irakanchi, ¡uuh!, a ellos les hacíamos espantar. Más bien estos años es tranquilo, no hay ningún problema (Don Nicanor Pérez, abril de 1996).

La escena narrada, que corresponde al *tupay* de Chiuchillani celebrado en algún momento entre 1955 y 1960, parece aproximarse más a la descrita en el caso de los violentos *tinkus* que aún se contemplan en diferentes partes del sur andino que a nuestro elegante *tupay*. Don Esteban remarca que se trata de dos encuentros característicos de las celebraciones de Carnaval, pero separados en el tiempo y en el espacio.

> Lo que bailan dicen *tupay*. El *tinkuy* es separado. Los domingos hacen el *tinkuy* solamente los *wifala* capitanes. Por ejemplo, ahora habría varios danzarines y los domingos hacen el *tinkuy* con palos grandes. Ese baile es de otra clase, eso era antes, ahora ya no hacen el *tinkuy* de esa manera; eso hacían los *wifalas* en los paseos de los domingos y ese *tinkuy* hacían en una loma. Por ejemplo, tal igual como hoy domingo nos reuniríamos desde las cinco de la tarde y empezaríamos a caminar a esa loma para hacer el *tinkuy*, y después de eso me iría a pasear, y a eso le dicen *tinkuy* (Don Esteban Guamán, febrero de 1996).

Siguiendo la distinción señalada por Sallnow (1987) entre *tinku* interno y externo en este mismo área, o la análoga establecida por Platt (1988) entre *tinku* y *ch'axwa* referida a los macha de Potosí, observamos que es aplicable a los dos tipos de encuentros que refiere Don Esteban en el tiempo de Carnaval: uno previo a los domingos de paseo que tuvo lugar hasta comienzos de los sesenta, y el otro que aún se mantiene transformado en un amistoso encuentro y que sucede tras el recorrido de los linderos de la comunidad. Aunque con objetivos contrapuestos, ambos constituirían parte de una misma estrategia de renovación del orden social y político de la comunidad resultado del enfrentamiento violeto. El primero o *tinkuy*, aludiría al encuentro de dos bandos contrarios del mismo grupo que se libraba en el centro del territorio comunal (una loma) en el que participaban exclusivamente varones portando lanzas, varas o palos de madera de chonta. Mientras que el *tupay* se refiere al encuentro que sucede en las afueras del territorio comunal en un lugar de frontera (caso de Chiuchillani) en el que se enfrentan públicamente los varones de distintas comunidades que desempeñan su cargo como *wifalas*, rememorando el papel de los antiguos guerreros emplumados. En el *tupay* los *wifalas* son secundados por sus compañeras en el cargo (generalmente hermanas) encargadas de preparar la comida, cantar y bailar y quienes, eventualmente, pueden acabar implicadas activamente en la pelea. En casos excepcionales el *tupay* supone violencia física, pero ésta no es premeditada y se resuelve entre individuos o familias. En conclusión, en Chahuaytiri la batalla interna previa a los paseos dominicales servía como estrategia para reafirmar la diferencia entre personas y grupos de la comunidad como una unidad social y territorial, unidad que continúa siendo simbólicamente expresada en el espacio mediante una ordenada *mircca*. Una vez reafirmado el orden individual y social en la comunidad, Chahuaytiri se enfrentaría en el *tupay* de Chiuchillani a otras comunidades, ayllus o grupos étnicos vecinos considerados como iguales. Dicha igualdad es proclamada ritualmente en el *mich'u* que se produce actualmente en la pampa como clímax de este encuentro, esto es, la mezcla desordenada de runas (hombres, mujeres, jóvenes y viejos, sin importar sus cargos) que expresaría el pacto de no agresión y de respeto mutuo hacia el territorio de frontera que comparten.

La figura 26 sintetiza las connotaciones semánticas más importantes asociadas a ambos términos.

Revisemos para finalizar este análisis la relación que existe entre las comunidades que participan en el *tupay* de Chiuchillani y el recorrido de los linderos que sucede inmediatamente antes. En otras palabras, quiénes se enfrentan y por qué:

> Bueno la mayoría pastaba en nuestro terreno de Chiuchillani, muy pocos son los que pastan en su terreno. Antes era la familia Guerra Ccoyo que tenía bastantes ovejas, después la familia Huaraka, ahora último ya no sé, pero más antes entraban Sipascancha, Chiccchicmarca, Teracanchi, Occoruro y Ccamahuara a nuestro terreno, y la que más se ha entrado era Cuyo Grande (Don Pío Pérez, agosto de 1997).

Si bien es cierto que en Chiuchillani participaban las comunidades que menciona Don Pío y algunas otras que limitaban en algún punto con el territorio de la antigua hacienda, la participación no era igualmente activa ni constante año tras año. Aunque no disponemos de una relación precisa de cuáles han sido los participantes en las tres últimas décadas, en las versiones recogidas se señala recurrentemente el mismo grupo compuesto por dos a tres adversarios: Ccamahuara, Occoruro y Teracanchi. Se trata de las mismas comunidades que fueron mencionadas durante el linderaje como las más problemáticas en época de la hacienda por permitir a sus animales invadir ese lugar de frontera para aprovechar los pastos. Desde esta perspectiva, el *tupay* de Chiuchillani y el carácter violento que lo caracterizaba hasta los años sesenta hay que situarlo como la estrategia de la que se servían ayllu-runas y hacienda-runas para dirimir, en el contexto ritual, con-

FIGURA 26

Connotaciones semánticas asociadas a los términos *tupay* y *tinkuy*

TUPAY (BATALLA RITUAL SUPRACOMUNAL)	*TINKUY* (BATALLA RITUAL COMUNAL)
La participación incluye varones y mujeres que desempeñan distintos papeles.	La participación está restringida a los varones.
Los participantes son distintos ayllus y / o comunidades / ayllus vecinos.	Los participantes son facciones o mitades de la misma comunidad / ayllu.
Se desarrollaba en un lugar de frontera entre comunidades (a las afueras, lugar de pastos naturales y frontera entre ayllus o entre distintos grupos étnicos).	Sucede en el centro simbólico del territorio comunal (una loma cerca de la casa hacienda).
El encuentro se expresa en un baile en el que los participantes tratan de evitar el contacto físico, que en caso de producirse es de carácter violento.	El encuentro se expresa en un baile en el que los participantes llevan estacas que hacen chocar.
El clímax de la danza se expresa en el espacio en un *mich'u*: mezcla de participantes sin atender a género, edad o estatus.	El clímax de la danza se expresa espacialmente mediante una *mircca*, que implica el entrecruzamiento ordenado de los participantes según su género, estatus y edad.
El objetivo es dirimir conflictos por el acceso y el derecho al territorio, tratando de alcanzar el equilibrio social entre diferentes ayllus. IGUALDAD.	El objetivo es marcar las diferencias entre las distintas facciones (*moieties*) de la comunidad. JERARQUÍA.

flictos latentes por el derecho al territorio. Ni el hacendado ni el gobernador, autoridades mestizas del distrito, participaban o estaban informados de este encuentro.

El proceso de readjudicación de parte del territorio de la hacienda a los ayllus vecinos se prolongará hasta mediados de los años ochenta. Tras ese tiempo sólo Cuyo Grande, la comunidad que experimenta una mayor presión demográfica sobre el terreno de todo el área, continúa reclamando a Chahuaytiri el sector denominado Tentaraqay, conflicto que estalla por última vez en 1992 con una disputa cuyo saldo es de un muerto. La intervención de los runas de Ccamahuara en este conflicto a favor de los de Chahuaytiri, antes adversarios suyos, resulta ahora decisiva para solventar este conflicto:

> Y con Cuyo en estos días de Comadres nos hemos peleado, y nosotros pedimos auxilio a Ccamahuara y vinieron. Y ahí, en Viscachani, había cualquier cantidad de gente y en ese lugar es donde hemos peleado y con Ccamahuara más nos hemos unido desde entonces y bonito estamos viviendo como hermanos. Por eso ayer [en el *tupay* de Chiuchillani] también el capitán entrante con el entrante y el saliente con el saliente [de Ccamahuara y de Chahuaytiri, respectivamente] se han invitado entre ellos y entre ellos estaban tomando (Don Nicanor Pérez, febrero de 1996).

El carácter tenso que toman las relaciones con la comunidad de Cuyo como resultado de la invasión del sector de Tentaraqay por un lado y por otro el hecho de optar por una vía de solución que traspasa los límites locales y el lenguaje de la violencia ritual (la policia provincial intervino), tiene su correlato inmediato en el *tupay* de Chiuchillani, del cual Cuyo se retira. Además, esta comunidad traslada el recorrido de sus linderos desde el Jueves de Comadres al Jueves de Compadres, evitando con ello tensiones con los runas de Chahuaytiri. Por su parte Ccamahuara, uno de los eternos rivales de Chahuaytiri en el *tupay*, se transforma desde esa fecha en uno de sus principales aliados. A cambio recibe el beneplácito de esta comunidad para que sus animales puedan entran a pastar en el terreno limítrofe de Chiuchillani. Desde esta perspectiva se percibe cómo el *tupay* de Chiuchillani es el espacio en el que proclamar y formalizar anualmente alianzas entre comunidades reactualizando su derecho sobre la propiedad de la tierra. Por ese motivo, Chahuaytiri "se encuentra" (*tupay*) en Chiuchillani año tras año con los antiguos ayllus vecinos del territorio de la hacienda para recordar que esa pampa sigue siendo suya. La aceptación explícita del resto de las comunidades de ese derecho se traduce en el lenguaje ritual en el gesto de esperar a ser introducidas por el ejercito de *wifalas* de Chahuaytiri hasta la pampa en *mircca* –figura que reafirma simbólicamente en el espacio el estatus de cada participante– para posteriormente, durante unos minutos, afirmar simbólicamente su igualdad mediante el *m'ichu* en el que se confunden sargentos y capitanes, jóvenes y viejos, varones y mujeres, de Chahuaytiri y de otras comunidades.

En los días siguientes, que corresponden propiamente a la semana de Carnaval (del domingo al Miércoles de Ceniza), el movimiento por el territorio de los *wifalas* junto a las mujeres finaliza en el mismo lugar donde arrancara semanas atrás: la casa-hacienda, de la que partieron para recoger e introducir a las autoridades de vara. Este patio y los de las casas de las respectivas autoridades, serán los escenarios de los últimos bailes, invitaciones a comida y trago ofrecidos por los cargos del *wachu* a los *wifalas* y al resto de la comunidad[21].

La renovación del territorio comunal

Contemplar el *wachu* en el espacio ritual confirma parcialmente alguna de las hipótesis vertidas sobre su naturaleza intrínsecamente plural e híbrida, permeable a las transformaciones históricas sufridas durante al menos cinco siglos.

Concretamente, el análisis de la secuencia de rituales de renovación que tiene lugar los días de "uso y costumbre", del que nos hemos ocupado en este capítulo, ilustra el papel y el significado de la autoridad que ejercen las personas que pasan un cargo en el *wachu*, quienes no sólo renuevan el orden de las cosas y de las personas en el territorio, sino que lo ponen a prueba, lo reactualizan y lo transforman año tras año, enfrentándose a la presencia de nuevos actores, caso de evangélicos, residentes que regresan de Lima con ocasión de estas fiestas y la creciente presencia del Estado y de otras instituciones en las comunidades de este distrito. Así, en el transcurso de aproximadamente ocho semanas, las autoridades del *wachu*, en su papel de intermediarios simbólicos entre un orden sagrado (representado en el territorio) y otro secular (que representan los runas), entre el poder foráneo y el autóctono, entre el pasado y el presente, entre la naturaleza y la cultura, deconstruyen simbólicamente el microcosmos comunal para reflexionar sobre él y reactualizarlo.

La secuencia de renovación comienza con la inversión simbólica del orden social el día de Navidad mediante la representación de *wai-*

[21] En los últimos años el domingo de Carnaval se celebra en Pisac un "festival folclórico-costumbrista" en el que cada comunidad participa con una danza.

FIGURA 27
Rituales de renovación en Carnaval, Chahuaytiri

Calendario	Rituales	Estrategia	Finalidad
Mosoq **Carnaval (25 diciembre a febrero)**	*Wailakas* y *machulas* (Navidad)	Inversión del orden (*pachakuti*)	**Renovación del *wachu* de la autoridad**
	Juramentación (31 de diciembre al 3 de enero)	Reemplazo de autoridades de vara (*tiyarikuys* y recorridos de la frontera con las comunidades de Pisac)	
	Domingos de paseo (desde San Sebastián hasta el Domingo de Carnaval)	Ratificación del valor sagrado de las autoridades (recorridos por el interior de la comunidad); *tinku* interno	
Carnaval (febrero)	Compadres	*Tiyarikuy*	**Renovación del territorio a través del *wachu* de la autoridad**
	Comadres	Renovación del territorio mediante el linderaje y el *tupay* (del centro hacia la frontera con las comunidades de San Salvador y Qolqepata)	
	Lunes-*suyo* a miércoles-*suyo*	Ratificación del orden del territorio comunal (de la frontera al centro) (*tiyarikuy*)	

lakas y *machulas* que nos transporta por un lado a un tiempo mítico y, por otro, a un espacio pre-social que será re-ordenado, valga decir culturizado, en las siguientes semanas. Primero con las ceremonias que rodean y resignifican la *juramentación* de los cargos de vara en el pueblo de Pisac. Más tarde, con los incesantes *paseos dominicales* por el territorio comunal tomando como hitos simbólicos las casas de las autoridades. El Día de Comadres, el valor del territorio y la aceptación del *wachu* como principio ordenador son consensuados en el diálogo simbólico que transcurre en el espacio de frontera con las demás comunidades: en el *mojon muyuy y* en el *tupay* de Chiuchillani, respectivamente. La reafirmación de ese orden concluye en los rituales de lunes a miércoles de Carnaval, en los que los *wifalas* y las mujeres repiten los paseos y las invitaciones a comida y bebida en la casa de las autoridades y en el patio de la antigua casa-hacienda.

El análisis simbólico del territorio permite entender la coherencia de estos rituales como parte de una misma secuencia de renovación de autoridades-territorio que sucede en Carnaval. El valor de ese territorio es expresado en el movimiento: el sentido de la marcha en estos rituales (del centro a la periferia y vuelta al centro), la ubicación de los cargos tanto para caminar (mayor rango detrás y menor rango delante), la dirección ritual de todos los circuitos *pañaman* (hacia la derecha) y describiendo un movimiento hacia el este geográfico en el que en tiempos prehispánicos se ubicaban los ayllus de la mitad *hanan* (Collana-Pumacurco) que dominaba a *urin* (Cuypan-Qosqo). Así concebido, el territorio no sólo es una superficie en la que se inscriben metáforas de jerarquía y estatus social, sino un microcosmos dinámico en diálogo con el cual, las autoridades del *wachu* cuando lo caminan ritualmente reactualizan una concepción del mundo profundamente vinculada al pasado y a sus reinterpretaciones presentes.

En la figura 27 se reflejan los principales rituales de renovación de los cargos y del territorio que tienen lugar durante el período de uso y costumbre.

V
El *wachu* de la autoridad en el contexto de la globalización

La escena...

Como cada domingo, los alcaldes de las comunidades de Pisac, acompañados por sus séquitos de segundas y regidores, han bajado al pueblo para asistir a la misa en el templo. Tras la misa han desfilado por las calles principales del pueblo, caminando en *wachu*, vestidos con sus trajes típicos y portando sus varas de mando. Las paradas han sido también las habituales: primero, la casa cural, donde han escoltado en *wachu* al párroco, quien, una vez allí, ha pasado revista a la indumentaria de cada uno de ellos: "Como representantes de sus pueblos no deben olvidar su obligación de asistir al templo cada domingo, con sus pantalones, sus ponchos de runa y sus ojotas y no con tenis ¡como ésos!", decía mientras apuntaba con su dedo acusador a los pies de Don Pío, el alcalde de Chahuaytiri; "¿dónde se ha visto?" [...]. Desde ahí, la fila de las autoridades indígenas se ha dirigido hasta la oficina del gobernador, quien, como de costumbre, se encontraba ausente. Su teniente gobernador les ha reiterado en quechua su obligación de acudir cada domingo so pena de multa. La última parada ha sido el Municipio. Atravesando la plaza atestada de artesanos, comerciantes y turistas, los alcaldes han llegado al patio de la municipalidad para ser recibidos por su homónimo mestizo, el alcalde de Pisac, quien casi siempre suele estar demasiado ocupado para recibirles y hacerles entrega de la dotación de leche, azúcar, sal y un pequeño incentivo monetario que el Municipio concede por haber acudido al pueblo un domingo más. Sin embargo, a diferencia de otros domingos, hoy les esperaba el propio alcalde en persona acompañado por tres periodistas del canal de televisión Panamericana', pertrechados con una cámara de vídeo, micrófonos y trípodes. Cuando los alcaldes de las comunidades han entrado en el patio de la municipalidad, el alcalde mestizo les ha señalado que se formen para que los periodistas tomen unas "vistas" de las autoridades tradicionales junto a él. Para no desentonar con su ropa occidental, el alcalde de Pisac ha pedido prestado el pon-

Periodistas filmando el *wachu* de los alcaldes.

cho al regidor mayor de Chahuaytiri, quien parece de su misma talla. El alcalde de la comunidad de Amphay, la máxima autoridad del *wachu* entre comunidades ha ordenado a sus homólogos para que se formen de acuerdo al *wachu* que observan cada vez que se juntan, y en que él ocupa el lugar privilegiado en términos de autoridad, es decir, al final de la fila. Listos para la sesión fotográfica, uno de los cámaras de Panamericana observa que algunos de los alcaldes envarados son más altos que otros, y pide al alcalde de Pisac que los reubique de acuerdo a la talla de cada uno. Ninguno se mueve un ápice [...]. Un joven artesano del pueblo que se encuentra observando el suceso, ayuda al alcalde mestizo a reordenar a los alcaldes indios de acuerdo al criterio estético señalado por el periodista. Cuando dan por concluida la labor y se giran para que los cámaras comiencen a filmar, los *varayoq* se recolocan de nuevo en el *wachu* que les corresponde [...]. Tras un par de intentos se rinden y el cámara de televisión comienza a filmar a la corte de "autoridades tradicionales" de Pisac al frente de la cual se sitúa, "disfrazado" con un poncho indígena, el alcalde municipal, irremediablemente más bajito que su homólogo de la comunidad de Amphay... (Diario de campo, febrero de 1996).

Representando el *wachu* para otros

Si en los rituales analizados en anteriores capítulos, el *wachu* de la autoridad aparecía como la representación espacial, simbólica, social y política de un tipo peculiar de orden, en gran medida ello se debía a que los actores y el público eran las mismas personas (Baumann 1992). Desde esa perspectiva, hemos interpretado este sistema como un vehículo a través del cual los runas transmiten y reactualizan mensajes acerca de sí mismos, de su organización y de sus instituciones. Hoy día, por el contrario, nos encontramos ante un escenario en el que muchos de esos rituales son representados por las autoridades tradicionales no sólo para los de adentro en su función de transmitir un orden, sino también para los de afuera, entre los que destaca por su impacto el turismo de masas). Quizá por ello, observar la escena de las autoridades tradicionales en el escenario globalizado del que forma parte el pueblo de Pisac parece situarnos ante una parodia o un esperpento de las mismas. No se trata, sin embargo, del efecto provocado por el abrupto descenso de altitud al que se ve sometido el lector quien, cómodamente situado en el análisis de la particularidad etnográfica de este sistema en una comunidad de altura supuestamente aislada, súbitamente lo descubre mercenarizado para el turismo apenas 1.000 metros más abajo. Al contrario, se trata de la misma representación dominical del *wachu* de los alcaldes que nos ha servido en páginas anteriores como pretexto para acceder a la construcción identitaria de los runas de estas comunidades. La escena resulta familiar para todos aquellos que hayan visitado este lugar: cada domingo hacia las once de la mañana, momento en el que los autobuses turísticos procedentes de Cuzco llegan al pueblo, una corte de más de quince alcaldes tradicionales desfilan por las calles del pueblo ataviados con sus ponchos y monteras multicolores entre comerciantes de artesanía y cámaras de turistas. Y, aún más, en algunas ocasiones, se puede observar a los alcaldes encaramados a un escenario actuando como improvisados extras del festival inca local, el Pisac Raymi, implantado por las autoridades municipales en 1996 (Pérez Galán 2003)[1].

---

[1] Al igual que el resto de los festivales que han proliferado en la última década por todo el Perú, el Pisac Raymi sigue el modelo del Inti Raymi cuzqueño. En Pisac se celebra la última semana de agosto, coincidiendo con la octava de la festividad de la

Devolver el análisis del *wachu* a su lugar de origen (el pueblo de Pisac), nos permitirá llegar a algunas conclusiones en este último capítulo acerca de la naturaleza del *wachu*. Conviene recordar en este punto algunas de las preguntas que motivaron esta investigación: ¿por qué a pesar de existir nuevos canales de movilidad social y en un contexto socio-económico como el actual, los indígenas continúan pasando los cargos del *wachu*?, ¿es acaso una simple resto de tradición mercantilizada para el turismo? y, en ese caso, ¿por qué los alcaldes envarados continúan acudiendo a Pisac con sus séquitos y no sucede lo mismo en otros distritos del Valle Sagrado igualmente turísticos? La comprensión de esta escena como parte de la dramaturgia de la que se sirve el poder en este comienzo de siglo nos ayuda a despejar algunas conclusiones precipitadas. Como señala García Canclini: "entender las relaciones indispensables de la modernidad con el pasado requiere examinar las operaciones de ritualización cultural. Para que las tradiciones sirvan hoy de legitimación a quienes las construyeron o las apropiaron, es necesario ponerlas en escena" (1992: 151). Es ahí donde, por último, nos proponemos llevar el análisis del sistema de cargos para restituir su significado. Ello nos permitirá sustentar una de las hipótesis principales en las que se sustenta este texto: la que afirma la capacidad de este sistema como transmisor y reactualizador de significados culturales para la población. Dicha capacidad reside, antes como ahora, en la existencia y la implicación más o menos activa de los "otros del *wachu*", los grupos dominadores frente y en relación a los cuales las población de estas comunidades se define como grupo: ayer encomenderos, recaudadores, *llactataytas*, hacendados, gobernadores y hoy turistas, técnicos de desarrollo y profesionales de la tradición, entre otros.

Mamacha Asunta. El episodio que se representa es el del inicio de la cosecha del maíz. En su representación participan el Inca, la Coya, varios sacerdotes incas, así como una multitud de servidores, bailarines y representantes étnicos de otros pueblos, hoy día papeles encarnados por experimentados actores profesionales que participan en otros *raymis* y cuyos servicios contrata el Municipio. En el escenario, en segundo plano, lucen las monteras multicolores de los alcaldes tradicionales, de sus regidores y sus segundas, las autoridades tradicionales de las comunidades cooptadas por el Municipio al servicio de crear una experiencia turística auténtica.

Turistas, mercados y alcaldes

Aunque la afluencia de turistas a este distrito es un fenómeno que comienza a registrarse sistemáticamente a comienzos de los años cincuenta, el desarrollo de Pisac como uno de los centros económicos y culturales más visitados de todo el valle está íntimamente conectado con el de su mercado indígena de abastos o *qhatu*.

Este *qhatu*, considerado como uno de los centros de intercambio y reunión más antiguos del valle, era el punto de encuentro al que concurría cada domingo la población indígena procedente de las comunidades de éste y otros distritos vecinos (San Salvador, Taray, Coya y Lamay), y también de las provincias de Paucartambo, Calca y Cuzco. Sintomático de la presencia de este mercado desde antiguo resulta el hecho de que tan pronto como se constituye el municipio de Pisac (1895), uno de los asuntos más urgentes a resolver es el relativo a los abusos de especuladores e intermediarios. Estas personas, conocidas por la población como "rescatistas" esperaban apostados en los caminos a los indígenas que acudían al mercado para arrebatarles o comprarles sus productos con engaños. En ese contexto, los alcaldes envarados eran requeridos por los *llactataytas* para intermediar en los pleitos. Ordenar y normalizar la actividad comercial en la plaza del pueblo resultaba prioritario para los *llactataytas*, ya que ésta constituía una de las escasas fuentes de recursos para las arcas municipales. Hasta la Ley Orgánica de Municipalidades de 1984, en el Perú ni los cargos municipales eran remunerados ni los municipios contaban con ingresos procedentes directamente del Estado, sino por intermediación de las capitales de provincia. Esta situación suponía que, en la práctica, las autoridades locales tuvieran que ingeniárselas creando nuevas rentas propias, impuestos y arbitrios que les permitieran realizar las mejoras oportunas.

Como resultado de la precariedad económica y la falta de vocación localista de los gobiernos nacionales, para aquellos distritos como Pisac, a los que la historia había "premiado" con restos arqueológicos incas y con indígenas, el turismo aparecía como una de las fuentes de recursos más interesantes para aumentar el exiguo caudal de sus rentas:

> Considerando: ...que el Concejo no cuenta con ingresos para atender las premisas necesidades del ornato, salubridad del pueblo de Pisac, cuyo estado deplorable desdice del estado cultural de la región, por ser un cen-

> tro turístico visitado constantemente por turistas extranjeros y nacionales, y esta situación obliga a la comuna a crear rentas para atender estas necesidades que redundarán en beneficio local, regional y nacional, mejorando Pisac en todos sus aspectos y por éstos, sus fundamentos (extracto del acta municipal de la reunión del 23 de junio de 1952, Pisac)[2].

De modo que, mercado, turistas y alcaldes son tres preocupaciones políticas interrelacionadas para este Municipio desde al menos mediados de siglo, muy similares a las expresadas por el párroco y el gobernador del pueblo en sus arengas dominicales a los alcaldes de las comunidades (ver, en este capítulo, "La escena..."). Viejos problemas a los que se dan nuevas soluciones:

> Se dio cuenta de un oficio del Sr. Subprefecto de la provincia de Calca por el que transcribe los reclamos que hace el Gerente del Club "Tourin y Automóviles", y que entre otras cosas dice que los indígenas de este distrito se presentan a oír misa de doctrina , y los embarados, todos ellos andrajosos y sucios y además las malas costumbres que tienen éstos al tratar con los turistas extranjeros o nacionales, y que para tocar las bocinas o *pututus* son previamente pagados y lo mismo cuando desean tomarles fotografías ponen resistencia y dificultades con pretextos frívolos del momento, y en caso de ser retratados empiezan a cobrarles imperios... ocasionando desagrados y molestias... Acordaron se llame a todos los embarados para ponerlos al orden y hacer comprender todas las faltas que menciona dicho oficio, bajo severa represión (extracto del acta municipal de la reunión del 12 de marzo de 1952, Pisac, Calca, Cuzco).

El comienzo de la afluencia de turismo al valle y la reorientación económica de los antiguos *llacta*-runas hacia la producción y comercialización de artesanía son, como ha sido señalado, dos procesos paralelos. Primero fueron los comerciantes de textiles del Cuzco, a los que los documentos se refieren como "peleteros" (vendedores de pieles curtidas), y más tarde los propios runas del pueblo. No será hasta treinta años después, a mediados de la década de los ochenta, coincidiendo con la mencionada Ley de Municipalidades, cuando la imagen del pueblo comience a mejorarse como parte de un proyecto moderni-

---

[2] En 1949, Pisac es reconocida "capital de la indianidad" y elegida sede del Congreso Indigenista celebrado ese año.

zador que se remonta a una década antes con las reformas introducidas por Velasco Alvarado. Al contrario que entonces, dicha modernización implicaba acercar el pueblo económica y culturalmente a la ciudad de Cuzco y al extranjero y, simultáneamente, distanciarlo del mundo rural e indígena de sus comunidades.

Federico Zamalloa, el primer alcalde "político" de Pisac, como los vecinos se refieren a los cargos municipales remunerados (para distinguirlos de aquellos otros que habían ejercido el cargo *ad honorem* hasta esa fecha), se convierte en el artífice de varios proyectos tendentes a consolidar la nueva imagen del Municipio en un contexto nacional de profunda crisis política y económica. Así, durante los dos mandatos de este alcalde (entre 1985-1987 y 1990-1992) se consolida el tejido institucional mediante el cual se facilita la integración del contingente de población migrante del Cuzco a la vida cotidiana del pueblo (ver, en Introducción, "El distrito de Pisac y los cambios recientes"). Para ello, impulsará la creación de numerosas asociaciones folclóricas –caso de las comparsas y cofradías en torno a la celebración de la fiesta de la Virgen del Carmen, a la que otorga el título de "Alcaldesa vitalicia de Pisac"–, deportivas, artesanales, así como gremios de comerciantes y sindicatos. Además, el pueblo se dotará de infraestructuras con la construcción de un centro cívico, un campo de fútbol, una biblioteca municipal y la adquisición de maquinaria agrícola.

Todos estos cambios también repercuten en la fisonomía del pueblo, de sus calles y sobre todo de su plaza en la que se ubicaba el antiguo *qhatu* indígena que, poco a poco se va transformando en una "feria artesanal", similar a la de otros mercados turísticos de este valle. En ella, aún hoy, encontramos a las *qhateras*, mujeres indígenas que bajan de las comunidades para vender e intercambiar sus excedentes de papas y maíz por otros productos. Pero, a diferencia de entonces, ya no ocupan el centro de la plaza, sino sólo una recta marginal situada a un costado del edificio municipal. En su lugar, se extienden abigarradas multitud de tarimas de madera cubiertas por toldos de plástico azules que señalan al viajero la existencia de un mercado "típico", en el que los hijos y nietos de los antiguos runa *llactayoc* y los residentes expenden artesanías, textiles y toda clase de *souvenirs* procedentes de Perú, Taiwán, Brasil, México, Chile y Bolivia.

De este escueto panorama se deduce que un buen número de los asuntos políticos que demandan actualmente la atención de los gobiernos locales en este distrito, están relacionados de forma más o menos directa con la "gestión de la Tradición", esto es, con la administración económica y política de los vestigios actuales del pasado inca en sus múltiples facetas: exotismo, autenticidad y sus modernas representaciones para el turismo[3]. Concretamente en esta ocasión el turismo nos interesa por el activo papel que esta industria desempeña en la reproducción e invención del imaginario acerca de lo que significa –o debería significar– el mundo indígena hoy, es decir, en tanto que activo productor de etnicidad en un contexto globalizado. Y en segundo lugar, porque para lograr la adaptación de esas definiciones al contexto actual la industria turística local precisa, a su vez, establecer una negociación con la propia población indígena cuyas condiciones de existencia en cuanto que "tradicionales" y "exóticos" legitiman y garantizan la continuidad de la oferta.

Situados en esa perspectiva, en este último capítulo nos ocupamos primero de averiguar en qué consiste la "imagen tipo" de la cultura andina que un turista obtiene cuando llega a este valle y posteriormente, a modo de conclusión, de los procesos de reapropiación social y cultural que realizan los runas de esa misma imagen mediante su participación en escenificaciones para el turismo.

El discurso de los guías de turismo

Imágenes de tradición

> Hoteles R. I., Tradición combinada con comodidad... Perú, un país de cultura milenaria, tiene lugares arqueológicos como Pisac donde el ser humano se encuentra con energías

---

[3] El turismo como objeto de estudio antropológico es relativamente reciente. A mediados de la década de los setenta, algunos investigadores se percatan de la importancia de este fenómeno característico de las sociedades modernas. En primer lugar, como una de las industrias que más recursos económicos mueve anualmente en el mundo (Harrison 1995: 1-19) y, en segundo lugar, como uno de los medios modernos que posibilita una relación de contacto entre gentes de diferente posición socio-económica, etnia, religión y costumbres (Chambers 1997: 1). En uno y otro caso, el estudio del turismo se centra en la relación que implican dos tipos de papeles: el de los huéspedes o invitados, papel que es desempeñado por los turistas, y el de los anfitriones, desempeñado por los miembros de la comunidad autóctona que los acoge (Valene 1978).

> diferentes, pudiendo establecer contactos que le permitan aspirar a un estado superior [...] Nuestras habitaciones cuentan con amplios ambientes equipados con TV a color, agua fría y caliente las 24 horas, room service, calefacción, piscina temperada, jacuzzi, saunas, salón de belleza y masajes [...]. Con el fin de ofrecerle mayores oportunidades de diversión ponemos a su disposición en alquiler caballos, bicicletas y los artículos deportivos que Vd. pudiera necesitar... (Folleto publicitario de la cadena de Hoteles R. I., Pisac, 1997).

Gran parte del turismo internacional que llega a este valle se siente atraído por imágenes de autenticidad y tradición como las que se muestran en el texto. En el Valle Sagrado éstas aparecen generalmente asociadas al pasado prehispánico, lo exótico y lo inexplicable.

Teniendo en cuenta el perfil medio de uno de estos turistas con un nivel cultural y económico medio-alto, procedente de una moderna ciudad en la que los valores representados en la familia, la cooperación, el comunitarismo y la convivencia étnica se sienten perdidos, su percepción acerca de la "autenticidad" de la cultura indígena que puebla este hermoso valle radicará en todas aquellas señales que encajen con estas expectativas[4]. De ese modo, este lugar aparece presentado y representado en el imaginario colectivo que emana del discurso de los guías como un lugar lejano tanto en el tiempo como en el espacio, en el que continúa vigente una organización comunitaria y cooperativa exenta de conflictos. La apuesta nostálgica por la autenticidad y la tradición de un pasado reinventado que se pretende renovar (Grabrun 1995), articula gran parte de los discursos de los guías de turismo acerca de este valle:

> El Valle Sagrado es llamado así por tres razones: primero, porque se trata de tierras muy fértiles, de las más fértiles del mundo, que dan hasta tres cosechas anuales; segundo, porque está atravesado por el río Vilcanota, en quechua Willcamayu, que quiere decir "Río Sagrado"; y tercero, por su clima, que no es ni frío, ni cálido. Este valle, *ladies and gentelman, is a*

[4] El discurso de los guías de turismo será resultado no sólo de la formación académica del guía, o la imagen reificada de las expectativas de los turistas, sino también de los propios estereotipos que éste maneje acerca de sus interlocutores (*gringos* con plata; ingenuos; invasores; gente culta, etcétera.) (Bowman 1995: 134).

> *paradise*! Hay cantidad de frutas, uno sale al campo y coge la fruta que pueda desear y nadie le cobra ni un sólo sol... ¡Esto es un *paradise*...! (M. M., *tour* por el Valle Sagrado, marzo de 1996).

Así comenzaba M. M, licenciado en turismo y guía recomendado como un especialista en el Valle Sagrado, a disipar las posibles incógnitas de los turistas sobre las características de esta región. Sobre ésta se superpondrán, una tras otra, el resto de las representaciones discursivas a partir de las cuales estos traductores culturales construyen la historia, las costumbres, y las instituciones "típicas" de la población indígena del Ande. No se trata sin embargo de una imagen nueva ni aplicada exclusivamente a las culturas indígenas, sino que es resultado del antiguo conglomerado de estereotipos sobre las sociedades no occidentales forjado durante siglos para garantizar su dominio (Said 1990; Mason 1990; Escobar 1995). La historia de los usos políticos del pasado indígena en el Perú, confirma que este discurso es directamente deudor del movimiento indigenista de comienzos de siglo que, debidamente matizado, ha sido usufructuado desde entonces por una variedad de intelectuales, políticos, agentes de desarrollo local y agencias de turismo, entre otros (Pérez Galán 2003).

Tomando como referente el pasado glorificado de los incas, en este discurso la "cultura indígena" se caracteriza a partir de tres supuestos fundamentales que carecen de validez empírica:

1. Como un núcleo duro –estructura– homogéneo e inmutable en el tiempo, idea inspirada en las corrientes funcionalistas y estructural-funcionalistas en antropología.
2. Aislada de un marco global de análisis en el que se producen los fenómenos de contacto intercultural e hibridación. Por ello, es frecuente la reivindicación del origen autóctono de los rasgos culturales considerados netamente "incas", hecho en el cual hacen descansar su autenticidad.
3. Desprovista de actores, los indígenas de carne y hueso, susceptibles de actuar como agentes de cambio.

"Pisac, Capital Arqueológica y Folclórica del Perú", como reza el cartel que da la bienvenida al pueblo, es recomendada como parada obligada en los recorridos por el valle por reunir tres atracciones típicas: una feria artesanal que incluye el antiguo *qhatu* indígena; el complejo arqueológico inca Intiwatana, uno de los mejor conservados de esta época, y las autoridades indígenas tradicionales, extremo visible del *wachu* de la autoridad a los que cada domingo se puede ver pululando entre puestos de venta de artesanías, turistas y curiosos en general. En conjunto, estas atracciones convenientemente transformadas a través del discurso de los guías, componen un cuadro de Pisac representado como un lugar exótico, imbuido en una aureola mística proporcionada por inexplicables energías telúricas que con el reciente auge de los cultos *new age*, parece cernirse sobre todo el "Valle Sagrado de los Incas". Aquí, los restos de una magnífica tradición pasada continúan vivos y se conjugan en un entorno natural apenas culturizado. Para conseguir ese efecto el discurso de los guías acerca de la cultura indígena se articula en este distrito sobre tres tópicos principales:

– La *tradición*. Identificada con la supervivencia de costumbres y formas de vida incaicas presentes en los indígenas actuales, quienes son asumidos como "un todo homogéneo": "los quechuas", "los indios", "los descendientes de los incas". La tradición, así entendida, responde a las preguntas de los turistas acerca de cómo vive esta población, cómo encuentran pareja, cómo se organizan políticamente o cómo se alimentan. Las respuestas remiten indefectiblemente a un tiempo pasado en relación a la cultura de la que proviene el turista y, en muchos casos, también a la de los actuales runas. Entre las asunciones más frecuentes destacan tres:

- El salvajismo y la barbarie de los indios, condiciones que reafirman por oposición la de civilización y desarrollo del turista que mira.
- El comunitarismo *quasi* natural de esta población, contrario al individualismo de Occidente.
- El sentido moral inapelable del que gozan estas gentes quienes, a pesar de las circunstancias adversas de injusticia y pobreza en las que viven, son felices. De nuevo, al contrario que en Occidente donde la riqueza material genera un estado de insatisfacción psicológica permanente.

– La *condición vertical del paisaje*. El paisaje es, según este discurso, el reducto físico-cultural más inmutable y por tanto mejor conservado del pasado inca. Con este argumento, los guías tratan de responder a la pregunta acerca de cómo interpretar el hecho de que un paisaje tan sorprendentemente vertical como el andino haya estado habitado desde siempre. Para ello, el entorno natural es representado como un espacio inaccesible física y mentalmente sólo culturizado por los incas, tal y como indican los restos arqueológicos que el visitante encuentra a cada paso de este recorrido. El entendimiento de esa civilización, que suele constituir el único pasado digno de mención de los indios actuales (obviando los cinco siglos de historia colonial y republicana), sólo es posible situándose en la perspectiva vertical que demanda ese territorio. De modo que, para acceder al verdadero significado de los parques arqueológicos que se visitan y en los que se puede "leer" la sabiduría de la cosmología inca, suele ser imprescindible subir siempre un poco más alto. Desde la punta de uno cualquiera de los cerros que se ven a lo lejos, a los que los turistas no acceden obviamente en ningún caso, se divisan las formas de animales sagrados como el cóndor, el puma, etcétera. Para los turistas, agotados por la caminata y el cansancio que provoca la altura, el paisaje queda de este modo imbuido en un misticismo y sabiduría fascinantes. Y, por último:

– La *originalidad.* Idea que atraviesa los estereotipos mencionados sobre el paisaje y la tradición. Responde a la pregunta del turista: "¿qué es lo típico?", o más concretamente: "¿qué debo comprar en cada lugar?" Generalmente, aparece referida a aquellos elementos materiales que son producidos en el lugar. Lo producido *in situ*, o más precisamente lo que el guía señala como tal, es considerado más auténtico que lo que simplemente es adquirido en otro lugar y consumido / vendido donde se encuentren.

De lo que se deduce que, si el objeto producido en un lugar por los autóctonos es más auténtico que el que es simplemente procedente de cualquier otro lugar, entonces la cultura inca reproducida por los indígenas actuales, es mucho más auténtica que la de los mestizos de las ciudades, que es el resultado de la co-producción de españoles, indios, africanos y japoneses, entre otros. Una profesional de la industria turística del Cuzco, confirma esta noción de autenticidad cultural basada en la oposición entre "producción" (originalidad) frente a "consumo". Los turistas son percibidos como invasores y contaminadores de la autenticidad autóctona:

> No, ya no se trata de difundir la cultura, sino que al ver que eso genera algún ingreso económico, se adecuan a lo que les demandan. Los artesanos por ejemplo, ya no mantienen los diseños, las técnicas, las cosas ancestrales, tradicionales, sino que las van transformando de acuerdo a la demanda del cliente y van vendiendo la cultura totalmente mitificada, arreglada, ya no nativa, pues auténtica, pura. Por ejemplo, los *ch'umpis*, los *ch'umpis* tienen diseños como el *oraiko* y otros, pero tu vas a Pisac o Chinchero y encuentras un *ch'umpi* que dice: "¡Feliz cumpleaños John!". Bien, ni "feliz" ni "cumpleaños" ni "John"son nada de la cultura campesina, de la cultura andina [...] Sin embargo el turista compra eso y el artesano entonces lo produce. Al final se pierde la identidad, definitivamente [...] Ya no se mantiene la cultura en su esencia, nativa, típica, auténtica (D. M., agente de turismo del MITINCI, división de artesanías, Cuzco, octubre de 1997).

En discursos como éste, habituales entre los profesionales del turismo, ni la "tradición" ni la "autenticidad" asociadas al pasado inca y a un paisaje imbuido en un halo de misticismo, son consideradas categorías culturales flexibles. Sin embargo, más allá de las retóricas discursivas, estas mismas personas son, en tanto que profesionales de la tradición, los encargados de flexibilizar dichas categorías para adaptarlas a las prácticas y usos sociales de los actores y, por ende, a las circunstancias cotidianas de un contexto en permanente cambio.

"¿Cómo son los quechuas?"

Las primeras inquietudes de un turista que lleva algunos días, o quizá sólo horas en la ciudad del Cuzco, son sin duda aquellas provocadas por la sensación de extrañamiento cultural que percibe al caminar por sus calles y plazas, repletas de indígenas, mestizos y también de otros muchos turistas como ellos. Una vez recuperados del posible soroche en el hotel, comenzarán a integrarse en el paisaje y ante la eventualidad de sentirse repuestos completamente, muchos comienzan por contratar un *tour* de un día por el Valle Sagrado de los Incas, situado unos cientos de metros más abajo que la capital. Por lo que este recorrido turístico será, con toda probabilidad, el primer acercamiento a la cultura andina: qué comen los indígenas, dónde viven, cómo forman sus familias, cómo son éstas, cuáles son sus leyes y sus autoridades

[...] son algunas de las preguntas probables a las que el guía comenzará dando respuesta. El recurso habitual de los guías de seleccionar palabras y expresiones quechuas desconocidas para los viajeros, contribuye a aumentar la sensación de extrañeza y exotismo de esta cultura que pretenden transmitir:

> Los tres alimentos principales del hombre andino son la *kiwicha*, la quinua y el *tarwi*. Un kilogramo de *kiwicha* tiene tantas proteínas como 60 kilogramos de carne [*sic*] ¡*Full* proteínas!... Y el resto por el estilo (M. M., marzo de 1996).

Parece evidente que no suena igual de atractivo y exótico "papa" o "patata", el cultivo autóctono más importante que los Andes aportaron a Occidente y que, además de constituir la base de la dieta de los runas de estas comunidades, es la base de varias de las especialidades culinarias más típicas de los países de origen de los propios turistas. Por el contrario, parece mucho más probable que ninguno de los turistas tenga ni idea de la forma, el sabor o el aspecto de la quinua o el *tarwi*, y mucho menos de su milagroso contenido proteínico.

A partir de explicaciones introductorias como ésta, habitualmente no cuestionadas por ninguno de los viajeros, el guía va reafirmando simbólicamente su autoridad de la que hará uso durante el resto del recorrido. Escuchemos a E., en su labor de traductor cultural, esta vez sobre el modo en el que los quechuas organizan y conciben sus relaciones de género:

> Y ustedes se preguntarán cómo la gente quechua encuentra su pareja. Hay un dicho serrano que dice: "más me pegas, más te quiero", esto es debido a que la gente quechua se enamora justamente pegándose, para ellos no existen las palabras bonitas que suelen decir ahora los modernos. Ellos cuando están a la edad de 15 o 16 años se casan, empiezan a jugar normalmente golpeando, normalmente el hombre golpea a la mujer, pero también lo hace la mujer. Si el varón golpea y la mujer le responde, entran en un juego de confianza, que es más o menos como decir: "vamos al cine". Posteriormente el varón o la mujer quitan una prenda, ya que le ha dado confianza, si al quitar la prenda le persigue la persona, es como más o menos decir que sí, que prácticamente están enamorados. Entonces el papá o la mamá del varón preparan el conejo asado, el cuy, que se come por las regiones, y hace bastante chicha. Con eso van al papá y a la mamá de la mujer y le piden la mano de la hija; entonces una vez toman, comen,

> le dan a su hija en estado de *servinakuy*, que viene del tiempo de los incas. Es una convivencia de mínimo un año entre la pareja y, si es que se llegan a entender, la comunidad los casa, si no, simplemente los separa. Ese matrimonio es para siempre, nadie puede mirar en la comunidad a esas personas casadas. De ahí nace el amor serrano: "más te pego, más te quiero". Normalmente el varón, que es más machista, le pega a su mujer, y a la mujer increíblemente le gusta que le golpeen [!]. Yo he visto casos de mujeres que son puras y que ya les van a acompañar a sus maridos hasta la muerte que les gusta [las palizas] y automáticamente dicen: "*manan, misti*" o sea, "no soy mestiza", rechazando cualquier ayuda. Y así es el matrimonio que tuvieron en tiempo de los incas" (E., agosto de 1997).

La sensación de estar en una cultura completamente diferente a la occidental en la que a los seres humanos les gusta que les maltraten, va en aumento con explicaciones como ésta. La imagen discursiva que emerge de las palabras del guía apunta seriamente a un estado de primitivismo que evoca imágenes aprendidas en los libros de prehistoria o en películas como *En busca del fuego*, donde el macho del clan arrastra por el suelo a su hembra. Estos comportamientos, que pueden antojarse como "bárbaros" al turista medio occidental socializado en una cultura que reivindica el papel de la mujer y su igualdad de derechos, serán rápidamente minimizados por el guía al proveer del contexto general en el que es necesario ubicarlos: una ética incontestable por su rectitud que caracteriza el comportamiento de los indígenas. Esta postura ante la vida es, según el discurso de los guías, reminiscencia de las tres únicas leyes del tiempo de los incas (no robarás, no serás vago, no mentirás):

> Los incas tuvieron tres leyes: *ama sua, ama qella, ama llulla*. Y siempre a mí me preguntan: "¿Y no tenían una ley para no matar?" Simplemente esto no era necesario, porque una ley no contradice a la otra [...]. No como ahora que tenemos tantas leyes y unas con otras se contradicen y no funciona nada. El Inca si tenía que matar, tenía que matar, nunca debió ser ley. Todo estaba en un marco en que no se podía escapar nada (E., agosto de 1997).

De este modo surge una de las características más recurrentes de estas imágenes: el elevado grado de autocontrol al que corresponde una ausencia total de conflicto entre estas gentes igualitarias por naturaleza que son pobres pero felices, imagen que se contrapone a las sociedades occidentales en las que prevalece la lucha por el interés individual, los grupos de poder y las tensiones políticas y económicas. Desde esta perspectiva armónica de la sociedad y la cultura indígenas, se deduce que resulten innecesarias las instituciones dedicadas a mantener el orden y administrar la justicia. No es por tanto de extrañar, la ausencia de referencias explícitas en los discursos de los guías de turismo a los sistemas de autoridad de las comunidades. Y ello, a pesar de que los alcaldes tradicionales son uno de los principales atractivos ofertados sobre este distrito en las agencias de turismo. Sencillamente este punto no suele interesar demasiado. Si algún turista curioso pregunta por estas personas ante el vistoso desfile que protagonizan cada domingo por las calles del pueblo, se encontrará con una respuesta similar a la que yo misma obtuve:

> ¿Esos? Esos son las autoridades simbólicas de las comunidades, algo así como el rey de España o la reina de Inglaterra, no sirven para nada. En este pueblo (Pisac) hay 33 comunidades [*sic*] y cada una tiene su *varayoq*... (M. M., marzo de 1996).

En vista del desconocimiento y el escaso interés que suscitan en este discurso las formas de organización y administración de los asuntos políticos de las comunidades por un lado, y el agravante de tener que explicar su origen colonial por otro, hecho que mermaría la procedencia auténtica o "netamente inca" de estas autoridades, lo más conveniente parece refugiarse en el paisaje, indisolublemente unido al pasado inca.

Buscando el misticismo en el paisaje: incas, ruinas y verticalidad

Una de las atracciones principales de este recorrido son los parques arqueológicos. Los guías de turismo, en general, no suelen hacer mucho énfasis en esta parte de las visitas dado que es donde más tiempo se pierde en explicaciones y en esperarse unos a otros en las caminatas que demanda el acceso a estos sitios. Todo ello resta tiempo a las ferias artesanales de los mismos pueblos, en las que los guías habitualmente suelen tener alguna comisión en las ventas. Llegando a Pisac, M. M. comenta:

> Los pueblos netamente originales de la época inca, con calles estrechas hechas a base de piedras incas, son Ollantaytambo y Chincheros. Éste (Pisac) es colonial [...]. La visita al parque arqueológico de Pisac no es recomendable porque hay que caminar unos 3 km [!] de ida y vuelta.

Si contrariamente a sus intenciones, los turistas deciden ir a las ruinas, una vez arriba, comienzan las explicaciones acerca del sitio arqueológico y del entorno natural:

> En la cima de esas terrazas está la población inca de Pisaq'a que es un ave. Si se toma una foto desde el cerro más alto, toda la construcción de Pisac está hecha en base a la figura de esta perdiz, o sea, prácticamente se parece a un cóndor [!]. Toda la montaña se asemeja a un cóndor. El barrio de abajo, donde desemboca el agua, también tiene el nombre de Pisaq'a, porque los arqueólogos dicen que si se le toma una foto desde arriba, también tiene la forma de este ave... (M. M., marzo de 1996).

Llegando a Ollantaytambo, la siguiente parada de este recorrido, otros guías abundan en el argumento que parece llevar al paroxismo culturalista el modelo del archipiélago vertical de J. Murra (1975) mediante el que se explica la economía de escalas que practica la población andina desde la época prehispánica. En este pueblo, ya no se trata sólo de un pájaro, sino de un bestiario entero importado desde Nazca, en la costa norte del Perú[5]:

> *Ladies and gentelman*, de seguro han escuchado hablar de las líneas de Nazca [...], Ollantaytambo está construido como una réplica de estas líneas, todo son figuras de animales, pero lamentablemente es necesario subir a ese cerro que está a dos horas de camino para poder apreciarlo [...].

Tras este comentario, se hace un silencio sepulcral durante unos segundos mientras algunos de los turistas intercambian miradas de angustia. M. M., seguro de su pequeña victoria, les tranquiliza rápidamente:

---

[5] Los enormes geoglifos de la pampa del Ingenio en Cahuachi, conocidos como "líneas de Nazca", representan animales estilizados y casi geométricos. Estas líneas han sido estudiadas desde mediados del pasado siglo, entre otros, por María Reiche para quien se trata de un cuidadoso observatorio astronómico de la cultura nazca.

> Así que es necesario que ustedes se imaginen: ¡el pueblo es *full* diseño inca!, todo sobre piedras y construcciones incas que componen estas figuras" (*ídem*).

Al contrario que M. M., otros guías van preparados para no dejar a la imaginación del turista toda la magia telúrica que encierra esta tierra. Consigo llevan un álbum de fotos como prueba empírica acerca de la certeza de sus argumentos. Con algo de imaginación, y mucho de empatía con el vecino de al lado que asiente haber visto figuras, aparecen las siluetas de rostros con ojos, bocas e incluso ¡barbas!, entre los pliegues caprichosos de las rocas. Estos personajes resultan ser los antiguos dioses incas petrificados en la roca de los cuales el guía conoce nombres y títulos. Así lo explica E., quien en lugar de aves se inclina hacia los camélidos andinos que parecen poblar este paisaje:

> Los tiahuanacos edificaron aquí a su dios: *Apu Contiki Wiracocha Pacha Yachacheq*. Miren, miren al cerro del frente, ¿lo ven? [muestra el álbum de fotos], sus ojos, su nariz, sus barbas y su corona. Después van a hacer que toda esta población tenga la forma de una llama, que es un símbolo que les comunica a ellos con sus dioses andinos, por eso utilizan llamas en sus sacrificios... (E., agosto de 1997).

El paisaje andino resulta ser uno de los pocos reductos auténticos no contaminados por las culturas mestiza y occidental incapaces de acceder a sus secretos que, de este modo, continúan celosamente guardados en las alturas.

Mercados típicos y artesanías

Posiblemente donde más claramente se aprecia la imagen de autenticidad que atraviesa la construcción discursiva de los guías de turismo acerca de la cultura indígena de este valle, es en los objetos que se venden en los mercados señalados como típicos de cada lugar. La vulnerabilidad de los turistas que, desde que han llegado a la ciudad de Cuzco, han sido advertidos por taxistas, recepcionistas y otros empleados del sector, acerca de los continuos asaltos que se producen en esta ciudad, acrecienta la autoridad del guía que recomienda qué comprar en cada lugar y a qué personas.

Originalmente, en las agencias de viaje donde se adquiere el boleto para visitar este valle, informan acerca de la parada en dos ferias artesanales: una en Pisac y la otra en Chinchero. Sin embargo, tan pronto como comienza la ruta, inexplicablemente estos mercados se convierten en tres, incluyendo en la lista el de Ccorao, una comunidad a pie de carretera:

> Se van a visitar tres mercados: el de la comunidad de Ccorao, el de Pisac y el de Chincheros [...]. Acerca de los mercados: el *mercado más caro del mundo* es el de Pisac, por si no lo saben mejor se lo digo ahora para que después no tengamos un conflicto y después digan que el guía tiene algún convenio, ni nada [...]. Porque el mercado de Pisac, a las nueve de la mañana ya todos los artesanos se han ido a Cuzco para vender a la Plaza de Armas, así que a nuestro regreso los vamos a encontrar en la misma Plaza de Armas (E., agosto de 1997).

Los comentarios de E. acerca del mercado de Pisac tienen un efecto casi inmediato entre los turistas quienes se reservan hasta llegar al de Ccorao o Chinchero para adquirir algo "auténtico", esto es, producido *in situ* y que simbolice su paso por ahí. ¿A qué viene tanta insistencia acerca de la inautenticidad del mercado de Pisac frente al improvisado de la comunidad de Ccorao? La historia de lo sucedido es exactamente como señala este guía, pero al revés.

El mercado de Ccorao se constituyó en 1996 bajo la iniciativa de los comerciantes cuzqueños que antes expendían su mercancía en Pisac. A raíz de un conflicto con los vecinos piseños, quienes son cada vez más numerosos para compartir el exiguo espacio de la plaza, los comerciantes de Cuzco (los antiguos peleteros) resultan expulsados por la fuerza. En represalia y para proseguir con su actividad, estos últimos adquieren las licencias necesarias y construyen su propia "feria típica" pocos kilómetros antes de llegar a Pisac, en un pequeño pero estratégico espacio cedido por la comunidad de Ccorao a los cuzqueños. La primera parada de todos los *tours* que recorren este valle es este mercado en el cual el guía, además de recibir una comisión en las ventas, es invitado por los comerciantes, cuzqueños como él, a un copioso desayuno. Éste es el motivo por el cual todos los autocares de turistas se detienen, inexplicablemente, entre 30 y 40 minutos en un mercado improvisado a pie de carretera de reducidas dimensiones (menos de cincuenta puestos), frente a lo apretado del tiempo para recorrer el resto de los pueblos que incluyen no solo mercados sino también parques arqueológicos . Más allá de la manipulación, el ejemplo ilustra cómo es la tupida red de solidaridades locales de la que forma parte el guía, basada en relaciones familiares y clientelares, la que determina en último extremo la autenticidad de los lugares visitados y, por extensión, de la oferta de cada uno de ellos.

El siguiente cuadro resume algunos de los tópicos señalados sobre la cultura de andina que se desprenden del análisis del discurso de los guías.

FIGURA 28

La cultura andina según el discurso de los guías de turismo

TÓPICOS (resultado de la interacción guía-turista)	**EL PAISAJE**	**TRADICIONES CULTURALES**	**ORIGINALIDAD**
PREGUNTAS (del turista)	¿Cómo interpretar el entorno natural?	¿Cómo organizan su cultura? ¿Qué significa?	¿Qué comprar?
RESPUESTAS (del guía)	Óptica vertical: imposibilidad del acceso; inexplicabilidad de lo producido.	Estereotipos sobre formas de vida; instituciones, costumbres, cosmovisión.	Lo producido en la zona: cerámica "típica" en Pisac; tejidos "típicos" en Cuzco.
IMÁGENES	MISTICISMO	TRADICIÓN	AUTENTICIDAD / ORIGINALIDAD
CULTURA ANDINA: SIN MEZCLAS, HOMOGÉNEA, INMUTABLE Y DESPROVISTA DE ACTORES REALES			

Entre la negociación y la resistencia

Como hemos tratado de ilustrar en este texto, el *wachu* de la autoridad es el resultado de la coexistencia de sistemas de procedencia y significado diverso que no mitologiza lo comunal sino que lo hacen efectivo mediante la participación plena de toda la comunidad (sin distinciones de edad, sexo, religión o formación). A partir de la total implicación de los runas alcanzada mediante estrategias que combinan, según la necesidad, consenso y coerción, se crea la legitimidad necesaria para la reproducción de un orden cósmico a partir del cual la comunidad se define como tal, es decir adquiere su identidad. La concepción de organización para estos runas deviene así en un criterio variable y dinámico según las necesidades que tengan en cada momento, la coyuntura histórica y los agentes foráneos que intervengan.

Ilustrar la naturaleza híbrida y plural del sistema de autoridades tradicionales ha sido uno de los principales objetivos perseguidos en este texto. La yuxtaposición de dos ejes, uno diacrónico y otro sincrónico, la estrategia utilizada. Por un lado, el estudio del papel desempeñado por las autoridades étnicas en la historia (capítulo I) y en el contexto actual (capítulo II), muestra la articulación de sus formas de organización enfrentándose a las distintas transformaciones estructurales que el contexto impone. Mientras, el análisis del lenguaje simbólico contenido en los rituales en los que participan activamente estas autoridades en sus comunidades (capítulos III y IV), pone de manifiesto el significado de este sistema como una estrategia a partir de la cual el grupo construye y reactualiza un conjunto de significados que ordenan su visión del mundo. Esa condición plural y flexible que caracteriza al *wachu* de las autoridades se presenta en el momento actual, de modo aún más evidente si cabe, en la continua relación dialéctica entre lo local y lo universal (capítulo V). En este escenario y junto a otras mercancías que circulan en forma de artesanías, tradiciones y otros productos "auténticos", la cultura andina y sus instituciones van adquiriendo nuevos significados que son globalmente producidos, por ejemplo a través del discurso de los guías de turismo y, como trataremos de ilustrar a continuación, localmente reapropiados.

Sustentar el activo papel que los indígenas han desempeñado en la negociación y en la redefinición de estrategias que garantizaran la continuidad de sus formas de organización muestra como este sistema de autoridades, lejos de ser una supervivencia que ha resistido durante todos estos siglos a los embates del poder foráneo, se adapta, se quiebra y se renueva constantemente para lograr la cohesión de la identidad grupal. Dicha capacidad reside, antes como ahora, en la existencia y la implicación más o menos activa de los que hemos llamado genéricamente "los otros" del *wachu*. En el pasado eran los encomenderos, recaudadores de impuestos, *llactataytas*, hacendados y gobernadores y, ahora, los comerciantes del pueblo, las autoridades municipales, el turismo y las organizaciones de desarrollo, entre otros.

La escena del desfile dominical de los alcaldes cumpliendo, aún hoy, con la antigua obligación colonial que prescribía su asistencia al templo de Pisac, nos servirá para tender un último puente entre la historia y el momento actual, entre los archivos y la etnografía. Desde esa doble perspectiva se argumenta que el proceso de auto-consciencia cultural que implica representar el *wachu* para ser observado por otros, en este caso los turistas, no necesariamente desemboca en una pérdida de su significado cultural para los runas. Por el contrario, en un contexto de dominación poscolonial como el actual, es otra de las estrategias de negociación de las que esta población se sirve para garantizar la vigencia del principio de reciprocidad que atraviesa todas sus formas de organización y, por ende, su propia forma de pensar y experimentar el mundo. Rescatemos una última vez el comentario de Don Martín Illa, *kuraq* de Chahuaytiri, del que se extrae el título de este libro:

> Nosotros cuando hacemos alcalde entramos al pueblo de Pisac a escuchar misa cada domingo, con nuestros regidores y los segundas. En ahí, vienen de otros países, y para ellos nosotros *somos como Incas* y de orgullo entramos. Y de igual manera aquí arriba, en nuestro pueblo, hacemos respetar lo que es la alcaldía (Don Martín Illa, *kuraq* de Chahuaytiri, febrero de 1996).

El poder foráneo y los alcaldes indígenas

Entre las principales obligaciones prescritas por el gobierno colonial a la nobleza indígena como representantes de su grupo étnico destacan tres: la recaudación de tributos, la organización de la mano de obra indígena y la asistencia dominical al templo en la cabecera de la población reducida. En conjunto, estas medidas garantizaban la colaboración de los curacas en la política de extirpación de idolatrías y saqueo económico que caracterizó este período. Multitud de estudios han demostrado que, sin embargo, las autoridades indígenas hacían mucho más que legitimar y reproducir el sistema de dominación foráneo frente al grupo étnico al que pertenecían. Simultáneamente aprovechaban ese espacio, tal y como sucede en la actualidad, para reunirse y practicar sus "usos y costumbres". De este modo, en cuanto que representantes religiosos, producían y reactualizaban para el grupo étnico al que pertenecían, un mundo simbólico que les diferenciaba de aquel de los invasores.

Tras las reformas borbónicas y en los albores de la independencia, los alcaldes del *wachu* (primer voto, segundo voto y tasa alcalde), sustituyen en esas funciones a los antiguos curacas. De ese tiempo data la reorganización jerárquica de los ayllus en este distrito según el número de contribuyentes que cada uno aportaba (ver el apartado "El *wachu* entre comunidades y la población contribuyente", en el capítulo I). El reflejo de este ordenamiento es la popular "fila india" que se observa hasta hoy día en el espacio reservado para las autoridades tradicionales en el templo, cuando desfilan por el pueblo con motivo de cualquiera de las fiestas del calendario litúrgico cristiano o, simplemente, para que los periodistas de TV les filmen. Desde esa perspectiva, el significado que confieren estas autoridades al espacio por el que circulan en el pueblo es la metáfora espacial de la dominación foránea, pero una metáfora profundamente resignificada como se desprende del análisis del contexto ritual en el que se desenvuelven estas autoridades en sus respectivas comunidades (capítulos III y IV).

Sin embargo, si bien esta explicación histórica es necesaria, resulta insuficiente para responder sobre la naturaleza y el papel de la autoridad que desempeñan estos cargos en el contexto actual en el que, ni las condiciones socio-económicas ni los actores ni la intencionalidad de estos circuitos rituales parecen las mismas.

Desde la antropología (Worsley 1980; Wolf 1987; Comaroff 1985; Keesing 1992) la ciencia política (Scott 1985 y 2000) y la economía política (Wolf 1987), varios son los autores que señalan el peligro que supone atribuir una importancia excesiva al poder transformador de la dominación colonial y poscolonial occidental como otra manera de negar un papel en la historia a la población local. Por el contrario, las estrategias autóctonas de resistencia y negociación, que a menudo parecen reproducir las estructuras de dominación institucionales, resultan piezas esenciales para entender el desarrollo de estas sociedades y las diferencias que se observan en la actualidad entre ellas.

El estudio de las distintas formas que puede adquirir la resistencia entre grupos subalternos (desde sutiles representaciones teatrales hasta rebeliones armadas) está plagado de problemas conceptuales:

¿dónde se establece el límite de lo que podemos considerar una acción política de resistencia, o entre ésta y la negociación, aunque no necesariamente se ajusten a los canales de expresión occidentales? Es éste todavía un debate abierto (Gledhill 2000: 113 y ss.). Parece evidente que no todo comportamiento individual –por más que dicho individuo pertenezca a un grupo dominado– puede ser considerado como una forma de resistencia, al estilo de lo planteado por Scott (2000). A efectos del tema que nos ocupa, y aplicándolo como una metáfora más que como un concepto preciso, proponemos contemplar como una acción política de negociación el modo en que las autoridades étnicas de estas comunidades, en calidad de representantes del grupo, continúan acudiendo al templo de Pisac y desfilando por sus calles. Ésa es la forma de dar continuidad al pacto de reciprocidad que articula su visión del mundo e integrarlo, de modo consciente, a su cultura política (Chapman et al. 1989: 5). El análisis proporcionado por Platt (1982 y 1988), referido a las relaciones entre el Estado y las comunidades andinas del norte de Potosí (Bolivia), resulta de gran utilidad para restituir el significado de estos episodios y avalar esta interpretación.

Entre las diferentes formas caracterizaron las relaciones que los ayllus norpotosinos establecieron con el Estado en el siglo XIX a través de sus autoridades étnicas, figuraba la obligación de contribución (la antigua tasa), y los servicios tradicionales en trabajo y especie. A cambio de este pago, los indígenas obtuvieron el reconocimiento del Estado acerca de sus derechos colectivos a las tierras. En la actualidad, y aunque ese pago ya no es obligatorio, estos indígenas continúan contribuyendo de la misma manera. Los distintos intentos de abolir la tasa en el transcurso del XIX, y más tarde con la reforma agraria de 1952, generaron una actitud de recelo entre los ayllus, quienes, a través de sus autoridades étnicas, decidieron oponerse y seguir contribuyendo a pesar de que ya no era obligatorio. El autor señala: "Para los ayllus esta reforma significaba una prolongación de los intentos seculares de diversos gobiernos de desconocer el antiguo pacto de reciprocidad, que en las primeras décadas de la República rigió las relaciones ideales entre ayllus y Estado. La esencia de este pacto consistía en que el Estado no sólo reconocía los derechos colectivos de los ayllus a sus tierras, sino también aceptaba como contraparte los servicios tradicionales y la tasa, antiguo tributo indígena pagado por los indios" (1982: 20). Ésa es la forma en la que los indígenas dan continuidad al "pacto de reciprocidad" bajo el cual conciben sus relaciones con el poder político foráneo, actualmente representado por el Estado. Regresemos en este punto al desfile dominical en el que participan las autoridades de las comunidades de Pisac.

Abolidos los tributos y las faenas obligatorias, y reconocido el derecho a la propiedad de sus tierras, canales a partir de los cuales los indígenas de estas comunidades andinas concebían su relación con el poder foráneo como un intercambio recíproco asimétrico ("trabajo y tributo" por "derecho a la tierra y protección"), las autoridades tradicionales que acuden a la capital del distrito no tienen en la actualidad ningún asunto que despachar con el gobernador, el párroco o las autoridades municipales como representantes del Estado en el Municipio, es más, ni siquiera tienen la obligación legal de acudir. Pero si, como venimos señalando, la "gestión de la tradición" es uno de los escasos asuntos que aún articulan la relación entre la población de las comunidades y el poder local, podemos afirmar que hoy día el canje se resuelve entre las autoridades locales –mestizos convertidos al negocio de la artesanía y del turismo que desempeñan los cargos municipales– y los indígenas. El imaginario que nutría las representaciones acerca de la población indígena por parte de los *llactataytas* en los años cincuenta para atraer turismo a este valle, se reactiva nuevamente a partir de los noventa con una finalidad política muy similar:

> Viendo que el pueblo de Pisac es turístico, es folclórico, y es una cultura netamente propia, desde el Municipio se ha tratado de recuperar toda la actividad tradicional y ponerla al servicio del turismo [...]; ¿lo que más puede atraer al turista?: la naturaleza propia de Pisac, sus festividades, que puede ofrecerle la presencia de los hombres andinos que todavía están en la parte alta; y otro, es que el turista pueda apreciar algunas costumbres de la época inca que se reconstruyen de acuerdo a la información de los cronistas (W. C., alcalde municipal de Pisac, agosto de 1997).

Para el gobierno local, como para los vecinos que viven de la artesanía y que participan y se presentan como candidatos a la alcaldía en las elecciones municipales, las autoridades indígenas son interesantes en tanto en que son "auténticas", "tradicionales" según la lectura que tales conceptos tienen en este valle (ver el apartado anterior). Parafraseando a Don Martín, en tanto en que *son como Incas*. En este interés se encuadra la concesión de varas de mando a los alcaldes de las comunidades en 1989 por el Fondo de Promoción Turística (FOPTUR) (ver, en el capítulo III, el apartado "Los símbolos de respeto"), o el hecho que supone asistir cada domingo al templo y desfilar ante el turismo. En la actualidad el turismo, que simboliza el poder de lo global, lo mediático y la principal fuente de recursos para el municipio y los comerciantes y artesanos que viven en él, es asumido por los propios runas que se saben exóticos en tanto que "objetos de turismo":

> Los gringos vienen aquí por los alcaldes de las comunidades, vienen a ver eso, después el gobernador nos dice siempre que bajemos: "¡Vengan ustedes para que nuestro Perú sea bien visto!" Y ellos [los gringos] nos ven a nosotros con mucho entusiasmo por nuestra ropa (Don Martín Illa, septiembre de 1997).

Pero si, como hemos visto, los runas ya no tienen obligación de tributar ni tampoco de contribuir con su trabajo gratuito en la población y, a diferencia de lo señalado por Platt, tampoco lo hacen. Y si, además, la reforma agraria les reconoció como legítimos propietarios de sus tierras hoy convertidas en comunidades campesinas, entonces: ¿cuál es en la actualidad la contraparte del Estado en el pacto de reciprocidad desde el que conciben su mundo? En otras palabras: ¿a cambio de qué, intercambian las autoridades del *wachu* su imagen tradicional y exótica? Para estas personas, como representantes de sus comunidades frente al poder foráneo, ésta es la forma de garantizar el acceso a recursos económicos y obras de infraestructura que el Municipio ocasionalmente realiza en sus comunidades:

> El alcalde de Pisac nos dijo que si no bajaran al pueblo e hicieran perder la costumbre, no seríamos reconocidos los del pueblo de Pisac, no vendrían los visitantes, y el Municipio no haría ninguna obra para la comunidad [...] (Don Pío Pérez, alcalde de Chahuaytiri, noviembre de 1997).

Del mismo modo, en cuanto al párroco, ésta es la forma con la que se aseguran su asistencia para celebrar misa en sus comunidades, uno de los requisitos indispensables en la celebración de las "fiestas" mediante las que estas autoridades producen y reactualizan la vigencia de su mundo (ver, en el capítulo III, el apartado "El calendario ritual"):

> Bueno nosotros bajamos a Pisac porque es una obligación, si no fuera obligación entonces no entraríamos [...]. Pero entonces aquí en nuestra

> comunidad, no habría misa, no subiría el párroco. El gringo deja algo de dinero al Municipio y con eso hacen trabajos para nosotros, y cuando vienen a ver las ruinas de seguro que debe haber entrada [ingresos económicos], y con eso nos dan apoyo a nuestros pueblos. Actualmente se está haciendo el salón comunal, y si no entráramos a Pisac, no habría nada. Entonces, ésa es nuestra obligación, entrar [al templo de Pisac] (Don Martín Illa, septiembre de 1997).

Así, los alcaldes que desfilan cada domingo en Pisac entre puestos de artesanía y miradas de curiosos y turistas, continúan desempeñando en la actualidad el papel de intermediarios entre dos mundos, representados ahora por lo local y lo global respectivamente. Ellos son los encargados de poner "en su *wachu*" su relación con el Municipio y con las otras autoridades, es decir, de integrarla en la larga cadena de reciprocidades que articula su organización social, religiosa, económica y política que, en definitiva, estructura y garantiza la reproducción de un mundo simbólico para el grupo. De este modo, mientras arriba, en sus respectivas comunidades, las autoridades tradicionales activan el respeto entre los runas y entre éstos y el territorio, simultáneamente, abajo, en el pueblo de Pisac, dan continuidad al pacto de reciprocidad a partir del cual los runas se relacionan con el mundo.

Parece evidente que ese pacto de reciprocidad no se traduce en un gobierno consensuado destinado a mantener el equilibrio entre dominadores y dominados prescindiendo del ejercicio arbitrario del poder de los primeros (Fortes y Pritchard 1979). Como en el pasado, esta relación de reciprocidad entre el Estado y las comunidades está marcada por la desigualdad y por el conflicto. Pero, a diferencia de aquella, las circunstancias del contexto actual lejos de suprimir la diversidad cultural permiten a los indígenas un pequeño espacio para la negociación (García Canclini 1992). En dicho espacio se producen los continuos intentos de renovación de instituciones y formas de organización "tradicionales" como el sistema de cargos de las comunidades andinas.

El resultado de esa renovación es un producto "auténticamente híbrido" que no está al margen ni de los procesos de desigualdad ni de la constelación política dominante, pero desde el cual, los runas participantes en el sistema de cargos o *wachu* de la autoridad en estas comunidades afianzan y trabajan las diferencias que les sirven para pensarse como grupo en relación con el mundo global.

Bibliografía

Fuentes manuscritas (no publicadas)

• Archivo Departamental de Cuzco (ADC)

Libros de Matrículas, Industria, Indígenas y Eclesiásticos, Provincia de Calca, Cuzco. Nº 1, año 1726, F. 49-51V; nº 4, año 1852, F. 4- 4V.

Real Audiencia: Leg. 10, año 1792. F. 156, Exp. 129; Leg. 185, año 1785 (2); Leg. 186, año 1727-1808.

Corregimientos: Causas Ordinarias (C. O.): Leg. 28, año 1702, C. 10., F. 14; Leg. 59, año 1779-1780, C. 12, F. 4; *Causas Civiles (C. V.):* Leg. 81, 1857.

Intendencia (C .O.): Leg. 1, año 1784, Exp. I. F. 3.; Leg. 5, año 1785, Exp. I, F. 2; Leg. 9, año 1786, F. 7.

Temporalidades, 1767.

Libro de Contribuyentes de la provincia de Calca y Lares, (7 libros): IV Repartimiento de Calca, Pueblo de Pisac: año 1757; año 1836, F. 14; año 1845, F. 6-6V, F. 83; año 1851, F. 81; año 1856.; V Repartimiento del Pueblo de San Salvador: año 1740;VI Repartimiento del Pueblo de Taray. año 1720.

• Libros de actas

Concejo Municipal de Pisac, 1895-1974 (21 libros).

Asociación de Artesanos de la Asociación "Artesanos Pisaq", 1976-1997 (3 libros).

Asociación de Artesanos "Virgen del Carmen", 1991-1996 (2 libros).

Cooperativa Agrícola "San José Patriarca de Chahuaytiri", 1974-1985 (1 libro).

Comunidad Campesina de Chahuaytiri, 1990-1997 (1 libro).

• Registros públicos de la propiedad

Expedientes de Afectación de las siguientes haciendas: Chahuaytiri; Chongo Chico; Chongo Grande; Huandar Grande y Chico; San Luis; Tucsan Grande y Tucsan Chico y Punas Perccа. Oficina de Comunidades Campesinas y Nativas, Ministerio de Agricultura, Cuzco.

Expediente de Expropiación: hacienda Chahuaytiri, nº 2162 Diario, Tomo 74, F. 182, Registro Público de la Propiedad, Palacio de Justicia, Cuzco.
Título de propiedad: comunidad de Chahuaytiri, 12260-1992, Diario 112, F. 215 Exp. nº 151312260-92, Registro Público de la Propiedad, Palacio de Justicia, Cuzco.

• Fuentes estadísticas

Censo Nacional VII de Población y II de Vivienda, 1972, Lima: INEI, 1974.
Censo Nacional VIII de Población y III de Vivienda, 1981, Lima: INEI, 1983.
Censo Nacional IX de Población y IV de Vivienda, 1993, Lima: INEI, 1995.
III Censo Nacional Agropecuario, Lima: INEI, 1997.
Padrones electorales 1992, 1994 y 1997, comunidades de Chahuaytiri, Pampallacta y Cuyo Grande (Pisac); Ccamahuara (San Salvador).

• Leyes

Constitución Política del Perú y comunidades nativas, 1979, Chiriaco: Centro Amazónico de Antropología Aplicada.
Constitución Política del Perú, 1983, México: Universidad Nacional Autónoma.
Legislación de Comunidades Campesinas: Normas Reglamentarias y Conexas. Nueva Ley Orgánica de Municipalidades, 1984, Lima: 'El Carmen'.
Estatuto de Comunidades Campesinas, 1970, 1986.
Ley 17716 de la reforma agraria, 1968.

FUENTES SECUNDARIAS

AGUIRRE BELTRÁN, G. (1991 [1967]): *Regiones de refugio: El desarrollo de la comunidad y el proceso dominical en mestizo América,* México: Instituto Indigenista Interamericano.
ALBERTI, G., y MAYER, E., (eds.) (1974): *Reciprocidad e intercambio en los Andes peruanos,* Lima: Perú Problema 12, Instituto de Estudios Peruanos.
ALLEN, C. (1988): *The hold life has... Coca and cultural identity in an Andean community,* Washington: Simthsonian Institution Press.
ANRUP, R. (1990): *El Tayta y el toro: En torno a la configuración patriarcal del régimen hacendario cuzqueño,* Estocolmo: Instituto de Estudios Latinoamericanos.
APPADURAI, A. (1995): "The production of locality", en *Counterworks. Managing the diversity of knowledge,* Fardon, R., (ed.), Londres: Routledge, pp. 204-225.

— 2001: *La modernidad desbordada: Dimensiones culturales de la globalización*, México: FCE.

ARGUEDAS, J. M. (1989 [1942]): "El Varayok: eje de la vida civil del Ayllu", en *Indios, mestizos y señores*, Lima: Horizonte, pp. 109-116.

AVELLÁ, J. (1934): *Los cabildos coloniales*, Tesis inédita presentada en la Universidad de Madrid, Facultad de Derecho.

BALANDIER, G. (1988): *Modernidad y poder. El desvío antropológico*. Madrid: Júcar.

— 1994: *El poder en escenas: de la representación del poder al poder de la representación*, Barcelona: Paidós Studio.

BARTH, F. (1976): "Introducción", en *Los grupos étnicos y sus fronteras*, Madrid: Fondo de Cultura Económica, pp. 9-49.

BASTIEN, J. (1978): *Mountain of the Condor: Metaphor and ritual in an Andean Ayllu*. American Ethnological Society Monographs, 64, St. Paul, Minnesota: West Publishing.

BAUMANN, G. (1992): "Ritual implicates Others: rereading Durkheim in a plural society", en *Understanding rituals*, Coppet, D. (ed.), Londres: Routledge, pp. 97-117.

BAYLE, C. (1952): *Los cabildos seculares en la América española*, Madrid: Sapientia.

BECK, U. (1998): *¿Qué es la globalización? Falacias del globalismo, respuestas a la globalización*, Barcelona: Paidós, pp. 71-98.

BENDER, B. (1995): "Landscape: meaning and action", en *Landscape. Politics and Perspectives*, Bender, B. (ed.), Oxford: Berg, pp. 1-18.

BOLTON, R. (1970): "El fuete y el Sello: Patrones cambiantes de liderazgo y autoridad en pueblos peruanos", en *América Indígena* 30 (4), pp. 883-927.

BOURDIEU, P. (1991): *El sentido práctico*, Madrid: Taurus.

BOURRICAUD, F. (1989): *Poder y sociedad en el Perú*, Lima: Instituto de Estudios Peruanos.

BOUYSSE-CASSAGNE, T. (1997): "Plumas: signos de identidad, signos de poder entre los Incas", en *Arqueología, Antropología e Historia en los Andes: Homenaje a María Rostworowski*, Lima: Banco Central de Reserva-Instituto de Estudios Peruanos, pp. 545-66.

BOWMAN, G. (1995): "The Politics of Tour Guiding: Israeli and Palestinian guides in Israel and the Occupied Territories", en *Tourism and the Less Developed Countries*, Harrison, D. (ed.), Sussex: John Wiley & Sons, pp. 121-134.

BURGA, M. (1976): *De la encomienda a la hacienda capitalista: El valle de Jequetepeque del siglo XVI al XX*, Lima: Instituto de Estudios Peruanos.

— 1988): *Nacimiento de una utopía: muerte y resurrección de los Incas*, Lima: Instituto de Apoyo Agrario.

BURNS, K. (1992): "Los monasterios del Cuzco Colonial: Orígenes y Desarrollo", ponencia presentada al simposio internacional: "El monacato femenino", León (mimeo).

CANCIAN, F. (1965): *Economics and prestige in a Maya community. The religious cargo system in Zinacantán*, California: Stanford University Press.
CARO BAROJA, J. (1965): *El Carnaval: análisis histórico-cultural*, Madrid: Taurus.
— (1979): *La estación del Amor: Fiestas populares de mayo a San Juan*, Madrid: Taurus.
— (1984): *El estío festivo. Fiestas populares del verano*, Madrid: Taurus.
CARRASCO, P. (1979): "La jerarquía cívico-religiosa en las comunidades de Mesoamérica: antecedentes precolombinos y desarrollo colonial", en *Antropología política*, Llobera, J. (ed.), Barcelona: Anagrama, pp. 323-340.
CARTER, W., y MAMANI, M. (1982): *Irpa Chico. Individuo y comunidad en la cultura aymara*, La Paz: Juventud.
CARTER, W., y ALBO, X. (1988): "La comunidad aymara: Un mini-estado en conflicto", en *Raíces de América: El Mundo Aymara*, Albó, X. (comp.), Madrid: Alianza América-Unesco, pp. 451-494.
CASAVERDE, J.; CEVALLOS, C., y SÁNCHEZ J. (1966): "Wifala o P'asña Capitán", en *Folclore. Revista de Cultura Tradicional*, 1 (1), pp. 83-102.
CASAVERDE, J. (1970): *El mundo sobrenatural en una comunidad: Kuyo Grande*, Cuzco: Tesis presentada a la Universidad Nacional San Antonio Abad del Cuzco.
CASTILLO ARDILES, H. (1970): *Pisaq: estructura y mecanismos de dominación en una región de refugio*, México: Instituto Indigenista Interamericano.
CASTRO POZO, H. (1969): *Del Ayllu al cooperativismo socialista*, Lima: Mejía Baca.
CELESTINO, O., y MEYERS, A. (1981): *Las cofradías en el Perú: Región central*, Frankfurt: Vervuert.
CENCIRA-Holanda (1981): *Diagnóstico de la Micro-región Calca-Urubamba*, Cuzco (mimeo).
CEVALLOS, C. (1974): *Dos haciendas latifundios típicos en el departamento de Cusco: un estudio comparativo e interpretativo*, Cuzco: Tesis presentada a la Universidad Nacional San Antonio Abad del Cuzco.
CHAMBERS, E. (1997): *Tourism and culture. An applied perspective*, Nueva York: SUNY.
CHANCE, J., y TAYLOR, W. (1985): "'Cofradías' and 'cargos': an historical perspective on the Mesoamerican civil-religious hierarchy", en *American Ethnologist* 12 (1), pp. 1-26.
CHAPMAN, M., MCDONALD y TONKIN, E. (eds.) (1989): *History and Ethnicity*. ASA Monographs, 27. London: Routledge.
COHEN, A. (1979): "Antropología política: El análisis del simbolismo en las relaciones de poder", en *Antropología política*, Llobera, J. (comp.), Barcelona: Anagrama, pp. 55-82.
COMAROFF, J. (1985): *Body of Power, Spirit of Resistance. The Culture and History of South African People*. Chicago: University of Chicago Press.

COMAS, D. (1998): *Antropología económica*, Barcelona: Anagrama.
CONNERTON, P. (1989): *How Societies remember.* Cambridge: Cambridge University Press.
CONTRERAS, J. (1985): *Subsistencia, ritual y poder en los Andes*, Barcelona: Mitre.
— (1996): "Las formas de organización comunal en los Andes: continuidades y cambios", en *La gestión comunal de recursos. Economía y poder en las sociedades locales de España y de América Latina*, Chamoux, M. y Contreras, J. (eds.), Barcelona: Icaria, pp. 269-305.
COSGROVE, D. (1984): *Social Formation and Symbolic Landscape*, Nueva Jersey: Barnes & Noble Books.
COTLER, J. (1970): "Haciendas y comunidades tradicionales en un contexto de movilización política", en *Estudios Andinos*, 1 (1), pp. 127-48.
— (1978): *Clases, estado y nación en el Perú*, Perú Problema, 17, Lima: Instituto de Estudios Peruanos.
CRICK, M. (1989): "Representations of International Tourism in the Social Sciencias: Sun, Sex, Sights, Savings, and Servility", en *Annual Reviews of Anthropology* 18, pp. 307-44.
CUSTRED, G. (1980): " The Place of Ritual in Andean Rural Society", en *Land and Power in Latin-American Agrarian Economics and Social Processes in the Andes*, Orlove, B. y Custred, G. (eds.), Londres: H&M, pp. 195-209.
DAVIES, T. (1974): *Indian Integration in Peru, a Half Century of Experience, 1900-1948*, Lincoln: University of Nebraska Press.
DE LA PUENTE, B. (1992): *Encomienda y encomenderos en el Perú: Estudio social y político de una institución colonial*, Sevilla: Quinto Centenario.
DÍAZ GÓMEZ, J. (1984): *Economía campesina y desarrollo regional del Cusco- Perú*, Lima: Tarea.
DIETZ, G. (1999): *La comunidad purhépecha es nuestra fuerza. Etnicidad, cultura y región en un movimiento indígena en México*, Quito: Abya-Yala.
— 2002): "Etnicidad e interculturalidad: Una visión desde la antropología social", en *El discurso intercultural. Prolegómenos a una filosofía intercultural*, González, G. (coord.), Madrid: Biblioteca Nueva, pp. 189-236.
DOUGLAS, M. (1973): *Pureza y peligro: un análisis de los conceptos de contaminación y tabú*, Madrid: Siglo XXI.
— (1978): *Símbolos naturales: exploraciones en cosmología*, Madrid: Alianza Universidad.
DURKHEIM, E. (1992): *Las formas elementales de la vida religiosa: El sistema totémico en Australia*, Madrid: Akal Universitaria
EARLS, J. (1969): "The Organization of Power in Quechua Mythology", en *Steward Journal of Anthropological Society*, 1, pp. 63-82.
ESCOBAR, A. (1995): *Encountering Development. The Making and Unmaking of the Third World*, Nueva Yersey: Princeton University Press.

ESCOBAR, G. (1961): *Estructura política rural del departamento de Puno*, Cuzco: Rozas.

— (1973): *Sicaya: Cambios culturales en una comunidad mestiza andina*, Lima: Instituto de Estudios Peruanos.

— (1988): "Estructura política en las comunidades campesinas andinas", ciclo de conferencias, Madrid: Consejo Superior de Investigaciones Científicas.

ESPINOSA, W. (1960): " El Alcalde Mayor indígena en el Virreinato del Perú", en *Anuario de Estudios Americanos*, 17, pp. 183-300.

FERNÁNDEZ JUÁREZ, G. (1997): *Entre la repugnancia y la seducción. Ofrendas complejas en los Andes del sur.* Cuzco: CERA Bartolomé de las Casas.

FAVRE, H.; DELAVAUD, C., y MATOS MAR, J. (1968): *La hacienda en el Perú*, Lima: Instituto de Estudios Peruanos.

FIORAVANTI, A. (1985): "Tiempo del espacio y espacio del tiempo en los Andes", en *Journal of South America*, 71, pp. 97-114.

— (1997): "Buscando una historicidad andina: Una propuesta antropológica y una memoria hecha rito", en *Arqueología, Antropología e Historia en los Andes. Homenaje a María Rostworowski*, Lima: Banco Central-Instituto de Estudios Peruanos, pp. 691-708.

FLORES GALINDO, A., (ed.) (1988): *Comunidades campesinas. Cambios y permanencias*, Chiclayo: Centro de Estudios Sociales 'Solidaridad' / Consejo de Ciencia y Tecnología del Perú.

— (1994): *Buscando un Inka*, Lima: Fondo Editorial de la Pontificia Universidad Católica del Perú.

FLORES OCHOA, J., (comp.) (1977): *Pastores de puna: Uywamichiq punarunakuna*, Lima: Instituto de Estudios Peruanos.

— (1990): *El Cuzco. Resistencia y continuidad*, Cuzco: Centro de Estudios Andinos Cusco / Consejo Nacional de Ciencia y Tecnología.

— (1996): "Buscando los espíritus del Ande: Turismo místico en el Qosqo", en *Senri Ethnological Reports* 5, pp. 9-29.

— (1997): "El Pachamama Raymi en Qatqa", en *El Antoniano*, 102 (7), pp. 3-4.

FORTES, M., y PRITCHARD, E. (1979): "Introducción" a *Sistemas políticos africanos*, en: *Antropología política*, Llobera, J. (comp.), Barcelona: Anagrama, pp. 85-105.

FUENZALIDA, F. (1970): "Poder, raza y etnia en el Perú contemporáneo", en *El indio y el poder en el Perú*, Matos Mar (comp.), Lima: Perú Problema 4, Instituto de Estudios Peruanos, pp. 15-88.

— (1976): "Estructura de la comunidad de indígenas peruana. Una hipótesis de trabajo", en *Hacienda, comunidad y campesino en el Perú*, Matos Mar (comp.), Lima: Perú Problema 3, Instituto de Estudios Peruanos, pp. 219-266.

GARCÍA CANCLINI, N. (1992): *Culturas híbridas. Estrategias para entrar y salir de la modernidad*, Buenos Aires: Sudamericana.
— (1995): *Consumidores y ciudadanos. Conflictos multiculturales de la globalización*, México: Grijalbo.
— (1999): *La globalización imaginada*, Barcelona: Paidós.
GARCÍA, J. (1976): *Antropología del Territorio*, Madrid: JB.
GARCILASO DE LA VEGA, Inca (1991): *Comentarios reales de los Incas*, 2 vols., Lima: Fondo de Cultura Económica.
GARMENDIA, T. (1976): *P'isaq: Estructura y Cambio Sociocultural*, Cuzco: Tesis presentada en la Universidad Nacional San Antonio Abad del Cuzco.
GEERTZ, C. (1992): *La interpretación de las culturas*, Barcelona: Gedisa.
— (1994): *Conocimiento local. Ensayos sobre la interpretación de las culturas*, Barcelona: Paidós.
GENNEP, van A. (1986): *Los ritos de paso*, Madrid: Taurus.
GIDDENS, A (1987): *Las nuevas reglas del método sociológico. Crítica positiva de las sociologías interpretativas*, Buenos Aires: Amorrurtu.
— (1995): *La constitución de la sociedad. Bases para la teoría de la estructuración*, Buenos Aires: Amorrurtu.
— (1997): *Modernidad e identidad del yo: el yo y la sociedad en la época contemporánea*, Madrid: Península.
GLAVE, L., y REMY, M. (1983): *Estructura agraria y vida rural en una región andina: Ollantaytambo entre los siglos XVI y XIX*, Cuzco, Colección Archivos de Historia Andina 3, CERA Bartolomé de las Casas.
GLAVE, L. (1989): "Un curacazgo andino y la sociedad campesina del siglo XVII. La historia de Bartolomé Tupa Hallicalla, Curaca de Asillo", en *Allpanchis* 33 (1), pp. 11-40.
— (1992): *Vida, símbolos y batallas: Creación y recreación de la comunidad indígena, siglos XVI-XIX*, México: Fondo de Cultura Económica.
GLEDHILL, J. (2000): *El poder y sus disfraces. Perspectivas antropológicas de la política*, Barcelona: Bellaterra.
GONZÁLEZ DE HOLGUÍN, D (1989): *Vocabulario de la lengua general de todo el Perú llamada lengua Kkichua o del Inka*, Lima: Universidad Nacional Mayor de San Marcos
GOLTE, J. (1980): *La racionalidad de la organización andina*, Lima: Instituto de Estudios Peruanos.
GOSE, P. (1998): "The Rise of the Mountain Spirits: Ancestors, Landscape and Colonialism in the Andes", ponencia presentada al simposio Internacional "Kay Pacha: Earth, Land, Water and Culture in the Andes", Universidad de Lampeter, País de Gales (mimeo).
GOSSEN, G. (ed.) (1987): "The Chamula Festival of Games: Native Macroanalysis and Social commentary in a Maya Carnival", en *Symbol and Meaning*

Beyond the Closed Community: Essays in Mesoamerican Ideas, vol. 1 Studies on Culture and Society, New York: Institute for Mesoamerican Studies/University of Albany, pp. 227-56.

GOW, D. (1974): "El impacto de la Reforma Agraria sobre el sistema de cargos", en *Allpanchis Phuturinqa*, 5, pp. 131-158.

GRABRUN, N. (1995): "Tourism, modernity and nostalgia", en *The future of anthropology. Its relevance to the contemporary world*, Akbar, S. y Shore, C. (eds.), Londres: Atholone, pp. 158-78.

GUAMÁN POMA DE AYALA, F. (1993): *Nueva Corónica y Buen Gobierno*, Lima: Fondo de Cultura Económica (edición y prólogo de Franklin Pease G. Y.).

GUILLET, D. (1998): "Boundary Practice and Historical Consciousness in Spain and Peru", ponencia presentada al simposio internacional *Kay Pacha: Earth, Land, Water and Culture in the Andes*, Universidad de Lampeter, País de Gales (mimeo).

GUTIÉRREZ ESTÉVEZ, M. (comp.) (1988): *Mito y ritual en América*, Madrid: Alhambra.

— (1989): "Carnaval, Cuaresma y vida cotidiana en la tradición hispana", en *Folklore Americano*, 48 (2), pp. 171-194.

HANNERZ, U. (1998): *Conexiones transnacionales. Cultura, gente, lugares.* Valencia: Cátedra.

HARRIS, O., y BOUYSSE-CASSAGNE, T. (1988): "Pacha: En torno al pensamiento aymara", en *Raíces de América: El Mundo Aymara*, Albó, X. (comp.), Madrid: Alianza América-Unesco, pp. 217-282.

HARRIS, O. (1978): "Complementarity and Conflict: An Andean View of Women and Men", en *Sex and Age as Principles of Social Differentiation*, La Fontaine, J. (ed.), Londres: Academic Press, pp. 21-40.

— (1982): "The Dead and the Devils among the Bolivian Laymi", en *Death & the regeneration of life*, Bloch, M. y Parry, J. (eds.), Cambridge: Cambridge University Press, pp. 45-73.

— (1986): "From Asymmetry to Triangle: Symbolic Transformations in Nothern Potosí", en *Anthropological History of Andean Polities*, Murra, J.; Wachtel, N. y Revel, J. (eds.), Cambridge: Cambridge University Press, pp. 260-279.

— (1994): "Condor and Bull. The Ambiguities of M;asculinity in Northern Potosí", en Harvey, P. y Gow, P., (eds.), *19 Sex and Violence: Issues in representation and experience*, Londres: Routledge, pp. 40-65.

HARRISON, D. (ed.) (1995): *Tourism and the Less Developed Countries*, Sussex: John Wiley & Sons.

HEERS, J. (1988): *Carnavales y fiestas de Locos*, Barcelona: Península.

HIRSCH, E. (1995): "Landscape: Between Place and Space", en *The Anthropology of Landscape: Perspectives on Place and Space*, Hirsch, E y O'Hanlon, M. (eds.), Oxford: Clarendon Press, pp. 1-30.

Hobsbawm, E., y Ranger, T. (eds.) (1983): *The Invention of Tradition*, Cambridge: Cambridge University Press.

Hofstadter, R. (1989): *Gödel, Escher, Bach. Un eterno y grácil bucle*, Barcelona: Tusquets.

Holmberg, A. (1966): *Vicos: Método y Práctica de la Antropología Aplicada*, Lima: Estudios Andinos.

Ibáñez, J. (1993): "El papel del sujeto en la teoría: Hacia una sociología reflexiva", en *Problemas de Teoría Social Contemporánea*, Lamo de Espinosa, E. y Rodríguez Ibáñez, J. (eds.), Madrid: Centro de Investigaciones Sociológicas, pp. 359-386.

INDICEP (1973): "El Jilakata: apuntes sobre el sistema político de los aymaras", en *Allpanchis*, 5 (5), pp. 33-58.

Isbell, B. (1978): *To Defend Ourselves. Ecology and Ritual in an Andean Village*, Latin American Monographs vol. 47, Austin: Institute of Latin American Studies/University of Texas.

— (1985): "The Metaphoric Process: From Culture to Nature and Back Again", en Urton, G. (ed.),. *Animal Myths and Metaphors in South America*: Utah: University of Utah Press, pp. 285-310.

Kapsoli, W. (1994): *Guerreros de la oración. Las nuevas iglesias en el Perú*, Lima: Servicio Ecuménico de Pastoral y Estudio de la Comunicación.

Kearney, M. (1996): *Reconceptualizing the Peasantry. Anthropology in Global Perspective*, Boulder, CO: Westview.

Keesing, R. (1992): *Custom and Confrontation: The Kwaio Struggle for Cultural Autonomy*. Chicago: University of Chicago Press.

Küchler, S. (1993): "Landscape as Memory: the Mapping of Process and its Representation in a Melanesian Society", en *Landscape. Politics and Perspectives*, Bender, B. (ed.), Oxford: Berg, pp. 85-106.

Lakoff, G., y Johnson, M. (1988): *Metáforas de la vida cotidiana*, Madrid: Cátedra.

Lamo, E. (1990): *La sociedad reflexiva. Sujeto y objeto del conocimiento sociológico*, Madrid: Centro de Investigaciones Sociológicas (CIS), Siglo XXI.

Leach, E. (1976): *Sistemas políticos de la Alta Birmania: Estudios sobre la estructura social kachin*, Barcelona: Anagrama.

— (1993): *Cultura y comunicación. La lógica de la conexión de los símbolos. Una introducción al uso del análisis estructuralista en la Antropología Social*, Madrid: Siglo XXI.

Levi-Strauss, C. (1995): *Antropología Estructural*, Paidós: Barcelona.

Lovon, G. (1982): *Mito y realidad del turismo en el Cusco*, Cuzco: CERA Bartolomé de las Casas.

Luque, E (1984): "Sobre antropología política. Diálogo polémico con un viejo discurso", en *REIS*, 25, pp. 71-93.

— (1987): "Poder y dramaturgia política", en: *Política y sociedad*, Madrid: Centro de Investigaciones Sociológicas, pp. 37-67.

MACCANELL, D. (1973): "Staged Authenticity: On Arrangements of Social Space in Tourist Settings", en *American Journal of Sociology*, 79 (3), pp. 589-603.

— (1992): "Reconstructed Ethnicity. Tourism and Cultural Identity in Third World Communities", en *Empty Meeting Ground: The Tourist Papers*, Londres: Routledge, pp. 158-172.

MÁLAGA, A. (1974): "Las Reducciones en el Perú durante el gobierno del Virrey Toledo", en *Anuario de Estudios Americanos*, 31, pp. 819-42.

MALLON, F. (1995): *Peasant and Nation. The Making of Postcolonial Mexico and Peru*, Los Ángeles: University of California Press.

MANRIQUE, N. (1988): *Yawar Mayu: Sociedades terratenientes serranas (1879-1910)*, Lima: DESCO.

— (1992): "El Otro de la Modernidad: Los pastores de puna", en *Pretextos*, 3, pp. 103-126.

MARIÁTEGUI, J. M. (1992 [1928]): *Siete ensayos de interpretación sobre la realidad peruana*, Lima: Amauta.

MARTÍNEZ CERECEDA, J. (1995): *Autoridades en los Andes, los atributos del Señor*, Lima: Fondo Editorial Pontificia Universidad Católica del Perú.

MARTÍNEZ, G. (1989): *Espacio y pensamiento*, vol. 1: Andes Meridionales, La Paz: Hisbol.

MARZAL, M. (1985): *El sincretismo iberoamericano. Un estudio Comparativo*, Lima: Pontificia Universidad Católica del Perú.

— (1993): "Sincretismo y mundo andino: un puente con el otro", en *De palabra y obra en el Nuevo Mundo*, vol. 3., *La formación del otro*, Gossen, G.; Klor de Alva, J; Gutiérrez Estévez, M. y León-Portilla, M. (eds.), Madrid: Siglo XXI, pp. 231-250.

MASON, P. (1990): *Deconstructing America. Representations of the Other*, Londres: Routledge.

MATOS MAR, J., y FUENZALIDA, F. (1976): "Proceso de la sociedad rural", en *Hacienda, comunidad y campesinado en el Perú*, Perú Problema, 3, Lima: Instituto de Estudios Peruanos, pp. 15-52.

MATOS, J., y MEJÍA, J. (1984): *Reforma Agraria: Logros y contradicciones, 1969-1979*, Lima: Instituto de Estudios Peruanos.

MAUSS, M. (1971 [1923-24]): "Ensayo sobre los dones. Motivo y forma del cambio en las sociedades primitivas", en *Sociología y Antropología*, Madrid: Tecnos, pp. 155-263.

MELLAFE, R. (1969): "Frontera agrícola: El caso del virreinato peruano en el siglo XVI", en *Tierras nuevas: Expansión territorial y ocupación del suelo en América (ss. XVI-XIX)*, México: El Colegio de México, pp. 11-42.

Merry, S. (1982): "The Social Organization of Mediation in Non-Industrial Societies", en *The Politics of Informal Justice*, 2, Comparative Studies, Nueva York: Academic Press, pp. 17-45.

— (1988): "Legal Pluralism", en *Law & Society*, 22 (5), pp. 869-96.

Meyers, A., y Hopkins, D. (1988): *Manipulating the Saints Religious Confraternities in Postconquest Latinoamerica*, Hamburgo: Wayasbah.

Meyers, A. (1988): "Cofradías religiosas en América Latina: Una aproximación a base de dos estudios de caso peruanos", en *Religiosidad popular en América Latina*, Frankfurt: Vervuert/ADLAF, pp. 280-299.

Millones, L. (1987): *Historia y poder en los Andes Centrales: desde los orígenes al siglo* xvii, Madrid: Alianza.

Mörner, M. (1970): *La Corona española y los foráneos en los pueblos de indios de América*, Estocolmo: Almquist und Wiksell.

— (1975): "Continuidad y cambio en una provincia del Cuzco: Calca y Lares desde los años 1680 hasta 1790", en *Historia y cultura*, 9, pp. 77-115.

— (1977): *Perfil de la sociedad rural del Cuzco a fines de la colonia*, Lima: Pontificia Universidad Católica del Perú.

Morote Best, E. (1988): *Aldeas Sumergidas*, Cuzco: CERA 'Bartolomé de las Casas'.

Murra, J. (1970): "Investigaciones y posibilidades de la etnohistoria andina en la actualidad", en *Revista del Museo Nacional*, tomo XXXV, pp. 125-59.

— 1975): *Formaciones económicas y políticas del mundo andino*, Lima: Instituto de Estudios Peruanos.

— (1990): "Las sociedades andinas antes de 1532", en *Historia de América Latina*, Vol.1, *América Latina colonial: la América precolombina y la conquista*, L. Bethell (ed.), Barcelona: Crítica, pp. 48-75.

Nash, D. (1995): "Prospects for Tourism Study in Anthropology", en Akbar, S. y Shore, C. (eds.), *The future of anthropology. Its relevance to the contemporary world*, Londres: Atholone, pp. 179-202.

Núñez del Prado, O. (1970): *El caso de Kuyo Chico (Cuzco): Un ensayo de integración de la población campesina*, Lima: Instituto de Estudios Peruanos.

O'Phelan Godoy, S. (1988): *Un siglo de rebeliones anticoloniales. Perú y Bolivia, 1700-1783*, Cuzco: CERA Bartolomé de las Casas.

— (1995): *Kurakas sin sucesión*, Cuzco: CERA Bartolomé de las Casas.

Ordóñez, P. (1919): "Los Varayocc", en *Revista Universitaria de la Universidad del Cuzco*, 27, pp.27-40.

Orlove, B. (1994): "Sticks and Stones: Ritual Battles and Play in the Southern Perú", en: *Unruly Order. Violence, Power and Cultural Identity in the High Provinces of Southern Perú*, Poole, D. (ed.), San Francisco: Westview Press, pp. 133-164.

Ortner, S (1973): "On key symbols", en *American Anthropologist*, 75 (5), pp. 133-145.

OSSIO, J. M. (1992): *Parentesco, reciprocidad y jerarquía en los Andes. Una aproximación a la organización social de la comunidad de Andamarca*, Pontificia Universidad Católica del Perú.

PAERREGAARD, K. (1994): "Conversion, Migration, and Social Identity: the Spread of Protestantism in the Peruvian Andes", en *Ethnos*, 59 (3-4), pp. 168-86.

PADILLA, R. (1991): "Los evangélicos: nuevos actores en el escenario latinoamericano", en *De la marginación al compromiso. Los evangélicos y la política en América Latina*, Buenos Aires: Fraternidad Teológica Latinoamericana, pp. 5-101.

PAJUELO, R. (2000): "Imágenes de la comunidad: indígenas, campesinos y antropólogos en el Perú", en *No hay país más diverso. Compendio de antropología peruana*, Degregori, C. (comp.), Lima: IEP, pp. 123-79.

PASARA, L. (1978): *Reforma agraria: derecho y conflicto*, Lima: Instituto de Estudios Peruanos.

PÉREZ GALÁN, B., y DIETZ, G. (eds.) (2003): *Globalización, resistencia y negociación en América Latina*, Madrid: La Catarata.

PÉREZ GALÁN, B. (1996): "Autoridad, espacio y poder en el sur andino peruano. Estudio de caso en comunidades campesinas del distrito de Pisaq, Cuzco, Perú", en *El espacio en la cultura latinoamericana: Diccionario analítico*, Varsovia: Centro de Estudios Latinoamericanos-Universidad de Varsovia, pp. 217-226.

— (1999): *Autoridad, orden e identidad en el sur andino peruano. Las representaciones del wachu en el distrito de Pisac, Calca, Cuzco*, Madrid: Tesis doctoral presentada en la Universidad Complutense de Madrid.

— (2000): "Notas sobre las ediciones de la obra de Polo de Ondegardo", en *Edición e interpretación de textos andinos*, Madrid / Frankfurt / Pamplona: Iberoamericana / Vervuert / Universidad de Navarra, pp. 33-47.

— (2001): "Autoridades étnicas y territorio. El ritual del linderaje en una comunidad andina", en *Antropológica*, 19, pp. 366-82.

— (2002): "Los alabados: Apuntes sobre el universo simbólico de la autoridad en comunidades del sur andino peruano", en *Revista Andina*, 35, pp. 247-64.

— (2003): "Escenificando tradiciones incas: Turistas, indígenas y antropólogos en el Cuzco contemporáneo", en *Globalización, resistencia y negociación en América Latina*, Pérez Galán, B. y Dietz, G. (eds.), Madrid: La Catarata, pp. 143-165.

PIZARRO, P. (1978): *Relación del descubrimiento y conquista de los Reinos del Perú*, Lima: Pontificia Universidad Católica del Perú.

PLASENCIA, R. (1995): "Reafirmación del orden: Ayllus, Varayoqs y matrimonios en Huayllay (Huanacavelica)", en *Antropológica*, 13, pp.187-204.

PLATT, T. (1976): *Espejos y maíz*, La Paz: CIPCA.

— (1982): *Estado boliviano y ayllu andino. Tierra y tributo en el norte de Potosí*, Lima: Instituto de Estudios Peruanos.
— (1988): "Pensamiento político Aymara", en *Raíces de América. El mundo aymara*, Albó, X. (comp.), Madrid: Alianza América-Unesco, pp. 365-439.
PLAZA, O., y FRANCKE, M. (1985): *Formas de dominio, economía y comunidades campesinas*, Lima: DESCO.
PLAZA, O. (1990): " Desarrollo rural y cultura: ¿Cambio y modernidad o modernidad sin cambio?", en *La presencia del cambio: Campesinado y desarrollo rural*, Béjar, H., et al. (eds.), Lima: DESCO, pp. 13-52.
POOLE, D. (1991): "Rituals of Movement, Rites of Transformation: Pilgrimage and Dance in the Highlands of Cuzco, Peru", en *Pilgrimage in Latin America*, Crumrine, N. y Morinis, A. (eds.), Londres: Greenwood Press, pp. 307-339.
— (1994): "Performance, Domination, and Identity in the *Tierras Bravas* of Chumbivilcas", en *Unruly Order. Violence, Power and Cultural Identity in the High Provinces of Southern Peru*, San Francisco: Westview Press, pp. 97-129.
PUERTA, M. et al. (1993): *¿Éxodo o redistribución? Tendencias demográficas en la Región Inka, 1961-1993*, Cuzco: CERA Bartolomé de las Casas.
RADCLIFFE, S. (1990): "Marking the Boundaries between the Community, the State and History in the Andes", en *Journal of Latin American Studies*, 22 (3), pp. 575-94.
RAPPAPORT, J. (1990): *The Politics of Memory. Native Historical Interpretation in the Colombian Andes*, Cambridge: Cambridge University Press.
— (1992): "Reinvented Traditions. The Heraldry of Ethnic Militancy in the Colombian Andes", en *Andean Cosmologies through Time. Persistence and Emergence*, Dover, R.; Seibold, K. y McDowell, J. (eds.), Bloomington: Indiana University Press.
— (1994): *Cumbe Reborn. An Andean Ethnography of History*. Chicago: Chicago University Press.
RASNAKE, R. (1987): *Autoridad y poder en los Andes. Los Kuraq de Yura*, La Paz: Hisbol.
— (1988): "Images of Resistance to Colonial Domination", en *Rethinking History and Myth. Indigenous South American Perspectives on the Past*, Chicago: University of Illinois Press, pp. 136-156.
REIFLER, V (1986): *Humor ritual en la Altiplanicie de Chiapas*, México: FCE.
— (1989): *El Cristo indígena, el rey nativo. El sustrato histórico de la mitología del ritual de los mayas*, México: FCE.
ROSSEBERRY, W. (1989): *Anthropologies and Histories: Essays in Culture, History and Political Economy*, Nueva Jersey: Rutgers University Press.
ROSTWOROWSKI, M. (1983): *Estructuras andinas del poder. Ideología religiosa y política*, Lima: Instituto de Estudios Peruanos.
— (1988): *Historia del Tawantinsuyu*, Lima: Instituto de Estudios Peruanos.

— (1993): *Ensayos de historia andina: elites, etnias, recursos*, Lima: Instituto de Estudios Peruanos.

ROWE, W., y SCHELLING, V. (1993): *Memoria y modernidad. Cultura popular en América Latina*, México: Grijalbo.

SAID, E. (1990): *Orientalismo*, Madrid: Libertarias / Produfi.

SALLNOW, M. (1987): *Pilgrims of the Andes: Regional Cults in Cuzco*, Washington: Smithsonian Institution Press.

— (1991): "Dual Cosmology and Ethnic Division in an Andean Pilgrimage Cult", en *Pilgrimage in Latin America*, Crumrine, N. y Morinis, A. (eds.), Londres: Greenwood Press, pp. 281-306.

SÁNCHEZ, J. (1976): "Autoridades tradicionales en algunas comunidades del Cusco", en *Antropología Andina*, Cuzco: Centro de Estudios Andinos, pp. 136-149.

— (1981): "Kuraqkuna ¿sacerdotes andinos?", en *Etnohistoria y Antropología andina*, Casteli, A. (ed.), Lima: Museo Nacional de Historia, pp. 145-160.

SCOTT, J. (1985): *Weapons of the Weak: Everyday Forms of Peasant Resistance*. Connecticut: Yale University Press.

— (2000): *Los dominados y el arte de la resistencia: Discursos ocultos*. México: Ediciones Era.

SELIGMANN, L. (1992): "La Jerarquía político-religiosa actual en la sierra sur andina", en *Tradición y modernidad en los Andes*, Urbano, H. (comp.), Cuzco: CERA Bartolomé de las Casas, pp. 111-146.

— (1995): *Between Reform & Revolution. Political Struggles in the Peruvian Andes, 1969-1991*, Los Ángeles: Stanford University Press.

SLADE, D. (1992): *Making the World Safe for Existence: Celebration of the Saints among the Sierra Nahuat of Chignautla, Mexico*, Michigan, Ann Arbor: Michigan University Press.

SMITH, W. (1981): *El sistema de fiestas y el cambio económico*, México: Fondo de Cultura Económica.

SPALDING, K (1974): *De indio a campesino. Cambios en la estructura social del Perú colonial*, Lima: Instituto de Estudios Peruanos.

— (1981): "Resistencia y adaptación: el gobierno colonial y las élites nativas", en *Allpanchis*, vol XV, 17-18, pp. 5-23.

SPEDDING, A. (1989): *Wachu-Wachu: Coca Cultivation and Aymara Identity in the Yunkas of La Paz (Bolivia)*, Londres: Tesis doctoral presentada en la Universidad de Londres, London School of Economics.

SPERBER, D. (1988): *El simbolismo en general*, Barcelona: Anthropos.

STERN, S. (ed.) (1990): *Resistencia, rebelión y conciencia campesina en los Andes, siglos XVIII al XIX*, Lima: Instituto de Estudios Peruanos.

STOBART, H. (1995): *Sounding the Seasons: Music Ideologies and the Poetics of Production in an Andean Hamlet (Northern Potosí, Bolivia)*, Cambridge: Tesis doctoral presentada en la Universidad de Cambridge.

TOLEDO, Francisco de (1975): *Tasa de la Visita General de Francisco Toledo 1572*, Lima: Universidad Nacional Mayor de San Marcos.

TURNER, V. (1988): *El proceso ritual: estructura y anti-estructura*, Madrid: Taurus.

— (1990): *La selva de los símbolos. Aspectos del ritual ndembu*, Madrid: Siglo XXI.

TURNER, V., y TURNER, E. (1978): *Image and Pilgrimage in Christian Culture*, Nueva York: Columbia.

Universidad Nacional Mayor de San Marcos (1975): *Tasa de la Visita General de Francisco Toledo" [1572]*, Lima: UNMSM.

URBANO, H. (1990): "Modernidad en los Andes: Un tema y un debate", en *Modernidad en los Andes*, Urbano, H. (comp.), Cuzco: CERA Bartolomé de las Casas, pp. 9-37.

— (1992): "La tradición andina o el recuerdo del futuro", en *Tradición y modernidad en los Andes*, Urbano, H. (comp.), Cuzco: CERA Bartolomé de las Casas, pp. 7-50.

— (1993): "La figura y la palabra. Introducción al estudio del espacio simbólico andino", en *Mito y simbolismo en los Andes: La figura y la palabra*, Urbano, H. (comp.), Cuzco: CERA Bartolomé de las Casas, pp. 7-52.

URRY, J. (1990): *The Tourist Gaze. Leisure and Travel in Contemporary Societies*, London: Sage.

URTON, G. (1981): *At the Crossroads of the Earth an the Sky: An Andean cosmology*, Austin: University of Texas Press.

— (1984): "Chuta: el espacio de la práctica social en Paqaritambo, Perú", en *Revista Andina*, 2 (1), pp. 7-56.

— (1985): "Animal Metaphors and the Life Cycle in an Andean Community", en *Animal Myths and Metaphors in South America*, Urton, G (ed.), Salt Lake City: University of Utah Press, pp. 251-84.

— (1990): *The History of a Myth. Paqaritambo and the Origin of the Incas*, Austin: University of Texas Press.

— (1993): "Moieties and Ceremonialism in the Andes: the Ritual Battles of the Carnival Season in Southern Perú", en *Senri Ethnological Studies*, vol. 37, pp. 117-142.

VALDERRAMA, R., y ESCALANTE, C. (1988): *Del Tata Mallku a la Mama Pacha. Riego, sociedad y ritos en los Andes peruanos*, Lima: DESCO.

VALENE, S. (ed.) (1978): *Hosts and Guests. The Anthropology of Tourism*, Oxford: Basil Balckwell (edición en castellano, 1992, Madrid: Endymion).

VILLANUEVA, H. (1982): *Cuzco, 1689: documentos. Informes de los párrocos al obispo Mollinedo. Economía y sociedad en el sur andino*, Cuzco: Archivo de Historia Andina nº 2, CERA Bartolomé de las Casas.

VOGT, E. (1988): *Ofrendas para los dioses: análisis simbólico de los rituales zinacantecos*, México: Fondo de Cultura Económica.

— (1992): "Cruces indias y bastones de mando en Mesoamérica", en *De palabra y obra en el Nuevo Mundo*, Vol. 2, *Encuentros interétnicos*, Gossen, G.;

Klor de Alva, J.; Gutiérrez Estévez, M.; y León-Portilla, M. (eds.), Madrid: Siglo XXI.
WACHTEL, N. (1992): *Los indios del Perú frente a la conquista española (1530-1570)*, Madrid: Siglo XXI.
— (1997): "Nota sobre el problema de las identidades colectivas en los Andes meridionales", en *Arqueología, Antropología e Historia en los Andes. Homenaje a María Rostworowski*, Lima: Banco Central de Reserva: Instituto de Estudios Peruanos, pp. 677-690.
WATTERS, R. (1994): *Poverty and Peasantry in Peru's Southern Andes, 1963-90*, Londres: Macmillan.
WEBSTER, S. (1974): "Factores de posición social en una comunidad nativa quechua", en *Revista de Estudios Andinos*, 4 (2), pp. 131-160.
WOLF, E. (1957): "Closed Corporate Communities of Mesoamerica and Central Java", in *Southwest Journal of Anthropology*, 13 (1), pp. 1-18.
— (1987): *Europa y la gente sin historia*, México: Fondo de Cultura Económica.
WORSLEY, P. (1980: *Al son de la trompeta final. Estudios de cultos "cargo" en Melanesia.* Madrid: Siglo XXI.
ZAVALA, G. (1982): *Mito y realidad del turismo en el Cusco*, Cuzco: CERA Bartolomé de las Casas.
ZUIDEMA, T. (1986): "Inka Dynasty and Irrigation: Another Look at Andean Concepts of History", en *Anthropological History of Andean Polities*, Cambridge: Cambridge University Press, pp. 177-200.
— (1991): "Batallas rituales en el Cuzco Colonial", en: *Hommage a Pierre Duviols, Andes et Meso-Amerique cultures et societès*, Vol. II, Provence: Universitè de Provence, pp. 811-829.
— (1992): "Inca Cosmos in Andean Context. From the Perspective of the Capac Raymi...", en *Andean Cosmologies through Time*, Bloomington: University of Indiana Press, pp.17-44.
— (1995 [1964]): *El sistema de ceques en Cuzco. Organización social de la capital del imperio inca*, Lima: Pontificia Universidad Católica del Perú..